TRANSICIÓN

Grijalbo

Primera edición: noviembre, 2009 • D. R. © 2009, **Carmen Aristegui** por el prólogo y las entrevistas • D. R. © 2009, **Ricardo Trabulsi** por las fotografías • D. R. © 2009, derechos de edición mundiales en lengua castellana: **Random House Mondadori, S. A. de C. V.** Av. Homero núm. 544, col. Chapultepec Morales, Delegación Miguel Hidalgo, 11570, México, D. F. • **Diseño de portada e interiores:** Héctor Montes de Oca G. • **Cuidado de la edición:** Enrique Calderón, Julio Gallardo, Ricardo Gallardo, Alfredo Gurza y Karina Morales Aguilar **Apoyo editorial:** Doecima (Luis Pablo Beauregard, Gabriel Martínez Ortiz, Eduardo Méndez Sánchez y Alejandra Valdés Teja) **Transcripciones:** Isela Sánchez • **Colaboración fotográfica:** David Franco • **www.rhmx.com.mx** • Comentarios sobre la edición y el contenido de este libro a: **literaria@rhmx.com.mx** • Queda rigurosamente prohibida, sin autorización escrita de los titulares del copyright, bajo las sanciones establecidas por las leyes, la reproducción total o parcial de esta obra por cualquier medio o procedimiento, comprendidos la reprografía, el tratamiento informático, así como la distribución de ejemplares de la misma mediante alquiler o préstamo públicos. ISBN 978-607-429-709-6 (rústica) ISBN 978-607-429-790-4 (tapa dura) • Impreso en México / *Printed in Mexico*

CARMEN ARISTEGUI
RICARDO TRABULSI

TRANSICIÓN

Conversaciones y retratos de lo que se hizo
y se dejó de hacer por la democracia en México

Grijalbo

induce

Prologo

MÉXICO HA VIVIDO un largo y lento proceso de transición a la democracia. El panorama que hoy enfrentamos, los nuevos fenómenos de poder, la degradación de la vida pública nacional y las muchas interrogantes que surgen sobre el resultado de esa transición han sido el estímulo fundamental para la realización de este libro. En las páginas siguientes el lector encontrará un conjunto de extensas entrevistas con hombres y mujeres protagonistas, cada quien a su manera y desde las más diversas perspectivas, de las historias de poder que han marcado el derrotero político y social de los últimos años en nuestro país. Están aquí sus miradas y sus talantes. Capturados por la lente de Ricardo Trabulsi, quedan retratados para que vivan y perduren a través de la fotografía, cada quien con su humanidad y sus contradicciones. Son rostros que reflejan los anhelos, los logros y las frustraciones de quienes han vivido y observado, desde las más diferentes trincheras, lo que se ha hecho y lo que se ha dejado de hacer en los últimos años por la democracia en México.

Con una fuerte y reveladora carga anecdótica de quienes han vivido desde el poder político estos acontecimientos, en este libro también se escucha el análisis y la reflexión desde las voces más importantes e influyentes de la vida intelectual, cultural y académica nacional que han observado, y a veces participado, desde primera fila. La relación de hechos va acompañada, así, de una revisión crítica y puntual del estado de las cosas en la vida política y social. El recorrido parte de un conjunto de interrogantes básicas: ¿logró México transitar de un régimen autoritario, vigente durante más de siete décadas, a una verdadera democracia? ¿El régimen político que hoy impera representa cabalmente el sentir de las mayorías y se ejerce el poder desde la perspectiva del interés general? ¿La transición mexicana culminó? ¿Estamos aún en ella o, a la luz de lo que hoy vivimos y la perspectiva que

se vislumbra, tendríamos que decir, abiertamente, que la transición fracasó?

No hay coincidencias plenas ante estas interrogantes y mucho menos una voz única. Para algunos la democracia llegó y se instaló entre nosotros y lo que vienen son nuevos desafíos. Para otros el proceso se frustró, y lo que hoy domina son intereses particulares y una representación fallida de la soberanía popular; no hay aquí democracia, y lo que se vive es una simulación. Otras interpretaciones reflejan una democracia endeble con los síntomas de la regresión. En estas conversaciones también queda asentada una preocupación central: la presencia de poderes fácticos que han rebasado ya la línea de tolerancia y hoy, sin mandato de por medio, influyen y determinan acciones de quienes detentan la representación formal de la sociedad. La manera en que inciden en la vida pública del México de hoy la delincuencia organizada, los grupos de interés y los poderes mediáticos es, sin duda, una de las preocupaciones principales para quienes se preguntan en dónde quedó la transición. ¿El próximo presidente de México será un "presidente narco"? ¿Tenemos a un presidente en ciernes, cuya candidatura inevitable se está construyendo, ya, desde la televisión? ¿Cuántos intereses particulares identificados o identificables se colocan por encima del interés general y están instalados, como nunca, en los centros de decisión?

Para la elaboración de este libro se propuso a los entrevistados un punto de arranque para hablar de la transición: las elecciones de 1988, como el momento de quiebre a partir del cual irrumpieron una fuerza organizada de la izquierda mexicana y las fuerzas disidentes del Partido Revolucionario Institucional (PRI). Dicho proceso electoral, acusado de fraudulento, se planteó como el inicio de la etapa caracterizada por sucesivas reformas electorales y negociaciones políticas que desembocaron, años más tarde, en la alternancia presidencial. Muchos de los entrevistados coincidieron en ubicar dicha fecha como punto de arranque de un fenómeno *transicional*. Otros lo identifican en 1968, con el movimiento estudiantil, y algunos más con la reforma política de Reyes Heroles en la década de 1970. También se habló de hitos como la resistencia civil pacífica, que reivindicaba el triunfo de Francisco Barrio en Chihuahua en 1986, o el sismo de 1985, que cimbró y reacomodó a las fuerzas políticas y sociales en la capital del país, como fechas posibles para hablar del inicio de una transición. Para efectos prácticos cualquiera de estos criterios es válido para este ejercicio de revisión. Las entrevistas recorren esas fechas y otras, con los acontecimientos clave que han determinado este tramo de la historia nacional: 1988, 1994, 1997, 2000, 2006 y 2009.

Entre otros sucesos, se contempla la llegada al poder de Carlos Salinas de Gortari, la entrada en vigor del Tratado de Libre Comercio de América del Norte (TLCAN), la irrupción zapatista en el sureste mexicano, el asesinato del candidato presidencial Luis Donaldo Colosio, la pérdida de la mayoría absoluta del PRI en la elecciones de 1997 y el triunfo del ingeniero Cuauhtémoc Cárdenas como el primer jefe de Gobierno electo del Distrito Federal. Tampoco se pueden dejar de lado las sucesivas reformas que dotaron de autonomía a los órganos electorales —misma que hoy está en entredicho— y que permitieron la alternancia político-electoral en municipios, congresos y gubernaturas durante por lo menos tres lustros antes del arribo al poder de Vicente Fox Quesada, primer presidente surgido de las filas de la oposición.

Asimismo se examinan hechos políticos que no sólo marcaron a candidatos, partidos o autoridades electorales sino que trastocaron de manera grave el ánimo social y desataron procesos de polarización entre los ciudadanos. Una parte importante de estas conversaciones versa sobre el desafuero a Andrés Manuel López Obrador y las impugnadas elecciones presidenciales de 2006, que llevaron a la Presidencia de México a Felipe Calderón Hinojosa a partir de una decisión jurisdiccional que le otorgó el triunfo por la mínima diferencia de medio punto porcentual. Otros temas de actualidad que se abordan son la recuperación del PRI de la mayoría absoluta en el Congreso en las elecciones intermedias de 2009, los triunfos en gubernaturas y la recuperación de amplios espacios de poder por parte del otrora partido oficial. El regreso del Revolucionario Institucional y las elecciones de 2012 ocupan los principales espacios para quienes optaron por el análisis prospectivo.

Antes de que el lector se adentre en estas entrevistas, es conveniente señalar que no todos los que fueron invitados a participar aceptaron hacerlo. En dos casos se declinó la invitación por razones de viaje uno y por motivos de salud otra. En la oficina de Ernesto Zedillo en la ciudad de Nueva York, se nos hizo saber que el ex presidente había tomado la decisión de no conceder ningún tipo de entrevista para hablar de su desempeño gubernamental o de la situación política del país. La solicitud al ex presidente Vicente Fox fue contestada con la propuesta de sustituir la entrevista directa con un texto elaborado por él; se trata del único caso en el que la colaboración tiene este formato. Es el de Fox un texto editado, por razones de espacio, que no modifica en modo alguno lo sustantivo del escrito. Al ex presidente se le hizo una segunda solicitud para que incorporara en su recuento de hechos lo ocurrido durante su gestión gubernamental. Lamentablemente la ampliación solicitada no fue recibida. El lector seguramente se sumará a nuestra sorpresa cuando encuentre que el primer presidente de la alternancia, después de narrar con detalle algunos de los pasajes de su biografía, su incursión en la política y la odisea de "sacar al PRI de Los Pinos", cuando llega el tiempo de narrar lo que ocurrió durante su gestión como presidente, se detiene con la brevísima y desconcertante frase que dice, sin más: "... y así pasaron los seis años."

En el caso del ex presidente Carlos Salinas, a quien también se le solicitó una entrevista para este libro, es el único en donde la negativa a participar fue clara y definitiva. Dado que esta solicitud se giró algunas semanas después de que fueran divulgados por anticipado por Noticias MVS fragmentos de la conversación sostenida con el ex presidente Miguel de la Madrid, también para este libro, doy por sentado que al ex presidente Salinas no le interesó compartir espacios con quien fuera su antecesor. Es de suponerse que las declaraciones de Miguel de la Madrid en contra suya, de su familia y de su gobierno, acusando corrupción, complicidad y comunicación con el narcotráfico, no fueron un estímulo para aceptar nuestra invitación.

Las declaraciones hechas por De la Madrid rompieron la regla de oro del sistema presidencial mexicano y son tan graves que deberían formar parte ya de una investigación ministerial.

Entre los documentos que se incluyen al final de este libro se encuentra un texto escrito *ex professo* por quien fuera secretario de Gobernación en el sexenio de Miguel de la Madrid, Manuel Bartlett Díaz. En él da pormenores de un encuentro sostenido entre ambos en el que el ex presidente le confía que lo único que le reclama la gente es haber dejado en la Presidencia a Carlos Salinas de Gortari. Con la lectura de este relevante testimonio se confirma que Miguel de la Madrid dijo lo que dijo porque lo quería decir, porque quería liberarse de esa carga moral. Su posterior "auto-desmentido" fue producto de la presión que ejercieron sobre él sus propios hijos y enviados de Salinas, tal y como lo narran las crónicas publicadas en diversos medios de comunicación, algunas de las cuales se recogen también en el anexo de este libro.

Finalmente, este capítulo y los otros narrados en estas páginas a través de las entrevistas dan pie para formular las preguntas básicas y obligadas: ¿vive México, hoy, una vida democrática? ¿Los esfuerzos de ciudadanos, luchadores sociales, líderes políticos y diversas organizaciones se han traducido en una auténtica vida democrática? ¿Qué sigue y frente a qué debemos estar en alerta?

México está sumido en una profunda crisis que es en realidad la concatenación de varias crisis. Unas de vieja data, otras de coyunturas recientes y otras más que se suman en un contexto global crítico. Crisis económica y financiera, crisis energética, crisis alimentaria, pobreza y desempleo creciente son los signos que marcan hoy la vida del planeta. En nuestro país se agrega una crisis de inseguridad y violencia, a veces extrema, con el propósito de provocar el horror entre la población, que ha arrojado un saldo de miles de muertos. Ejecuciones, decapitaciones y violencia desmedida forman ya parte del paisaje nacional. Éstos y otros hechos delictivos, aunados a fenómenos de corrupción y abusos de poder que se cometen cada día y quedan en total impunidad, muestran un sistema de justicia colapsado que alimenta la idea de una transición fallida.

Las preguntas que acompañan a este libro de conversaciones y fotografías pretenden resumir, de alguna forma, el conjunto de preocupaciones que se desprenden de esta compleja e inquietante realidad. Queda ahí la pregunta principal: ¿Logró México transitar de un régimen autoritario a un sistema democrático? ¿Es posible todavía imaginar esa utopía? Visitar de nuevo la palabra *transición* nos obliga a pensar en dónde estamos parados, a dónde fue que llegamos y hacia dónde dirigimos nuestro andar.

Carmen Aristegui
Noviembre, 2009

trans

LUIS H. Álvarez

POLÍTICO Y EMPRESARIO.
CHIHUAHUA, 1919.
CANDIDATO DEL PAN A LA PRESIDENCIA, 1958.
PRESIDENTE DEL PAN, 1987-1993.
ACTUAL COMISIONADO
PARA EL DESARROLLO DE LOS PUEBLOS INDÍGENAS.

ANTES DE EMPEZAR necesito hacer una precisión: aunque físicamente no me siento mal —para alguien que si llega octubre habrá cumplido 90 años— la memoria sí me falla; entonces no puedo seguir con precisión el orden de los acontecimientos, por eso me permitiré usar unas tarjetas. En 1958, cuando iniciaba la gira de campaña, me metieron en la cárcel y eso me ayudó. Me aprehendió un caciquillo local de Zacatecas. Me dijo: "Aquí nunca ha venido ni vendrá un candidato presidencial del PRI, ¿cree que lo vamos a dejar pasar a usted?" No duré ni 24 horas. Creo que llamaron de Gobernación para que me liberaran. No querían que la gente tomara nota de que había unos loquitos recorriendo el país. El que me metió abrió la reja y me dijo: "Sálgase". No, tiene que venir el alcalde a explicar por qué estoy aquí. "No va a venir", me dijo. "Entonces aquí me quedo." *Su campaña era insólita en el apogeo del dominio total del PRI.* La campaña me permitió confrontar la cerrazón política entonces existente. Visité más de 500 poblaciones y sólo cuento aquellas donde hubo un mitin público. Yo estaba plenamente convencido de que un país sin democracia no puede avanzar, y si lo hace, los beneficios son únicamente para unos cuantos. Fue un recorrido que hicimos mi esposa Blanca y yo. En algunos lugares no nos rentaban habitación en los hoteles. Tuvimos que dormir donde podíamos, en patios y en hamacas. Éramos un grupo reducido de participantes. Entre ellos había bellas mujeres y un poblano, un poeta que usaba una muleta... ¡Manuel Rodríguez Lapuente! Fuimos unos loquitos y nuestros ataques al gobierno eran directísimos. Para mí lo mejor fue haber participado en un movimiento que yo creía que ya era impostergable.

Si le parece bien, podemos iniciar con una mirada suya, un diagnóstico sobre lo que se ha llamado transición. ¿Ya terminó, se truncó o sigue su curso? Yo digo que el hecho de que un partido detente el poder durante más de 70 años es algo que no se identifica con la democracia. En la transición democrática incidieron diversos factores y creo que entre los episodios históricos que deben destacarse se encuentra la contienda de 1956, en Chihuahua, donde se buscaba la democracia estatal. También contribuyó el movimiento ferrocarrilero de 1958-1959, que liderado por Demetrio Vallejo desafió al régimen. La respuesta, lo sabemos, fue la represión. Después, el movimiento estudiantil de 1968 fue una importante expresión en favor de la democracia. Las elecciones federales de 1986, con actividad electoral en seis estados, entre ellos Chihuahua, donde hubo un burdo fraude que Miguel de la Madrid calificó cínicamente de patriótico. La lucha por romper ese monopolio fue muy diversa. Algunas personas, yo incluida, pensamos en métodos violentos. *¿Le pasó por la mente el uso de la violencia?* Pensé en ello unas 48 horas, pero luego reflexioné. Tenía unos 35 años, eran los cincuenta. *¿Sólo lo pensó o hizo algo en consecuencia?* Algunos amigos que compartían la idea compraron un par de rifles de alto calibre. Yo no sé qué hubiera hecho con esas armas, pues no sabía usarlas. Otros pensaron en emular los métodos violentos de las guerrillas de Genaro Vázquez y Lucio Cabañas. Hubo quienes optaron por la acción cívica para lograr los cambios que el país requería.

Cuénteme de la huelga de hambre que hizo en 1986 tras las elecciones en Chihuahua. No probaba bocado alguno, pero en las madrugadas me paraba y frotaba la corteza de los árboles y las hojas. Sentía que algo me transmitía; eso siempre me llamó la atención. El resultado electoral dio lugar a una resistencia cívica con repercusiones nacionales e internacionales. Participaron líderes de opinión como Octavio Paz y Enrique Krauze, además de personajes políticos de diversas ideologías, entre ellos el ingeniero Heberto Castillo, quien me visitó en Chihuahua mientras estaba en el ayuno y me dijo: "Oiga, no entregue la vida de contado, vamos entregándola a plazos".

¿Cuánto tiempo llevaba en la protesta cuando llegó don Heberto? Cuarenta días. Duró 42. Sus palabras me alentaron porque venían de una persona con la que supuestamente tenía diferencias ideológicas. Es un referente que el movimiento democratizador iniciara en Chihuahua, que también fue la cuna de la Revolución.

¿Es 1988 el punto de arranque de la transición? No, es el movimiento estudiantil de 1968. *¿Qué definición tiene sobre la batalla política de ese año que culmina con la llegada de Carlos Salinas a la Presidencia?* En ese entonces convocamos a miembros y dirigentes de otras fuerzas políticas para participar de manera conjunta en la denuncia contra el PRI: Cuauhtémoc Cárdenas, Rosario Ibarra y Heberto Castillo, entre otros. Elaboramos el *Llamado a la legalidad* y fuimos a Gobernación cuando la Comisión Electoral estaba sesionando. Frente a un desencajado Manuel Bartlett, doña Rosario leyó el documento en nombre de todos. Bartlett, sin argumentos, sólo balbuceó que el sistema se había caído.

La elección fue considerada fraudulenta por ustedes y por el Frente Democrático. La izquierda no reconoció a Salinas pero ustedes permitieron el acercamiento con Salinas. ¿Cómo recuerda eso? Me convencieron de que en el ámbito legislativo había mucho por hacer para mejorar el marco legal de ese entonces y así facilitar la participación de quienes luchaban por la democracia. Francamente no sé si hicimos lo correcto en ese momento.

"LA LUCHA POR ROMPER ESE MONOPOLIO FUE MUY DIVERSA. ALGUNAS PERSONAS, YO INCLUIDA, PENSAMOS EN MÉTODOS VIOLENTOS. **¿LE PASÓ POR LA MENTE EL USO DE LA VIOLENCIA?** PENSÉ EN ELLO UNAS 48 HORAS, PERO LUEGO REFLEXIONÉ. TENÍA UNOS 35 AÑOS."

El caso es que todo esto derivó en las reformas a la autoridad electoral, pero Salinas llegó reconocido por figuras claves del PAN *como usted, Diego Fernández de Cevallos y Carlos Castillo Peraza. Eso estableció una nueva dinámica de la oposición electoral.* En las elecciones locales sí se empezó a avanzar en el reconocimiento. *¿A cambio de qué? Se le llamó concertacesión. Había un reconocimiento a la oposición a cambio de apoyar a Salinas.* No creo que fuera tan meritorio por parte de la autoridad reconocer triunfos. *Era una cosa muy novedosa.* Sí. *Dice que cree que se equivocaron, ¿en qué?* Tal vez debimos haber sido más radicales. *¿Qué le hubiera gustado que pasara?* Haber exigido a Salinas un costo mayor. Por lo menos.

¿Limpiar la elección? Sí, pero mire, también yo entendía que todavía no contábamos con una ciudadanía lo suficientemente convencida y fuerte para que se lograran los cambios. Todavía en algunas regiones del país la democracia sigue siendo la esperanza. También vimos que se estaban doblando algunas otras cosas, los medios de información y comunicación que entonces eran sólo lo que eran. El jefe manda, el presidente. Los Miguel Alemán y todos esos.

El hecho de que Diego Fernández de Cevallos avalara la famosa quema de boletas tuvo su costo... Eso fue un error. *¿Qué tan caro le salió al* PAN*?* No sé si al partido o al país. Diego me dijo: "Si las boletas han estado en poder de ellos, ¿qué nos garantiza que no hayan sido modificadas?". Yo sostuve que no debíamos ser nosotros quienes tuviéramos la última palabra.

¿Recuerda alguna situación especial en aquellos momentos? Voy a contar algo pero es un secreto: en alguna ocasión que fuimos a Los Pinos para tratar de entrevistarnos con Salinas, estaba el secretario de Gobernación, Fernando Gutiérrez Barrios, y Diego Fernández también. En un momento dado el presidente se encontraba en su despacho y, según el secretario de Gobernación, quería que subiera yo solo. Diego me dijo: "Suba, tenemos confianza en usted", y yo les reviré: "Ojalá pudiera decir lo mismo de ustedes dos". *¿Lo dijo en serio...?* El secretario de Gobernación sí se rió, a Diego no le pareció. *¿Y qué ocurrió allá arriba, qué le iba a preguntar el presidente?* Bueno, estábamos ahí platicando y el presidente expresa: "¿Cómo anda de recursos?"... Me dije: "¿Qué hago?, ¿me levanto... le miento la madre o qué...?" Entonces contesté: "Mire, ha sido el eterno problema del PAN... sus limitaciones en lo económico, pero de una u otra forma les hemos hecho frente..." Él cambió rápidamente la conversación, y ya.... Me quiso comprar. *¿Abiertamente...?* Pues sí.

¿Qué significa 1994 para la transición? El levantamiento en Chiapas es un referente. El subcomandante Marcos tuvo la virtud de hacer ver las diferencias económicas en el orden social. Es un mérito que se le debe reconocer. Llegamos a establecer una buena relación, pero con el tiempo no sé qué le pasó. *¿Qué intuye?* No sé, no me lo explico. Cuando nos veíamos y platicábamos, le decía: "Compartimos sentimientos e ideas comunes, ¿por qué no trabajamos juntos?" Nunca quiso.

¿Qué le parece la iniciativa presidencial de la Ley Indígena? No cumplió con los acuerdos de San Andrés. ¿Se equivocó el Congreso al no dar lo que había prometido inicialmente? No fue suficiente lo que acordó el Congreso. El hecho de que los levantados no participaran fue poco sensible. *¿Qué interrumpió el proceso de negociación?* El hecho de que todavía estábamos bajo la dictadura de un sistema. Tenían que seguir avanzando para que la democracia se convirtiera en una realidad.

¿Usted quería que se aprobara como estaba la Ley de la Comisión de Concordia y Pacificación? Si se aprobaba tal como estaba, representaba un avance significativo comparado con las circunstancias existentes. Queda mucho por hacer. Las diferencias socioeconómicas son evidentes. *No se les dio la autonomía que pedían...* Eso sí se otorgó. No se les dieron elementos para que pudieran seguir avanzando: acceso a la educación, a la salud, a la vivienda.

Al final los zapatistas decidieron crear los "caracoles", sus órganos autónomos. De esta forma en los hechos trataron de plasmar lo que no hicieron las leyes. ¿Cómo contribuye eso a la vida democrática del país? Sí fue un esfuerzo, pero no se ha concretado aún. Quienes sufren marginación no tienen los elementos para estar presentes en la lucha.

¿Se le tuvo miedo a las autonomías? Sí. *¿Fue por la intervención de Diego Fernández en la opinión presidencial?* Bueno, Diego en su campaña... fue un fogoso orador... realmente ha sido Diego... a mí me da la impresión de que en un momento dado no siguió luchando. Eso se lo digo aquí.

¿Diego? Sí. *Pero logró lo que quería...* ¿Qué logró? *Ah, bueno, yo estaba hablando de la iniciativa indígena y de su intervención respecto a lo que significaría aprobarla en el marco legal, pero creo que usted se está refiriendo a la campaña presidencial de 1994... ¿Diego se frenó en la contienda?* No sé.

Fox es muy duro en su libro respecto a ese tema... ¿Cómo...? *Vicente Fox cuestiona seriamente por qué frenó su campaña... Habiendo ganado el debate... Ganó el debate y se frenó.* Sí, para mí es algo de lo que no tengo toda la explicación.

Respecto a Vicente Fox: existe el Fox que usted y Manuel Clouthier incorporaron al movimiento democratizador, tenemos al Fox que gobernó Guanajuato, al

> **"TAL VEZ DEBIMOS HABER SIDO MÁS RADICALES.¿QUÉ LE HUBIERA GUSTADO QUE PASARA? HABER EXIGIDO A SALINAS UN COSTO MAYOR. POR LO MENOS. "**

candidato presidencial y al Fox que llega a Los Pinos e interviene en una batalla indebida para dejar fuera de la contienda a Andrés Manuel López Obrador hacia el final de su mandato. Esta idea no la he manifestado, pero yo creo que la mujer no le ayudó. *¿Fue un factor nocivo?* Yo creo que sí. Influyó en él. Pero sin Fox, un candidato carismático, el proceso de consolidación democrático hubiera tardado más en llegar. *En el 2000 la transición democrática parecía haber llegado a un buen puerto. El árbitro electoral contaba con fortaleza y credibilidad. ¿Ese valor fundamental se trastocó en 2006?* Lo cerrado del resultado y el hecho de que el IFE haya intervenido alimentan las interpretaciones de fraude. La existencia de feudos como el de Fidel Herrera en Veracruz, y algunos otros, indican que hay mucho por hacer. También existe una creciente toma de conciencia que avanza lentamente en hombres y

mujeres que están participando y exigen respeto a sus derechos. *¿Qué significa para el PAN gobernar por segunda ocasión consecutiva? Ahora lo hacen con alguien que nunca tuvo un cargo de elección popular.* Eso implica reconocer que aún tenemos un largo trecho por recorrer. Felipe Calderón mamó desde la infancia los valores democráticos. No es como Fox, que era vendedor de Coca-Cola, aunque también supo vender cierta imagen.

En resumen, don Luis, ¿dónde estamos parados? Nuestra democracia todavía está en una etapa en la que tenemos que cuidarla. No se puede ser ciudadano sólo por un día o por una campaña. Nada de lo que se construye en el ámbito social es eterno. El título más importante al que pueden aspirar los hombres y las mujeres es al de ciudadano y ciudadana. Únicamente los ciudadanos dispuestos a ejercer a plenitud sus derechos y sus deberes cívicos pueden hacer posible la convivencia democrática. Una nación es fuerte no por el poder de sus armas, sino por la fortaleza de su ciudadanía. Yo agrego que la pluralidad política no es el oro de unas cuantas mujeres u hombres. Se requiere para ello ciudadanía actuando; es decir, no sólo ser residentes de un pueblo sino actuar como ciudadanos. Y cuando la sociedad está amenazada se hace más evidente y necesario que se manifieste el poder ciudadano. Los desafíos del presente exigen la concurrencia de una ciudadanía vigilante pero no sólo vigilante, actuante. En su sentido originario, la política está ligada a valores éticos que rigen el correcto actuar con uno mismo y con los demás. El futuro de lo construido hasta ahora. Hemos avanzado de alguna forma en el común propósito de tener una patria más justa y democrática. Y cuando la convicción cívica se arraiga en los ciudadanos no hay fuerza que pueda frenar su avance.

> **" EL SUBCOMANDANTE MARCOS TUVO LA VIRTUD DE HACER VER LAS DIFERENCIAS ECONÓMICAS EN EL ORDEN SOCIAL. "**

MANUEL Bartlett

POLÍTICO.
PUEBLA, 1936.
SECRETARIO DE GOBERNACIÓN, 1982-1988.
SECRETARIO DE EDUCACIÓN PÚBLICA, 1988-1992.
GOBERNADOR DE PUEBLA, 1993-1999.
SENADOR DE LA REPÚBLICA, 2000-2006.

DESDE TU PERSPECTIVA, *Manuel, ¿cuál es el punto de quiebre en la historia de México que desemboca en la pérdida de poder para el* PRI? Antes de terminar su sexenio, José López Portillo le concede la Secretaría de Hacienda a Miguel de la Madrid, quien a su vez designa después a Jesús Silva Herzog como secretario, en medio de una crisis generada o acelerada brutalmente por la expropiación bancaria, la caída de los precios del petróleo, etcétera.

Cuando Jesús Silva Herzog regresó de Washington, adonde fue en representación del gobierno mexicano, y obviamente del nuevo presidente, nos presentó, al equipo cercano de Miguel de la Madrid, un panorama muy sencillo, es decir, la manera de salir de esa crisis. El país estaba en quiebra total, había una fuga de divisas tremenda... una cosa dramática. En la visita a Washington había producido dos o tres cuartillas que podías leer como la "Carta de intención" del Fondo Monetario Internacional.

La "Carta de intención" del Fondo Monetario Internacional es como si tú fueras a pedir dinero a un banco y te dicen: "¿Cómo no, pero me tiene que pagar, y por tanto tiene que aceptar lo que yo le diga. Primero tiene que correr a un porcentaje muy importante de los trabajadores al servicio del Estado; segundo, tenemos que evitar toda alza de salarios, 'contención salarial'; tercero, otro punto importante además de la contención salarial, es aligerar el aparato estatal, o sea, correr a otros miles, y cuarto, los precios de los servicios públicos tienen que ser reales, absolutamente prohibido cualquier subsidio". *¿Ahí hay un quiebre de la historia?* Bueno, ahí hay una decisión de sacrificar al pueblo de México para salir adelante. *Fíjate qué frase: sacrificar al pueblo de México para salir adelante.* Eran las recetas brutales del Fondo Monetario Internacional, hoy criticadas porque el FMI se comportaba como un banquero privado: "A mí me pagas y para eso tienes que dejar de comer, tienes

que sacar a tus hijos de la escuela, tienes que caminar y vender tu coche, luego a ver qué haces".

¿Miguel de la Madrid actuaba convencido de esto u obligado por las circunstancias? Pues obligado, yo siempre lo he dicho; esto no se ve como una acción ideológica, ya estás en una situación en la que no puedes decir que no. Pero el costo fue tremendo; en los seis años de Miguel de la Madrid se perdió 50 por ciento del nivel de vida de los mexicanos, ¡50 por ciento del nivel de vida! Miguel de la Madrid nos hizo un planteamiento a quienes íbamos a ser miembros de su gabinete, diciendo que nos estaba invitando no a una fiesta, sino a una tragedia. En una de las pláticas con Miguel de la Madrid propuse la moratoria y se discutió mucho; algunos países lo estaban haciendo y era bien visto desde el punto de vista político, pero los financieros ven otras cosas, aunque ellos creen que ven todo. Al final de cuentas, con este sacrificio brutal se mantuvo la ortodoxia, y por lo tanto, a seguir pagando con las reglas del Fondo Monetario Internacional.

¿Entonces ahí empieza un giro muy importante de la política mexicana hacia la tecnocracia? Ahí hay un giro... *¿Ahí ganaron los tecnócratas?* Claro, eso tiene mucho que ver para la historia del país. *Efectivamente viene esta liberalización comercial y económica. De la misma forma viene una serie de aperturas en la política. Se empieza a abrir también el propio sistema político, en gran medida como consecuencia de las decisiones económicas. ¿Imaginas los procesos de democratización sin la apertura comercial?* Los seis años fueron de una tensión cotidiana, sobre todo cuando se empieza a sentir el efecto de esas decisiones: paros cívicos nacionales, los precios para arriba, cada elección que teníamos se hacía con una decisión de subir precios, de bajar salarios, de correr más gente, de aplicar ese torniquete brutal.

Entonces comienza a moverse el piso del PRI. Tenemos elecciones muy duras, muy difíciles. Empezamos a perder presidencias municipales; en los primeros meses perdimos, por ejemplo, Chihuahua. ***Que fue el gran laboratorio*** ¡Wow! Estalló aquello. Con apoyo de los Estados Unidos. ***¿Ah, sí?*** Claro, ellos siempre estuvieron apoyando el movimiento del Partido Acción Nacional, desde allá para acá. ***¿Moralmente o de qué forma?*** Pues yo creo que de todas formas. ***¿Crees o sabes?*** Había apoyos en radiodifusoras, en esto y en lo otro, planes muy claros. Hay en el Congreso estadounidense un fondo que se llama *National Endowment for Democracy*, un fondo muy grande para apoyar a los partidos de derecha alrededor del mundo. Todas estas cosas, las debilidades o estas situaciones, empezaron a minar, a transformar un régimen político basado en los principios constitucionales de política social. Desde el punto de vista del secretario de Gobernación hubo una preocupación de preservar las bases políticas del gobierno. Desde el punto de vista del área tecnocrática en ascenso, invadiendo todas las esferas de gobierno, no la hubo. Ahí la contradicción.

Miguel de la Madrid me nombra secretario de Gobernación porque me tiene confianza en el área política. Participo, pero él nombra en todo el gobierno a gente salida del área financiera y rompe una tradición de estar ubicando a los mejores ingenieros en las áreas de construcción, a los mejores especialistas en radiocomunicaciones, en comunicaciones y obras públicas, los médicos... En fin, toda una tradición se rompe. Entonces entra toda la gente del Banco de México, de la Secretaría de Hacienda, convertidos en políticos. ***¿Entran los tecnócratas, para decirlo claro, y entonces viene una redefinición del sistema político mexicano?*** ¿Cuál es el juego, cómo se defiende la base política de ese sistema con sus objetivos sociales, etcétera, etcé-

> "MIGUEL DE LA MADRID NOS HIZO UN PLANTEAMIENTO A QUIENES ÍBAMOS A SER MIEMBROS DE SU GABINETE, DICIENDO QUE NOS ESTABA INVITANDO NO A UNA FIESTA, SINO A UNA TRAGEDIA."

"EL SISTEMA DE CÓMPUTO NO TENÍA NADA QUE VER CON LA ELECCIÓN; ES LO QUE NADIE QUIERE REFLEXIONAR, PORQUE ES MUY BONITO DECIR: 'SE CAYÓ EL SISTEMA' "

tera? Si tienes la otra visión, ya están adentro; esa tecnocracia neoliberal empezaba a operar.

Pasemos al otro capítulo que te acompaña y te acompañará por siempre, 1988, en la doble mirada, tú como protagonista del asunto con toda la carga que puede tener eso, pero también tú como parte de la transición que nos trae a lo que hoy estamos viviendo. ¿Cuál es tu versión más depurada de lo que ocurrió en 1988, contigo ahí dentro? Yo permanezco en la Secretaría de Gobernación cuando se decide que el candidato era Carlos Salinas. El presidente y Salinas me piden que me quede, a pesar de que mucha gente me decía: "No te quedes aquí, porque te van a achacar lo que pase"; yo asumo mi responsabilidad y me quedo como secretario de Gobernación y presidente de la Comisión Federal Electoral, cuyas funciones eran ir preparando la elección desde el punto de vista formal. Hicimos una nueva ley electoral que tenía una serie de aperturas. Buscábamos una mayor transparencia y claridad en la elección, cosa que generalmente se quiere desconocer. Para entender esa elección hay que conocer la reforma y yo la defendí públicamente en la Cámara de Diputados.

En esa nueva ley, y en la elección en general, se hizo un gran esfuerzo para facilitar la transparencia de los resultados desde el primer minuto. *Fíjate qué contrasentido: la gran mancha histórica de la elección de 1988.* ¿Qué es lo que aprobamos en la ley? Con la ley anterior los resultados electorales se daban hasta el cómputo en los distritos, ocho días después de la elección. Ocho días eran larguísimos; entonces lo acortamos a tres. Estoy hablando de resultados oficiales; lo acortamos a tres con el riesgo de que no se pudiera, porque esto significa que en tres días tenías que tener todas las casillas y todos los paquetes en el comité central. Fíjate: de ocho a tres días. Cambiamos todo el sistema; la elección termina en las casillas cuando llega la hora de cerrar, entonces los representantes del gobierno y de los partidos inician el cómputo de la elección de diputados, senadores y presidente, levantan las actas y se las entregan a los que están ahí. ¿Cuál es la primera publicidad? El resultado de la elección en cada casilla se ponía en una cartulina y se pegaba en la puerta de la entrada. El paquete lo llevaban todos los que quisieran ir al comité distrital; ahí históricamente se entregaba el paquete cerrado. *¿Qué me quieres decir, que la elección de 1988 fue una elección derecha, transparente?* Yo lo que te quiero decir es lo que pasó. *Tú dices: "Hicimos esas modificaciones legales que fueron aplicadas".* Claro. *Y entonces al final de cuentas ¿cómo es que México tiene en la memoria a 1988 como una elección sucia?* Tú me estás preguntando a mí, secretario de Gobernación. Tienes que ver lo que pasó. Los resultados se hicieron públicos, se pusieron las mamparas y la información, que supuestamente yo no di porque se alteró el mecanismo; estaba en todas las casillas, en todos los comités distritales, todo el tiempo. Y no puede ser, es un absurdo decir que se alteraron las computadoras. Eso es para gente que no quiera analizarlo. Que venía ganando Cuauhtémoc Cárdenas, que yo apagué la computadora y la prendí cuando empezó a ganar el PRI; eso es un cuento de hadas, no existía ese sistema, ni siquiera era obligatorio dar los datos; nada, los datos se daban al tercer día.

La protesta que hubo sobre "la caída del sistema" fue una broma de Diego Fernández de Cevallos a las seis o siete de la tarde, porque no llegaba la información, que no era obligatoria y que había que mandársela a alguien. Esa broma nunca fue materia de discusión, nunca. *¿Cómo fue esa escena, que es la que se quedó para la historia?* A las seis de la tarde se cierran las casillas; no sé, serían las 6:30. Fernández de Cevallos dice: "Señor presidente, *se calló* el sistema, no se oye, no llegan las noticias

a tal lado". *¿A dónde tenían que llegar?* Al registro de electores. *¿A quién se lo dijo exactamente?* A mí, públicamente, en la sesión, rodeado de periodistas. Entonces pregunté qué pasaba y era que estaban saturadas las líneas. *¿Y lo dijo en broma?* Claro. *¿Qué le contestaste ante esa frase ya histórica?* Lo que pasó fue que pedí que fueran a ver qué pasaba. Nada. *¿No hubo réplica a la frase?* Sí. "Resolvamos el problema." *¿No seguiste la broma incluso?* No, porque no tenía importancia, porque no había que dar información, ni era la hora para dar información. El sistema de cómputo no tenía nada que ver con la elección; es lo que nadie quiere reflexionar, porque es muy bonito decir: "Se cayó el sistema". *¿Todo era manual, todo era a pie, no había tal estructura de cómputo?* Claro, había un cómputo que era la sumadora de lo que mandaban por teléfono. Siguió por teléfono dando los datos informales, que no tenía porque darlos, ni había ninguna norma, ni nada, ni fue materia de discusión en la Comisión Federal Electoral. Además, ¿dónde se calificó la elección?, ¿dónde se analizó la elección?, ¿dónde se hicieron los cómputos? Fue en la Cámara de Diputados, en el Colegio Electoral. ¿Y por qué nunca se dice? Dime tú, ¿quién era el presidente del Colegio Electoral? No sabes. *No, ¿quién era?* No sabes, pero la frase "Se cayó el sistema" jamás se te va a olvidar. ¿Por qué? Porque tenían todo el interés en echarme a mí toda la culpa, después de una elección complicada. Era yo el chivo expiatorio de una campaña sucia. *¿De quién?* Salinas empezó a decir que las autoridades administrativas habían dado mal las informaciones. ¿Qué lograron con eso? Fíjate, el brillante Salinas, el inteligentísimo, el superdotado Salinas, hizo la campaña para decir que su elección había sido fraudulenta, él y sus secuaces. *¿Y cómo lo hizo?* Diciendo que había habido un problema en Gobernación, que había estado muy mal en Gobernación, que la información no estaba bien, ¡él!

> **"CUAUHTÉMOC SE MERECE TODO EL RECONOCIMIENTO DE SER UNA FIGURA DEMOCRATIZADORA; SIN DUDA ALGUNA, REPRESENTA LA PARTE MÁS AUTÉNTICA DEL PRI DEL MOVIMIENTO HISTÓRICO, PERO NO GANÓ. "**

La pregunta sería en este momento si se le robó la elección a Cuauhtémoc Cárdenas. No, yo creo que ganó Salinas, honestamente yo creo que ganó Salinas. La distancia de votos no fue muy grande. Si tú analizas cifras y alcances, te vas a dar cuenta de que no llegó a romper el sistema. Cuauhtémoc se merece todo el reconocimiento de ser una figura democratizadora; sin duda alguna, representa la parte más auténtica del PRI del movimiento histórico, pero no ganó.

Sobre una de las escenas de 1988, doña Rosario Ibarra nos contó, desde su punto de vista, lo que ocurrió en la irrupción que hicieron los ex candidatos presidenciales Clouthier, Cárdenas, y ella, que entraron a Gobernación prácticamente tirando la puerta. Mentira, ¿tú crees que hubieran entrado a Gobernación si les hubiéramos impedido el paso? No hubieran entrado, hombre. *¿O sea, los dejaron pasar?* Clouthier, por más gordo que estuviera, luchador de sumo o lo que tú quieras, no hubiera podido. Obviamente pidieron cita y se las di. *Formalmente.* Absolutamente. *No abrieron la puerta.* Yo los recibí. *¿Cómo fue ese encuentro?* Fue muy interesante y muy importante, porque es parte de la posibilidad de deshacer el mito, de la posibilidad que tienen ustedes los cronistas de deshacer el mito. Eran las seis y pico, por ahí, no se había terminado la elección; la elección terminó tardísimo. Estoy en un receso de la Comisión Federal Electoral, llegan y piden una cita, me avisan que hay esa solicitud, subo a mi oficina, los recibo en el Salón Verde al lado de la oficina del secretario de Gobernación. Ahí me exponen, uno por uno, un panorama negro; había habido un fraude colosal en el país. Yo les dije que me parecía muy extraña esa denuncia de un fraude generalizado, porque ahí abajo estaban sus representantes, tenían teléfonos, estaban comunicados con todo el país y nadie me había presentado ese panorama negro en todo el día; sus representantes no habían hecho una denuncia de ese tipo en todo el día.

Dime qué piensas de la información que ahora se corrobora en voz de Cuauhtémoc Cárdenas de su encuentro con Carlos Salinas donde hablan de detalles. ¿Qué piensas de eso? Yo ya no supe de todos esos asuntos. *¿No supiste que se reunieron?* Bueno, lo vinimos sabiendo después. ¿Fue en esas horas a ver a Salinas? No, no, fue después.

¿Tú qué crees como protagonista y observador de ese capítulo? ¿Cuauhtémoc debió haber ido más adelante para defender lo que era la posición de fraude? Olvídate de que eras el secretario de Gobernación. Para efectos de una movilización política y social clave en la historia de México. ¿Hubiera habido sangre? Yo nada más puedo calcular qué hubiera sido si pretenden tomar Palacio Nacional, ¡pues no lo hubieran tomado! *¿Por qué no?* Porque hubiera sido defendido por el Ejército. *¿Y hubiera habido sangre?* El Ejército tiene la obligación de defender Palacio Nacional. No creo que hubiera habido, para empezar quién sabe si sangre, ni siquiera hubieran tomado Palacio Nacional. *¿Lo hubiera impedido el Ejército?* Pues claro. *¿Hubiera sido una tragedia?* Hubiera sido una tragedia. No sé de qué tamaño, no sé qué tanto estuvieran intentándolo, qué tanta presión hubiera habido de tomarlo o no. Un último punto, para terminar. Nunca tuve en Gobernación ni las actas de la elección presidencial, ni los paquetes de la elección presidencial, ni las actas de la elección de senadores, ni los paquetes de senadores, ni los paquetes de diputados. Nunca. Ese material, todo, se mandó al Congreso. Nosotros trabajamos con las actas, una copia de las actas.

Con la destrucción de las boletas empezó a darse una relación distinta entre el PAN, el PRI y el gobierno; empezaron a darse los fenómenos de la concertacesión *y todo esto que fue ampliando la presencia política del PAN con Salinas. ¿Cómo entiendes la evolución política a partir de un hecho como el de 1988, que fue abriendo las condiciones para que llegara por*

lo pronto el primer gobernador del PAN? Claro, estás tomando muy bien el hilo. Yo ya te dije cómo se da esta invasión de la tecnocracia liberal en el Estado mexicano, que culmina con Salinas como candidato a la presidencia. Salinas fue el peor candidato que pudo haber escogido Miguel de la Madrid. Salinas fue un mal candidato, tuvo graves problemas en la campaña, de rechazo evidente. De ahí el resultado. *¿El rechazo de quién?* De la población, donde se paraba, donde se paraba. *En La Laguna.* N'hombre, en todos lados, en todos lados. Quien defendió a Salinas de ese rechazo popular fue el SNTE. La candidatura fue una mala candidatura, difícil, y rompió necesariamente la unidad del PRI. En una elección conflictiva, que lo fue, donde aparecen costales quemados y todo lo demás, ¿qué se da? Una plática con Cárdenas que aparece después, de la que yo ya no estoy informado. De esto me enteré por los periódicos tiempo después, de las acusaciones que se le hacen a Cuauhtémoc; hay muchas versiones, no nos vamos a poner de acuerdo. El otro acuerdo fue con el PAN, ahí empieza el cogobierno PRI-PAN, ese PRI salinista y sus secuaces que siguen hasta hoy, esa tecnocracia neoliberal conservadora, que está mimetizada con la derecha panista. *¿Quiénes son los protagonistas de ese engarce? ¿Diego Fernández y Carlos Castillo Peraza? ¿Cómo se vive ese cogobierno, como tú le llamas? ¿Quiénes son los ideólogos del asunto, los impulsores fundamentales? ¿Los ideólogos?* Salinas. Salinas es el candidato electo que jala a Luis H. Álvarez, llegan y los llaman... *Vamos a repartir el poder.* Vamos a cogobernar. Y se van a gobernar hacia la derecha, no hacia la izquierda.

A partir de ahí, cuéntame qué ha pasado con el país, porque empieza este fenómeno y empieza a haber alternancia durante tres lustros por lo menos en las municipales, empiezan las gubernaturas, etcétera, hasta llegar al 2000, que es la primera elección presidencial que pierde el PRI. ¿Cómo entiendes esa evolución para llegar al gran capítulo del fin del régimen antiguo y de una intención de democracia representativa? Es que ahí empieza el fin del régimen antiguo, ahí. Primero, no se te olvide que ya están metidos en el poder los tecnócratas, que piensan igual que los panistas. La campaña de Salinas es muy especial porque Clouthier se queja de que Salinas le quitó sus banderas; fue una campaña de derecha, una campaña en la que se vincula con los intereses económicos.

Gana Fox y empieza el PRI una nueva etapa. ¿Qué balance haces de lo ocurrido en el sexenio de Fox? El problema que confronta el PRI o los priístas ante la derrota, es un problema que a final de cuentas se da en los países democráticos. ¡Perdiste! Bueno, ya. Lo increíble, se derrotó al invencible. *No era cualquier pérdida.* Se derrotó un movimiento histórico. *Eran 70 años de estar ahí.* Pero te repito que todos ya venían en la derecha. El partido de la derecha, los líderes en la derecha; entonces ahí empezamos a presionar por democracia interna y la exigencia de que se cambiara la presidencia del partido. Tenía que limpiarse el partido; habían perdido todos los que lo habían dirigido y había que hacer todo un proceso de reedición política a fondo, un análisis a fondo.

Yo presioné entonces con algún grupo para que hubiera un deslinde de ese PRIAN. No era nada más que perdimos una elección, ¡perdimos la identidad! *Perdieron al partido.* Perdimos todo, la identidad del partido... *Perdieron el gobierno y perdieron el partido.* Perdimos la identidad; por eso se perdió el partido. Entonces había que recuperar el partido. Un partido moderno. Se dice socialdemócrata, así se dice en Europa, pero nosotros somos pioneros de una posición de centro-izquierda, históricamente. En una respetable asamblea en Veracruz se dieron unos debates formidables, donde se logró un rechazo absoluto y total al neoliberalismo como línea del partido. Absoluto, hasta ahí llegamos. En ese PRI, así, sin presidente, después de haber repudiado el neoliberalismo como línea contraria a la ideología del partido, se abre la elección y gana la presidencia Salinas de Gortari, con Roberto Madrazo de instrumento. *¿Así de plano?* Gana la presidencia del PRI Salinas de Gortari, con Madrazo y Elba Esther Gordillo; esa dupla la inventó Salinas, no eran ni amigos siquiera, y coloniza el partido. Fortalece el PRIAN que él inventó. Salinas gobernó con el PAN, le abrió las puertas del poder y regaló posiciones como Guanajuato. Entonces se apodera del PRI y se pone de acuerdo con Fox. *¿Cómo?* Salinas se asocia con Fox, se reúne con él y le ofrece los votos que hoy le ofrece Beltrones a Calderón. Si le va bien a Fox le va bien a México, decía Salinas el día que Madrazo tomó protesta como presidente del partido. Yo decía lo contrario: si le va bien a Fox, al país le va de la fregada. ¿Quién tuvo razón? Ahí están las frases. Yo tuve la razón. Había que parar a Fox, había que tener una oposición a Fox, a esa derecha ladrona y sinvergüenza, antidemocrática. Entonces no hay oposición, Madrazo no es oposición, nunca permite que el PRI sea oposición, y se inicia la selección de gobernadores de ese tipo. Ése es un sexenio en el que el PRI se pone a trabajar con el PAN y Salinas atrás.

Cerremos la charla con esta pregunta: ¿cuál es la salida, antes de una revuelta social? La salida es una expresión popular fuerte en este país, hoy o mañana. *¿Existe eso?* Se llama López Obrador. *¿Se llama López Obrador?* No hay otro. ¿Alguien llena el Zócalo en este país? ¿Los líderes entre comillas, Emilio Gamboa o Manlio Fabio Beltrones, jefaturando un movimiento popular? Entonces yo considero que para no llegar a eso tiene que haber un movimiento popular democrático, antes de decir: "Vamos a tomar las armas". Una revolución con las armas de hoy no dura cinco minutos. Necesitamos una presencia popular que diga: "¡Basta!" Porque de otra manera, con la revocación del mandato nada más aparece otro: "Con la novedad de que ya revocamos y aquí está éste, mire".

ROGER Bartra

SOCIÓLOGO Y ENSAYISTA.
CIUDAD DE MÉXICO, 1942.
INVESTIGADOR EMÉRITO DE LA UNAM.

> **" EL ASESINATO DE COLOSIO FUE ALGO QUE SE PUDRIÓ EN LA OLLA PRIÍSTA. "**

¿LA TRANSICIÓN *culminó, falló o nos llevó adonde no queríamos?* Nos hemos enredado en una especie de transitología laberíntica un poco absurda. Creo que ya estamos viviendo bajo una condición democrática, pero la entiendo como algo muy sencillo: una democracia política representativa basada en principios de igualdad política y libertad. No es gran cosa y al mismo tiempo es muchísimo. Para quienes pasamos más de media vida bajo condiciones no democráticas es formidable, desde luego. *¿El tema de la transición ya debería estar superado?* Hemos transitado a una democracia representativa, pero nos falta muchísimo para consolidar los mecanismos que la legitiman. No se ha consolidado una cultura cívica democrática y por lo tanto tenemos una clase política que vive en una burbuja de incoherencia total, profundamente dividida, pero sobre todo fragmentada en planos históricos. Viven en planetas diferentes, en épocas diferentes. Y lo que exige una cultura cívica democrática es una cierta coherencia en la clase política. La fragmentación está muy bien en la sociedad civil, es la pluralidad necesaria; pero una clase política fragmentada genera un problema muy serio y de ahí esta sensación de inestabilidad y de miedo que vivimos.

¿Cómo afecta a esa nueva cultura democrática el regreso del PRI, con la mayoría en el Congreso? Hay un peligro de retorno a los viejos sistemas de legitimación, es decir, al nacionalismo revolucionario. Siempre comparo esta situación con la de Argentina y el peronismo; el peronismo no es una ideología, sino una cultura política y una enfermedad política. Nosotros adolecemos de una enfermedad grave, que es la cultura política priísta. El nacionalismo revolucionario se ha ido erosionando, pero no está liquidado. Hoy la derecha es todopoderosa, está en el poder con el PAN y

en la oposición con el PRI. Tenemos una izquierda destrozada, cada vez más marginal, con el peligro de que lleguemos a una situación al estilo argentino, donde hay innumerables fracciones peleándose, aparentemente con diferentes visiones políticas, pero todos son peronistas. Aquí podríamos llegar a una situación parecida, con el priísmo empapando a toda la sociedad. ***Ahora el PRI triunfa con posturas muy conservadoras.*** En México la derecha es bicéfala, está representada por el PAN y por el PRI. El PRI tiene fuerza porque está compuesto por barones muy poderosos —los gobernadores y los caciques— que son muy de derecha, pero eso no les impide utilizar el escudo del nacionalismo revolucionario y los mecanismos tradicionales de cooptación. Antes eso estaba centralizado; ahora andan más o menos sueltos. ***¿El PRI se reinventó, pero no democráticamente?*** Seguimos la línea rusa. ***¿Se putinizó?*** De alguna manera. El partido de Putin es en realidad un partido comunista reciclado, aparentemente modernizado, pero bastante corrupto. Utiliza mecanismos muy similares, ahora con el apoyo de las mafias que han crecido con el capitalismo salvaje. Creo que estamos en una situación similar. El PRI es un verdadero peligro, está contaminando a la sociedad y es un importante *factótum*. ***Tiene el Congreso y tiene la mayoría de los gobernadores.*** Sí, pero tampoco le sirve de gran cosa, más que para un juego sumamente peligroso de apoyar ciertas cosas, bloquear otras, siempre pensando a muy corto plazo en la siguiente elección presidencial porque la quieren ganar. Tenemos una clase política que no ve más allá de su nariz y su nariz siempre está olfateando la siguiente elección.

¿Aun así alcanza para decir que México tiene una condición democrática? Creo que sí. La democracia es un sistema de representación. Donde se

elaboran las recetas para salir de la crisis, para ampliar las libertades, etcétera, es en los partidos políticos. La democracia representativa no fue inventada para sacarnos de la miseria, para resolver las crisis económicas, sino para que los partidos que tienen propuestas al respecto ganen o pierdan elecciones, y en la medida en que obtienen el poder encaminan al país hacia una alternativa u otra. Si tenemos partidos tan atrasados y corruptos, la oferta de alternativas es muy pobre. Los mecanismos formales de la democracia representativa ahí están, pero las propuestas políticas de los partidos son tremendamente débiles.

¿Qué pasa con la credibilidad después de 2006? Hubo una crisis de legitimidad y ganó un partido en condiciones muy difíciles y sin gozar de legitimidad. Por eso Calderón recurrió al mecanismo típico de la derecha: pone en el centro el tema de la seguridad e inicia una confrontación muy grande, muy costosa en términos humanos, pero que tiene efectos legitimadores muy poderosos porque cohesiona a gran parte de la sociedad en torno al gobierno. Las derechas están obsesionadas con la seguridad. La izquierda ha menospreciado eso tontamente, pero no quiere decir que no sea el gran caballito de batalla de la derecha. La derecha saca sus monstruos; ya estaban ahí, pero los enerva, los irrita e inicia una guerra. Su gran fuerza política es imaginaria, es decir que genera en la conciencia colectiva un gran miedo, una cohesión hacia el gobierno, y así se legitima. Es un mecanismo que han manejado las derechas en todo el mundo.

Parecería que busca lo mismo con la extinción de Luz y Fuerza del Centro. ¿Cómo ves al SME y con ellos a la izquierda? El Sindicato Mexicano de Electricistas está inmerso en la cultura nacionalista revolucionaria; defiende los viejos principios, no tiene idea de lo que es un sindicalismo de nuevo tipo, en este mundo globalizado donde todos los sindicatos están en una situación difícil y tienen que inventar nuevas formas de hacer política.

La izquierda también está en crisis en todo el mundo, porque sus viejas maneras de operar ligadas al Estado de bienestar han caducado y no encuentra las nuevas formas de hacer política, mientras que la derecha nos ha ganado bastante terreno.

Después de tantos años de poder, los panistas ven por fin que no van a alcanzar las reformas que quieren, porque no tienen la fuerza política en las cámaras y sólo les quedan los recursos del poder Ejecutivo. *¿Te refieres a acciones contra la corrupción, decisiones político-administrativas?* Critiqué mucho al gobierno de Vicente Fox por esta ceguera, por no entender que tenía que hacer política en el espacio en el que podía hacerla y no estar soñando en leyes y transformaciones que no fueron posibles, que fueron boicoteadas. Los panistas se tropezaban con sus propias patas, porque realmente son bastante limitados; ésa es la limitación que tiene toda la clase política mexicana y el PAN no se libra de eso para nada. Parece que Felipe Calderón ha aprendido un poco la lección y se va fuerte por ese camino.

¿Qué opinas del fenómeno Enrique Peña Nieto y del poder de la televisión? Así son las tragedias características de los espacios democráticos. Yo aquí traería otra comparación, Italia y Berlusconi: un verdadero desastre, un fiasco desde todos los puntos de vista, pero no quiere decir que la democracia italiana no esté funcionando. El punto no es si está funcionando o no el mecanismo representativo. El problema es la corrupción de la cultura política. Berlusconi tiene una base popular muy grande, eso es un hecho. Pero también encabeza un poder monopólico, sobre todo en los medios masivos de comunicación; la corrupción es escandalosa y es el gran ridículo de todo el mundo. *¿Te preocupa la fuente de poder de esa representatividad surgida del apoyo de la televisión?* Por supuesto. Tenemos un duopolio y las fuerzas políticas más o menos avanzadas no han logrado —o no han querido— romperlo o por lo menos dividirlo un poco. Las televisoras se metieron mucho en la elección presidencial pasada y de una manera un poco extraña se inclinaron por Andrés Manuel López Obrador. *Cuando iba 20 puntos arriba.* Ya veremos cuando el niño bonito del Estado de México empiece a bajar, por el tremendo desgaste en torno a un personaje. En cuanto empiece a actuar se verá que es un hombre de paja, un hombre vacío, y se evidenciarán los defectos de la persona y del sistema priísta que está detrás de él. *¿Carlos Salinas podría ser decisivo en 2012?* Es factible. En la derecha panista y en la izquierda perredista hay frenos muy fuertes al proceso de modernización; todavía no tenemos plenamente consolidada una derecha moderna, ni una izquierda moderna. Sería el fracaso de la renovación de la cultura política y nuestra transición a una cultura cívica moderna y democrática se atrasaría algunos años más. *¿Qué tendría que pasar para que no fuera así?* Una rearticulación de fuerzas tanto en el espacio panista como en el espacio perredista y anexas; un fortalecimiento muy grande de lo más moderno con que cuentan esos espacios. En la izquierda se ve muy difícil, por la fragmentación y la batalla interna. Es posible que a fin de año se escinda el PRD y entonces veremos si hay o no una izquierda moderna en su interior. Yo he apostado utópicamente por que sí. Y en la derecha igual: ahí no están escindidos, pero sí hay una batalla interna entre las posiciones más reaccionarias, conservadoras, fundamentalistas, y las pragmáticas, modernizantes, etcétera. ¿Quién va a predominar? Vamos a ver. Si el PRI regresa,

será un colapso en la maduración de las fuerzas modernas y dependeremos de algo similar en el espacio priísta, que también está escindido en un ala dinosáurica, reaccionaria, conservadora, y un ala tecnocrática más o menos moderna; las dos de derecha, pero diferentes clases de derecha. No sabemos en qué juego nos vamos a meter, pero ya será otra situación.

¿Qué representa 1988 para la transición democrática? Es el momento en que claramente entra en crisis la cultura nacionalista revolucionaria, gracias al fortalecimiento de la izquierda, tanto fuera del PRI como en los sectores priístas encabezados por Cuauhtémoc Cárdenas. El año 1988 pone en la agenda política mexicana el tema de la democracia y es claramente la izquierda la que lo logra, es la triunfadora a pesar de que es destrozada en las elecciones, que hay un fraude impresionante. Tarda mucho el proceso y desgraciadamente llega encabezado por la derecha. *¿Perdió la izquierda en 1988 o fue fraude?* Perdió porque le hicieron fraude, a mí no me cabe ninguna duda. Pierde técnicamente, le dan una patada, le roban la Presidencia de una manera bastante clara. En 1988 es la derrota de la izquierda, pero de una izquierda que se ha fortalecido enormemente, que ha logrado dividir al PRI, que lo ha herido de muerte. Quedó muy mal herido, lo suficiente como para perder las elecciones 12 años después, pero 12 años es muchísimo.

¿Cómo analizas ese periodo Salinas-PAN y el papel de la izquierda en esos años cruciales? Llega a la Presidencia Carlos Salinas, un hombre extraordinariamente inteligente, hábil, sin escrúpulos, dispuesto a hacer muchos cambios, a impulsar el lado modernizador del PRI con base en alianzas con el PAN. Ahí se consolida una gran alianza entre las dos cabezas de la derecha. La izquierda

> "SI EL PRI REGRESA, SERÁ UN COLAPSO EN LA MADURACIÓN DE LAS FUERZAS MODERNAS."

36

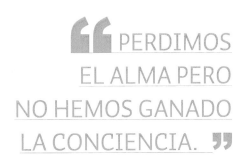

" PERDIMOS EL ALMA PERO NO HEMOS GANADO LA CONCIENCIA. "

no se da cuenta de lo que está pasando. Se pasó demasiado tiempo lamiéndose las heridas, pues fue muy agredida, hubo muchos muertos, hay que recordarlo, la represión fue intensa, y creo que no acabó de comprender el momento y no supo aprovechar el tremendo éxito de haber colocado a la democracia como un eje de la política mexicana. Cuando llegan las elecciones no puede creer que no haya una marejada de apoyo a la izquierda. *¿Y 1994?* El asesinato de Luis Donaldo Colosio generó miedo y confusión, dejó muy manchado al PRI. Fue algo que se pudrió en la olla priísta. Los zapatistas hicieron evidente que la cultura nacionalista revolucionaria no servía para nada, que ya había pasado a la historia; se trataba de una cultura que no había podido ni siquiera medio arreglar el problema indígena —que simbólicamente era uno de los eslabones fundamentales del discurso nacionalista revolucionario—y fue evidente que había una crisis de la identidad nacional. Junto con los asesinatos de Colosio y Francisco Ruiz Massieu se genera un gran miedo, un gran miedo a la democracia a fin de cuentas, y hay una contracción, una cohesión en torno al gobierno de Ernesto Zedillo que resulta muy legitimado.

La elección de 1997 es el gran momento en que el PRI pierde la mayoría absoluta en el Congreso. Eso es fundamental. Es tremendo para el PRI y entonces ocurre el reacomodo del PAN, que toma su distancia, y el PRD no se percata del momento completamente. *¿Le importaba más que llegara Cuauhtémoc Cárdenas que lo que ocurría en el Congreso?* Sí. Y Cuauhtémoc no logra desde la ciudad de México acumular un potencial político para fortalecerse. La derecha entiende mejor el momento político, aprovecha su alianza con el PRI, turbia, complicada, mucha grilla, mucho estira y afloja, y así llegamos al 2000. La izquierda no entendió que en condiciones democráticas hay que contar con esos elementos monopólicos que son los medios masivos de difusión, que hay que saber enfrentarlos, que son un factor fundamental y que hay que saber utilizarlos. Partieron de una idea conspirativa: "Hay una conspiración de la derecha para derrotarnos, están haciendo todo lo posible, es una operación mediática". *¿En 2000?* Sí, es la explicación que da el PRD de su derrota: "Manipularon a través de los medios, compraron..."; pues claro que lo hicieron, ¿dónde no se hace?

¿Cómo describes 2000, la alternancia, Vicente Fox...? Creo que logra convencer a una parte importante de la sociedad que no es de derecha, incluye votos priístas, votos de izquierda, votos variados; los logra convencer de que es necesario votar por él para lograr la alternancia. *Para sacar al PRI de Los Pinos...* Creo que jugó con mucha habilidad y demostró que había una derecha democrática independiente que parecía moderna; después resultó que no lo era tanto y que hubo muchas dificultades internas, pero ésa fue la imagen que dio. La izquierda no lo logró. La figura de Cuauhtémoc ya se había desgastado y repetía el discurso priísta en una forma más radical. Ése ha sido el gran lastre de la izquierda en este país: ha recogido la basura que el PRI ha ido tirando.

¿Qué balance haces del sexenio de Fox? Ese capital político que logra al principio se evapora, lo dilapida, lo pierde. Ocurren varias cosas. Primero, que predominan las posiciones del propio Fox que se inclinan bastante hacia la derecha conservadora. Y segundo, decide evitar la extinción del PRI. *¿Por miedo?* Miedo a lanzarse a un vacío que yo he llamado posmexicano, posnacional, es decir, de quiebre de los valores fundamentales que sostenían el régimen autoritario. Para dirigentes tan limitados

como Fox eso parecía el vacío; no eran capaces de desarrollar una ideología y una cultura suficientemente avanzadas como para llenarlo. Con cuatro crucecitas y la virgen de Guadalupe no iban a llegar muy lejos. *¿Qué hubiera pasado si Fox va contra el PRI?* Gran cantidad de tecnócratas, reaccionarios y modernizadores del PRI se hubieran ido al PAN —algunos se fueron de todas maneras—, otra parte se habría ido a la izquierda y habríamos llegado a un sistema básicamente bipartidista. *¿Deseable?* Sí, porque entonces habría una derecha democrática, que habría llegado por elecciones democráticas, con un lado conservador y uno moderno; una derecha nueva en el poder y una izquierda relativamente nueva también, libre de una serie de lastres. Los sistemas de tres partidos generan mucha inestabilidad, sobre todo en situaciones de indefinición y transición. Fox decidió no sólo no favorecer la extinción del PRI, sino apoyarse en él. Eso ha sido fatal para la consolidación de una nueva cultura posnacionalista, posrevolucionaria. *¿Y ésa es la principal omisión reclamable a la hora de hacer el balance de Fox, o la intervención que tuvo en el proceso electoral, el desafuero de Andrés Manuel, por ejemplo?* Ahí se cometieron muchos pecados, pero no creo que haya sido tan importante. *¿No es más grave la intervención, descarrilar una candidatura de izquierda como lo hizo?* Creo que ayudó a las tendencias que llevaban a descarrilar; no creo que haya sido el causante. Estaban en una lucha política y AMLO puso el cachete. La principal responsabilidad de la derrota de la izquierda ante Felipe Calderón está en la propia izquierda, principalmente en Andrés Manuel. No entendió en lo más mínimo el momento que estaba viviendo. A falta de un programa radical —que ni tenía, ni quería tener aparentemente— utilizó un discurso político tremendamente agresivo que enajenó el apoyo de grandes sectores de la clase

media. Y en este mundo en que vivimos es muy difícil ganar una elección sin eso. Con los puros pobres —como él decía— no se ganan elecciones. No generó una imagen de gobernabilidad. Hubo innumerables errores. Que dijera que había un complot equivalía exactamente a que los otros dijeran que él era un peligro. Era ocioso hostigar a los sectores empresariales y perder su apoyo. Dio la imagen de una izquierda atrasada y populista. Había visto a Hugo Chávez, pero no sacó lecciones de Brasil donde Lula da Silva, a pesar de su origen populista, durante la campaña electoral que gana da un viraje muy claro: ofrece una imagen de político capaz de gobernar y queda blindado con una cultura de gobernabilidad que los radicales llamarían de respetabilidad burguesa.

¿Volverá en 2012 o quedó tan minado que ya no es una opción para la izquierda? Creo que la izquierda no tiene otra opción. Es el político que tiene más influencia, más fama, más prestigio en la izquierda. No veo que pueda surgir una candidatura diferente en la izquierda. Marcelo Ebrard, por ejemplo, me parece una broma. A menos que la izquierda quede a tal punto destrozada que no logre unificarse ni siquiera para apoyar a un solo candidato, creo que AMLO va a ser el candidato y va a perder, porque no se va a repetir la situación.

¿Qué papel ha jugado el círculo rojo? Estoy convencido de que en México ese círculo rojo, ese círculo intelectual, tiene una gran fuerza, una gran presencia. Y no ha ocurrido ese proceso de desintelectualización, como en Estados Unidos y en algunos países europeos. En América Latina, pero sobre todo en México, me parece que la intelectualidad se ha conservado como un espacio muy importante en el escenario político, pero al mismo tiempo se ha empobrecido políticamente.

No ha logrado generar esa cultura cívica democrática, para lo cual no necesitamos ponernos de acuerdo en los programas, en la ideología, etcétera, sino en la necesidad de que exista.

¿Qué pasa con el alma social mexicana? Creo que se ha perdido. Vivimos en una posición posmexicana. Perdimos el alma, pero no hemos ganado la conciencia. La conciencia de vivir una situación crítica de transición hacia una nueva cultura cívica, basada en la pertenencia a un Estado democrático, que sustituya la idea de un alma mexicana presa en la jaula nacionalista de la cual no puede escapar. El PRI la puede resucitar y entonces deambulará como fantasma nacionalista revolucionario varios años más.

¿Cómo definirías, en una palabra, la condición democrática actual? Si escogiera una sola palabra, diría *incoherencia*. Necesitamos alfabetizar a los políticos. La élite política mexicana es incoherente y analfabeta en su conjunto; eso realmente es una tragedia. *¿El gran reto para ti es construir la conciencia democrática de este país?* La conciencia democrática, civil, moderna, que acepte los retos de la globalización, en vez de cerrar los ojos. Debemos generar una conciencia democrática de nuevo tipo. Una conciencia, no un alma, no una identidad nacional. Es una tarea colectiva de la sociedad, de los intelectuales y de los políticos. *¿Y es posible o sigue siendo sólo un buen deseo?* Es posible. Yo siempre pongo el ejemplo de Lula. Es posible si hay dirigentes que no vienen de la intelectualidad, que vienen de abajo como Lula, capaces de comprender el momento que vive el mundo, no solamente su país. En México tenemos dirigentes que si bien nos va entienden lo que pasa en su municipio, en su estado; en el mejor de los casos uno que otro en el país; y en el mundo, muy pocos, te diré que muy pocos.

MANUEL Camacho Solís

POLÍTICO.
CIUDAD DE MÉXICO, 1946.
SECRETARIO DE DESARROLLO URBANO
Y ECOLOGÍA, 1986-1988.
JEFE DEL DEPARTAMENTO
DEL DISTRITO FEDERAL, 1988-1993.
SECRETARIO DE RELACIONES EXTERIORES,1993-1994.
COMISIONADO PARA LA PAZ EN CHIAPAS, 1994.
CANDIDATO DEL PCD A LA PRESIDENCIA
DE LA REPÚBLICA, 2000.

HUBO UN ERROR de concepción y un error ético en el 2000. El error de concepción fue pensar que gracias a las reformas electorales se había establecido una legitimidad democrática plena y nunca hubo un pacto con el régimen anterior. El error ético fue de Vicente Fox, fue una mentira. En vez de aceptar la legitimidad democrática quiso aprovecharse de las bases del régimen autoritario para su beneficio personal y el de su partido. Faltó claridad y responsabilidad en los líderes políticos. Vicente Fox tenía la gran oportunidad de ser el candidato de una coalición opositora, pero pensó que no valía la pena gobernar así y lo desechó porque le iba a quitar márgenes de autonomía y de decisión. La primera reunión política se hizo en mi casa. Asistimos Andrés Manuel López Obrador, Santiago Creel y tu servidor. Sugerí continuar en la oficina de Diego Fernández de Cevallos, porque sabía que el punto flaco de la posible alianza estaría del lado del PAN y de Diego. Había que darle su protagonismo, para que no nos saboteara el proceso. Diego no quiso hacer esta alianza. En la casa de Roberto Hernández en Reforma le dije a Fox: "Ya tienes que decidir". Repuso: "Sí, pero ¿a cambio de qué, Manuel?" Le dije que queríamos que la aprobación del Congreso fuera necesaria para los secretarios de Hacienda, Relaciones y Energía. En segundo lugar, que no hubiera privatización en el sector energético. Y por último, que adoptara el programa que ya habían aceptado el PAN y el PRD. Me dijo: "No voy a aceptar gobernar así, no me voy a sentar con los partidos, no me van a restringir mi programa. Aquí va a haber un presidente". Él tenía un poco una idea lópezportillista del poder: "Una vez en Los Pinos, uno puede hacer lo que quiera". No quería compartir el poder y quería aprovechar las viejas estructuras del sistema para favorecer su idea de gobierno, que era la de unos intereses muy conservadores. *¿Andrés Manuel estaba en la escena?* Andrés Manuel fue central, porque era una figura con muchísima influencia en el PRD, y si él no hubiera aceptado se hubiera bloqueado el proceso. *¿Cuauhtémoc Cárdenas?* Cuauhtémoc simpatizó con la idea, pero le costaba mucho trabajo renunciar a ser el candidato.

¿Qué significado tiene 1988? Es una elección que marcó los límites del sistema político, pero como finalmente no pasó nada, muchos supusieron que todo seguía como antes. Llegamos al punto en que se alcanzaba un mínimo entendimiento político o iba a haber un uso extendido de la fuerza. *¿De la gama de posibilidades que había, De la Madrid dijo: Salinas?* Pienso que ya había tomado la decisión de que iba a ser Salinas y que no le iba a dar oportunidad al grupo de Cuauhtémoc Cárdenas y Porfirio Muñoz Ledo, porque él pensaba que lo que querían era la Presidencia y no una negociación de posiciones. Yo abogaba por un acuerdo y De la Madrid me decía que yo era muy ingenuo, que esto no iba a funcionar.

Anuncié a la prensa extranjera las derrotas del PRI en el Distrito Federal, el Edomex, Baja California, Guerrero y Michoacán, según informes del centro de cómputo que me comunicó Fidel Herrera. Al día siguiente sale esa información en todo el mundo y me quieren colgar de la cabeza. *¿Por qué lo hiciste?* Para defender la institucionalidad del país. Para mí era eso o la violencia. *¿Era para descomprimir el asunto?* La noticia ya no fue el fraude, sino las derrotas, pero ahí se partió el grupo de Salinas, entre los duros y los que estábamos a favor del diálogo. *¿Quiénes eran los duros y quiénes eran los negociadores?* Pues básicamente quienes estaban en la posición de no llegar a una negociación eran Pepe Córdoba y Patricio Chirinos. *¿Y los de acá?* El de acá, el que se la jugaba todo el tiempo era tu servidor. *¿Cuál fue tu papel en 1988?* Evitar un desenlace violento en el país. *¿Hubo fraude en 1988?* Hubo múltiples irregularidades. *¿Se traduce eso en fraude?* Sí, hubo cosas muy graves en la elección. *Cuéntanos cómo discutían las acusaciones de fraude.* Desde el primer día le recomendé al presidente que reconociera que había cambiado la vida política del país y que se había acabado el sistema de partido único. Eso no le gustaba a los demás, es decir, se había querido declarar el triunfo desde horas antes, incluso contundente; entonces de ahí vino la ruptura y la gente que rodeaba a Salinas pensaba que yo era un obstáculo, que yo estaba traicionando. Pero Salinas estaba inseguro; él también quería llegar a un entendimiento y no sabía cuál iba a ser el desenlace. *A final de cuentas llega Salinas a la Presidencia...* Se llega a un mínimo entendimiento con el PAN y con el FDN. Yo digo: "Esto va a terminar en violencia", y entonces me toca hacer el puente con todos ellos. Los demás ya ni siquiera tenían interés en hablar. *¿Con Cuauhtémoc?* Con Clouthier, con Porfirio, con don Luis. Y finalmente se resuelve en una negociación con el PAN y en una línea de civilidad con el FDN. Mi plan era pactar con el PAN, con la izquierda y con el PRI, pero Salinas dice: "Yo me quedo nada más con este pedacito", es decir, armó el pacto conservador. Se empieza a fortalecer esta relación y aparece la reforma electoral de 1989, que en realidad ya es una contrarreforma que busca asegurar el control político del país para el PRI y para el PAN, excluyendo al FDN. Me opuse y eso deterioró mi relación con el PRI, sobre todo con Salinas, que dice que yo soy amigo de sus enemigos y el gru-

"EN 1988, SALINAS ESTABA INSEGURO. ÉL TAMBIÉN QUERÍA LLEGAR A UN ENTENDIMIENTO Y NO SABÍA CUÁL IBA A SER EL DESENLACE. "

po que rodea a Salinas dice que soy más cardenista que salinista.

¿Cómo se dio la negociación con el PAN? Hubo una reunión en casa de Juan Sánchez Navarro. Asistimos Clouthier, Salinas, don Juan y yo. Ahí plantearon las reformas que querían: la electoral, la del ejido, del artículo 23, de las iglesias y de la educación.

La corrupción es un factor clave en nuestro régimen político. Miguel de la Madrid habló de enriquecimiento, de eventuales vínculos con el narcotráfico, de cosas muy graves. El punto central es si tiene que haber impunidad y complicidad para que se sostenga el sistema; yo creo que no. *No debería.* No estoy hablando de valores morales. Creo que no; yo tengo una visión distinta. *Sin embargo la realidad de México nos va demostrando que sí.* No, yo creo que hay dos realidades. Si no, pues ya se acabó todo, porque ¿cómo lo vas a cambiar? *Sustituir el régimen de impunidad por uno de derecho.* ¿Cómo, si no tienes la fuerza suficiente? Además, a mí me consta que dentro del régimen ha habido mucha gente que actuó de otra manera y que precisamente esa gente fue la que le dio vida y legitimidad a la política.

En mi caso particular, en 1989 le informé al presidente y al propio Raúl Salinas. Cuando tuve datos que me parecían suficientemente sólidos se los llevé y a raíz de eso el presidente sacó a su hermano Raúl del país. Jamás me imaginé este asunto de las cuentas secretas y todo eso. *¿A qué te referías en específico?* Se me informó que planeaba un conjunto habitacional en una zona donde no se podía hacer porque había una reserva ecológica y simplemente dije: "No se hace"; lo hablé con él y me dijo: "Es que yo no estoy atrás de ese proyecto". *¿Pero sí era de Raúl?* Eso me informa-

ron. *¿Y tú se lo planteaste a Carlos?* Así es. Me dijo que hablara con Raúl; se paró el proyecto y ya no volvió a ocurrir nada. *Pero debió de ser algo más, lo suficientemente grave para que Salinas lo sacara del país.* Con la información que era más o menos pública le dije: "No podemos suponer que nada más sea el ataque de un opositor o de un periodista que está dando un golpe. Se habla de un rancho en Puebla, de participaciones en procesos de privatización. Por experiencia sé que si esto no se corta de cuajo, va a ser algo muy grave. Si no quiebras a Raúl, es decir, si no haces que devuelva lo que no le corresponde, esto va a ser el fin de Raúl, el fin de tu prestigio y el fin del régimen político". A raíz de eso él toma la decisión y lo sacan. *¿Y qué te dijo Salinas?* "Lo voy a hacer, vamos a fondo y aquí queda esto". *¿Y tú crees que devolvió lo que no le correspondía?* Me di cuenta de que no, porque eran propiedades que después seguían a su nombre. *¿O sea que Salinas te mintió?* Así es.

¿Compartes esencialmente lo que dice Miguel de la Madrid, aunque lo obligaron a autodescalificarse sobre un gobierno inmoral, donde un presidente solapó hechos delictivos de sus hermanos, que construyeron sus fortunas a partir de la inmoralidad política? Creo que se cometieron actos inmorales, actos de corrupción y actos de complicidad suficientemente graves. *¿Todo esto incluye al presidente de la República?* En un principio pensé que no estaba involucrado, pero cuando salieron otras conversaciones, etcétera, uno se pregunta cuál fue su nivel de participación. *¿Y tú qué piensas, habiendo sido su colaborador cercano?* Que cometió un gravísimo error que arruinó su gobierno.

Salinas logró que De la Madrid retirara su dicho, que las dos principales televisoras omitieran el tema en sus noticieros y que la autoridad no actuara. ¿Salinas está aquí en funciones? No creo que él tuviera esa jefatura. *¿No fue orquestado por Salinas necesariamente?* Me llamaría mucho la atención que le hubiera hablado al procurador o al presidente. Eso es lo importante, lo demás es opinión pública. Las responsabilidades públicas y legales están en otro lado. *¿Por qué la omisión de la autoridad actual?* Pienso que el cálculo es: "Si nosotros abrimos esto —en una situación como la que está viviendo el país—, va a ser de tal magnitud el búmeran que resultará contraproducente". *Ahí es donde cabe la frase aquella de que "la impunidad acaba siendo condición necesaria para que el sistema funcione..."* Sí, cuando no hay una visión y la grandeza para armar una política diferente. *La gran pregunta del libro es si transitamos hacia la democracia o si estamos en un limbo donde sigue dominando lo esencial del viejo régimen, con algunas pinceladas de régimen democrático.* Este punto, que es el central de tu libro, es el esencial del país. Lo más importante es cuál va a ser el desenlace de todo esto. Primera posibilidad, seguir en la cuasi legitimidad, donde si hay cierta pericia y cierta suerte esto puede durar 10, 20 años con enorme deterioro de la credibilidad del país. Segunda posibilidad, que esto no aguante y pasemos a la franca ilegitimidad, donde sólo se va a mantener el orden con la represión, la corrupción y la cooptación. Y entonces vamos a la anarquía o a un régimen autoritario que venga a poner orden. Y la otra posibilidad, que yo creo es el gran reto, es cómo construimos una salida política democrática a esta crisis. Se construye con personas honestas, que puedan decir que no han participado en nada, que sean puras; pero también con política, con compromisos de mucha gente, con alianzas muy amplias. Quien crea que sólo con la parte pura del país va a dominar a todos los intereses, no entiende el país en el que vive.

"[SOBRE RAÚL LE DIJE AL PRESIDENTE]: SE HABLA DE UN RANCHO EN PUEBLA, DE PARTICIPACIONES EN PROCESOS DE PRIVATIZACIÓN... SI NO HACES QUE DEVUELVA LO QUE NO LE CORRESPONDE, ESTO VA A SER EL FIN DE RAÚL, EL FIN DE TU PRESTIGIO Y EL FIN DEL RÉGIMEN POLÍTICO."

Háblanos de Elba Esther Gordillo y de su liderazgo en una estructura político-electoral como la que maneja. Es un ejemplo muy interesante. El gobierno de Zedillo no le entregó el poder a Elba Esther, como nosotros tampoco lo hicimos. Su tarea era ser líder del sindicato. Entonces viene el gobierno de Fox, Elba Esther es parte del grupo San Ángel, ahí conoce a Fox y al establecer la relación con ella le empieza a dar un juego enorme, ya no relacionado con el manejo del sindicato, sino con la política nacional. Y ahí se pierde el mando sobre Elba Esther. *¿Tiene un enamoramiento?* Creo que Elba Esther es la que lo va atrayendo y el otro, fascinado por su falta de conocimiento de la política, tiene una aliada que le ayuda con el PRI. Elba Esther llega a la Cámara, tiene un nuevo partido, se vuelve una fuerza electoral, y Fox cree que teniendo a Elba Esther va a controlar al PRI.

¿Cómo fue la llegada de Elba Esther Gordillo al SNTE? Hubo un pacto entre todos los grupos para que alguien ocupara ese espacio tras la caída de Jongitud; si no, nunca se hubiera logrado la paz. La que estaba en medio de todos y que tenía cierta capacidad era Elba Esther; pero además fue algo que ella se ganó. *¿No fue una imposición tuya y de Salinas?* Imposible. Yo la ayudé, no lo voy a negar. Pero no hubiera podido si no hubiera habido la capacidad política de todos ellos para llegar a acuerdos. *¿Y por qué le ayudaste?* Porque no había otra posibilidad. *¿Qué representa Elba Esther Gordillo para efectos de un intento democratizador en México?* Tiene el poder que le ha dado el gobierno, porque en parte ha producido resultados. *¿Es una maquinaria electoral?* No, es la organización social y sindical más eficaz que hay dentro del gobierno mexicano.

El año 1994 es fundamental. ¿Cómo lo incorporas a tu análisis? Para mí, 1994 son varios eventos. El primero es la candidatura de Luis Donaldo Colosio. Decidí no ir al besamanos —que era muy importante en los protocolos del viejo sistema político—, porque habría sido un engaño decir que nunca había querido ser candidato. Y además estaba muy enojado porque cinco días antes Salinas me había dado a entender que iba a ser yo. Dije: "Yo así no juego". *Cuéntanos cómo te dio a entender que serías el candidato.* En una cena con las gentes más cercanas. A cada uno le dio las gracias por lo que había hecho. A Donaldo le dice que su mayor mérito es que trabajó conmigo, que yo soy quien mejor entiende la historia y sabe los cambios sociales y políticos que va a necesitar el país después de las reformas económicas que hicimos. A cinco días del destape, eso era por lo menos para confundir. *¿Por qué lo hizo?* Creo que temía que al día siguiente lanzara mi candidatura en la Cámara de Diputados. *¿Y lo ibas a hacer?* Lo estuve pensando, pero no lo dejé de hacer por eso, sino porque si había jugado un juego pues no se valía de repente ser oportunista. *¿Colosio te dijo algo?* En esa cena, Colosio se sintió pésimo. Me lo dijo al día siguiente: "Manuel, pues aquí cada quien mata las pulgas como puede. Para mí fue muy duro lo de ayer". *¿Ambos creían que el candidato eras tú?* Y no sólo nosotros, gente tan cercana y tan bien informada como Pepe Ruiz Massieu, que había sido partidario mío y que se cambió al bando de Colosio, esa noche me habló a mi casa para pedirme ir conmigo en automóvil al evento del Infonavit, donde estaban Salinas y Colosio, para que vieran que él ya estaba abierto conmigo. *Lo que vino después te dejó marcado, lo que al final quedó registrado como el "berrinche" de Camacho.* Un amigo de mi padre —el doctor Moreno

Valle— me dijo: "Tu declaración está impecable, pero acuérdate del tonito, estabas muy enojado". Sí fue un berrinche, pero con eso se rompió el dedazo en el país. De ahí en adelante ya no se iba a poder hacer eso, ya nadie lo iba a respetar. En la siguiente elección, Zedillo se dio cuenta de eso y cambio el método.

El segundo evento es el levantamiento de Chiapas. Traté de ayudar a que no se complicaran las cosas. El levantamiento sorprende muchísimo a Salinas, porque si bien estaba informado de que había guerrillas, nadie sabía que esto iba a ser así.

Le dije a Salinas: "Hay que parar la guerra, hay que buscar una salida política". Él mismo se da cuenta de que las cosas se están descomponiendo con rapidez; al principio no quiere, después acepta y es ahí como llego a la Comisión de Paz. *¿Tú te propones con Salinas? ¿Le dices: "Yo quiero ser el comisionado"?* Le digo: "O esto o renuncio y me voy a la calle a marchar con la gente que está protestando en contra del gobierno y a favor de la paz". *¿Lo viste como la puerta hacia una candidatura alterna?* Nunca. *¿Por qué decides no recibir remuneración por esa tarea, por qué haces una serie de cosas que te convierten en elegible para una candidatura?* Ésos son los argumentos del PRI de esa época. *¿Pero no ocurrió así?* Sí, pero no tenía nada que ver. Podía haber cobrado y al mismo tiempo ser candidato, no había incompatibilidad constitucional. Decidí no cobrar porque para mí la decisión de Chiapas no era un empleo, sino una misión. Dije: "Me juego la vida, porque yo no quiero estar del lado de la represión y quiero ver si la política sirve para hacer las cosas". *Pues con ganas o sin ellas hiciste a un lado a Colosio y te convertiste en la figura de ocho columnas y Colosio de interiores.* Yo no lo hice, lo hicieron los medios.

Con una declaración diaria nos llevábamos los encabezados; no estábamos manipulando. Respondíamos al interés que tenía la prensa nacional e internacional.

¿Cómo recuerdas el caso Colosio? El día que lo asesinaron me sentí muerto políticamente para el resto de mi vida. Era una situación extrema. Lo único que me importaba era cómo sobrevivir físicamente y sobre todo proteger a mi familia. *¿Creíste que te podían matar?* Vivía bajo constante amenaza. En Chiapas me dijeron que me iban a matar. *¿Después del asesinato?* Antes y después del asesinato. *Pocos días antes de que lo asesinaran, se reunieron Colosio y tú.* Sí, en casa de un amigo mutuo. Donaldo me preguntó: "¿Qué quieres?", pensando que yo podría tener interés en ser senador, o ser miembro de su gabinete. Le dije: "¿Sabes qué?, no tengo ningún interés, ni tengo interés en la candidatura". *¿No te reclamó nada?* Él quería arreglar el problema y me conocía muy bien; sabía que no le iba a aceptar muchas cosas. No había una buena relación, pero finalmente más o menos me respetaba. En esa plática me ofrece lo que yo quiera y yo le digo: "No, lo que necesitamos es conseguir la paz en Chiapas. Hay una cosa con la cual me puedes convencer: que tú y yo hagamos una alianza para que cuando seas presidente impulsemos la transición a la democracia". Y me dice: "De acuerdo". *¿Quién crees que mató a Colosio?* No sé, lo único que sí te digo es que su asesinato no sirvió para abrir el sistema, ni para dominar los intereses. Fue un golpe conservador en sus consecuencias. *¿Cómo viviste lo de Diana Laura? ¿Estaba muy disgustada contigo?* Pues sí, y lo entendí. *¿Ella creía que fuiste tú?* No, nunca. Lo que no le gustó fue que no apoyé a Donaldo como ella hubiera querido. *¿Su reclamo no era en rela-*

> **EL DÍA QUE ASESINARON A COLOSIO ME SENTÍ MUERTO POLÍTICAMENTE PARA EL RESTO DE MI VIDA.**

ción con el asesinato de su marido? Si hubieran tenido eso, me lo hubieran sacado. Hicieron todo lo posible por liquidarme, hasta que un día me paro y le contesto al papá de Colosio: "Señor, ¿por qué no pide la grabación de la última conversación que tuve con su hijo, por qué no ve quiénes fueron los beneficiados del crimen?" Llegó un momento en que a mí no me quedó de otra más que jugarme el todo por el todo y decir: "Adonde tope". ***Y a Salinas ¿cómo lo viste en ese momento?*** Salinas estaba deshecho. ***¿No tienes ni una pizca de sospecha sobre la autoría intelectual, de Salinas o de Córdoba, o de su entorno?*** De Salinas sería un suicidio haberlo hecho, una torpeza gigantesca. ***¿La bala que mató a Colosio al final no mató a Camacho?*** En ese momento me dejó más que muerto. Pero no me mató en mi vocación política, ni me mató en mis ganas ni en mi interés por que mejoren las cosas en este país. Eso está vivo.

Muere Colosio y llega Zedillo a la Presidencia, un hombre de Córdoba. ¿Qué pasa ahí con la transición? Creo que Zedillo no creía en la transición; le molestaba el término, pero entendía muy bien el tema económico y cuando sufre la crisis y ve el desgaste que hay, pues se da cuenta de que no la va a librar y se ve obligado a abrir. En el año 2000 se ve obligado a escoger entre arriesgarse a un enfrentamiento mayor en el país o facilitarle a Fox la llegada. ***¿Zedillo no quería que ganara el PRI?*** Zedillo se estaba protegiendo a sí mismo y estaba protegiendo lo que él creía que era importante. Traía el problema del Fobaproa y el asunto de Salinas. Fox le ofrecía un colchón suavecito para el aterrizaje. Ahí hay un punto clave en la historia del país: primero el PAN está en contra del Fobaproa, Fox va a Monterrey a pedir apoyo a los empresarios y para congraciarse con ellos se decide apoyar públicamente el Fobaproa. En ese momento se da la identidad de intereses entre Fox y Zedillo, el PAN se vuelve un partido confiable porque una de las principales preocupaciones de Zedillo es el Fobaproa. *Y Zedillo pasa a la historia como el presidente priísta que permitió la alternancia.* Creo que fue un acierto de Zedillo, sin duda.

¿Qué nos deja el año 2006 para efectos del presente y el futuro de México? En 2006 de nuevo se nos presenta la gran oportunidad de construir una coalición distinta con la cual cambiar el sistema político, y ahí de nuevo el agrupamiento de estos viejos intereses, de estas fuerzas retardatarias, dice: "No lo vamos a aceptar, estamos en riesgo". Nuestro error fue haber unificado a todos estos grupos en nuestra contra, cuando teníamos la posibilidad, gracias a la ventaja que manteníamos, de hacer negociaciones selectivas y evitar que se nos formara una coalición. *¿Cómo lograron alinear a todos en su contra?* Se empieza a generar la idea de que si llega Andrés Manuel va a meter a la cárcel a todos los empresarios, les va a quitar las concesiones a las televisoras, les va a cobrar impuestos retrasados a los otros, va a actuar de manera autoritaria... Y entonces hay un trabajo político que unifica a un grupo que antes estaba dispuesto a negociar con nosotros. *¿Es testarudo Andrés Manuel?* Sobreestimó sus fuerzas. Pensó que con el apoyo popular —que era enorme— sería suficiente para derrotar a todos estos intereses. No lo fue. *¿Le faltó inteligencia política?* Tiene una gran intuición, pero le faltó cálculo estratégico. Creo que tiene muchas virtudes que hay que retomar. *¿Por qué mandó señales para asustar a los grandes intereses?* Estaba convencido de que si negociaba no iba a poder hacer los cambios. Además, adoptar esas posiciones le resultaba muy redituable,

hacía que la gente se prendiera y creyera en él. *¿Es un fundamentalista?* No. Como jefe de gobierno realizó algunas negociaciones, pero ya que sintió que de él iba a depender el futuro del país, dijo: "Yo con el único que me voy a comprometer es con el pueblo y con ese poder los voy a derrotar". Yo sabía que no era posible. *¿Ahí perdió la Presidencia?* Con lo del debate, cuando viene este formidable ataque de que es enemigo del país y no hay respuesta inmediata, cuando le dimos la oportunidad al otro lado de hacer un trabajo político de unificación y nosotros no hicimos el trabajo político suficientemente eficaz para demostrarles que no íbamos a ir tras el cuello de cada uno de ellos.

¿Te parece acertado que Andrés Manuel fracturara, en definitiva, cualquier posibilidad de interlocución? Yo era de otra opinión, pero mantuve el respeto a su liderazgo. Otra cosa hubiera sido sucia de mi parte, sobre todo en una situación ya de derrota. Me parecía que en vez de construir una figura de gobierno legítimo había que liderar la oposición y prepararnos para ganar la mayoría en las elecciones de 2009. Yo veía que no había otra posibilidad. *¿Cuánto perdió al nombrarse presidente legítimo de México?* No sé, ni quiero especular. Tenemos que reconocer que el gobierno tomó una decisión fundamental, es decir, en ningún momento se le dio a Andrés Manuel un margen de maniobra política. Nunca hubo un gesto real de apertura. *¿Lo querían aniquilar?* La idea era: "Que desaparezca y vemos cómo cooptamos a su gente, cómo dividimos al PRD y cómo transamos a fulano". Un juego cero democrático, un juego antidemocrático.

¿Qué tenemos hoy de ese conjunto de claroscuros y de capítulos que aquí has contado y de ese eje central

de tensiones entre unos y otros? Felipe Calderón cree que tomó posesión nada más por el apoyo del PRI y por el papel que jugó el Estado Mayor para meterlo por la puerta de atrás. No sabe que del otro lado hubo un gran trabajo y una gran responsabilidad política: se tomó la decisión de no ir a la violencia. *¿Del "otro lado", quién?* Andrés Manuel y el grupo que lo rodeaba. El día anterior a la toma de posesión, si ese grupo hubiera tomado una decisión distinta, otro hubiera sido el desenlace. Se decidió que no se iba ir a la Cámara, que no se iba a hacer una confrontación física con la policía y que se iba a hacer un trabajo político para evitar cualquier acto de violencia. *¿Andrés Manuel y su equipo más cercano acordaron que le iban a permitir la entrada a Calderón?* Se acordó que no íbamos a llegar a la violencia, porque de todas maneras lo iba a lograr. La Corte ya había dicho que en caso de que no tomara posesión iba a validar la presidencia de Calderón. Calderón se iba a sentar en la Presidencia; era imposible impedirlo. Entonces la decisión estaba entre desatar la violencia para ver qué pasaba, o ser responsable

> " SÍ FUE UN BERRINCHE, PERO CON ESO SE ROMPIÓ EL DEDAZO EN EL PAÍS. "

y evitarla. Hubo opiniones muy encontradas en el grupo de López Obrador. No quiero dar nombres; sólo diré que yo estuve totalmente a favor de que se evitara la violencia y López Obrador decidió no sólo evitarla, sino hacer su trabajo político para evitarla. Si Felipe Calderón se hubiera dado cuenta de todo eso, le tendría que estar agradecido por haber sido un político responsable.

¿Qué nos queda de la idea de la transición a un régimen democrático en México? Hay una consolidación del bloque conservador, que puede tener el dominio completo del país durante muchos años. Si lo contrastas con la izquierda que se dividió en el 2009, pues no hay ninguna posibilidad de cambiar este orden político. Pero la crisis y los niveles de violencia van a generar un nuevo panorama para 2012. Entonces la pregunta no es si el bloque conservador ya ganó, sino si tiene capacidad para gobernar esta nueva realidad política, económica y social. Yo digo que no.

¿Cómo funciona en este momento el poder de Salinas? Está haciendo política con bastante concentración e intensidad y lo hace por dos razones. La primera es defensiva: evitar que las acusaciones que se le pudieran hacer se le vengan encima. La otra es actuar de modo que dé la impresión de que tiene poder. A medida que se lo reconocen, la imagen de poder crea el poder. Se reactiva en la medida que la gente ve que puede y todo eso lo ha aprovechado. *¿Es el factor cohesionador del PRI en su nueva mayoría?* Pienso que está operando políticamente y que ya está metido en cosas electorales. *¿Qué supones que quiere?* Él quisiera su reivindicación personal; pero es muy difícil que lo logre. Ha fracasado cada vez que lo ha intentado, así que lo que quiere es tener suficiente poder para estar protegido y para que lo respeten las principales fuerzas del país.

CUAUHTÉMOC Cárdenas

POLÍTICO.

CIUDAD DE MÉXICO, 1934.

FUNDADOR DEL FRENTE DEMOCRÁTICO NACIONAL

Y DEL PARTIDO DE LA REVOLUCIÓN DEMOCRÁTICA.

CANDIDATO PRESIDENCIAL, 1988, 1994 Y 2000.

HOY ME VEO en la misma lucha. A veces las batallas son más largas de lo que uno quisiera. Creo que mi papel fue el de promotor y convocante —con muchos otros— de una importante movilización y de un cambio que está en proceso. Si las cosas quedaran más o menos como están, ya sería ganancia. Lo que vivimos hoy, si hablamos de democracia electoral, pasa apenas con suficiencia.

¿Hubo fraude en 2006? No lo sé. Acción Nacional tuvo más votos para el Congreso que la Coalición de Andrés Manuel López Obrador; esto puede ser una señal del voto. Fue un grave error del gobierno no haber accedido al recuento. Hubiera quitado cualquier duda. A Felipe Calderón la legalidad se la dio el Tribunal. No hablaré de legitimidad en este caso; me abstengo.

Por su parte, el "Gobierno Legítimo" me parece una decisión equivocada: se es gobierno o no se es; y si se es, se gobierna. Ser gobierno es tener mandato, tener decisión. Declararse gobierno es tomar el camino del Plan de Guadalupe: se desconoce a un gobierno y se dice "ahora el gobierno está de este lado". Sin embargo, veo que hay coincidencia con 1988. Se ha llamado a la movilización social, no a la violencia. Se reconoce el ejercicio del poder: el Congreso está funcionando y no se planteó desconocer su elección.

¿Cómo caracterizaría el proceso de transformación del viejo régimen presidencialista autoritario a lo que ha intentado ser una democracia representativa? Siempre ha habido dos corrientes: una que empuja hacia las posiciones progresistas y democráticas, con un mayor contenido social, que busca una efectiva igualdad; y otra, desde posiciones conservadoras, que trata de concentrar los beneficios en grupos de población más reducidos. Creo que esta lucha se da siempre. No me refiero sólo a la lucha tradicional entre liberales y conservadores, que es de más atrás; dentro de las propias corrientes que surgen de la Revolución hay tendencias y las diferencias se acentúan a lo largo del tiempo. En las transformaciones revolucionarias hay avances y retrocesos; si en algún momento hubo una coincidencia muy amplia entre distintos grupos, también se han hecho más claras las diferencias. Digamos que de los sesenta en adelante. Hay puntos de quiebre: 1968 fue uno. Fue un reclamo de apertura democrática, de hacer valer los derechos, de rechazar toda política represiva. Ocurrió la tragedia del 2 de octubre, pero finalmente se impusieron las ideas en todo el país. El año 1971 fue otro momento de quiebre que de algún modo revivió el 68: los presos salieron de la cárcel, mejoró la participación política y hubo pequeñas señales de apertura. En 1985 muchos grupos renuentes a la lucha electoral se dan cuenta de que no basta con la demanda social, sino que es necesaria una participación política más activa y eso se refleja en el 88. El año 1988 no sería imaginable sin todos los antecedentes. De hecho, se retomó el planteamiento político del Movimiento de Liberación Nacional de 1961. El 88 no es nada más una reivindicación limitada —como el 68— sino una mucho más amplia, para retomar un camino que garantizara el libre ejercicio de todos los derechos y especialmente el de gozar de los beneficios del desarrollo.

A 20 años de distancia, ¿qué significado histórico, político, social y personal tiene el 88 para usted? Es un rompimiento del sistema, más allá del fraude electoral. *¿Y cuál es el ingrediente fundamental para que dentro del PRI se produzca esta ruptura?* El detonador fue el enfrentamiento con lo fundamental del régimen político: el presidente de la República. *Gran choque entre tecnócratas y políticos...* No sólo eso. Chocaron dos proyectos nacionales distintos: uno que el gobierno manejaba demagógicamente como el proyecto que se estaba realizando, pero que en realidad era lo contrario;

y el otro, una expresión política que surgió dentro del propio régimen y que planteaba la necesidad de dar autenticidad a lo que se estaba diciendo. Esto llevó al choque; que no fue contra el partido. La Corriente Democrática surgió en el PRI.

¿Qué escenas recuerda que nos hablen de esa ruptura? Con Porfirio Muñoz Ledo compartí la preocupación de que había un deterioro social, una crisis. Lo hablamos en el restaurante La Cava. Posteriormente nos reunimos en casa de Ifigenia Martínez. Éramos unas 10 o 12 personas, entre ellas: Armando Labra, Carlos Tello, Leonel Durán, César Buenrostro, Gonzalo Martínez Corbalá y Rodolfo González Guevara, quien habló de la necesidad de presentar una propuesta al propio partido para que se recuperara un camino; dijo que había que pensar en un candidato de sacrificio, que no iba a ganar, para tratar de que el partido cumpliera con sus estatutos y abriera una contienda interna. Me dijo que yo debía ser el candidato; le dije que no, que debía ser él porque tenía más trayectoria en el partido. Ahí se expuso la idea final que era democratizar todo el sistema.

Entonces arrancó la Corriente Democrática: hablamos con De la Madrid y con Adolfo Lugo —presidente del partido—; todos dijeron que adelante, que bienvenida la idea y después lo reiteró Jorge de la Vega —quien presidió el partido al poco tiempo— y agregó que nos fuéramos despacio, sin violentar las cosas. El documento de trabajo "No. 1" salió el 1º de octubre de 1986. Era una hojita; no era mucho, pero tuvimos mucha gente, aunque también con él se dieron las primeras bajas.

En la XIII Asamblea General del PRI empezaron los trancazos: decían que queríamos impulsar a algún candidato o romper al partido. En las mesas previas se me echaron encima Miguel Ángel Barbarena, Beatriz Paredes, Jesús Murillo Karam y un montón más, directo a la yugular. En la Asamblea

"EL 88 NO ES NADA MÁS UNA REIVINDICACIÓN LIMITADA —COMO EL 68 —, SINO UNA MUCHO MÁS AMPLIA PARA RETOMAR UN CAMINO QUE GARANTIZARA EL LIBRE EJERCICIO DE TODOS LOS DERECHOS. "

> CREO QUE ZEDILLO NO HIZO NADA POR OBSTACULIZAR EL TRIUNFO DE FOX. ME PARECE QUE DESDE FEBRERO DE 2000 ZEDILLO TUVO DOS CANDIDATOS, Y POCO DESPUÉS UNO NADA MÁS, QUE FUE FOX.

se nos aventó Jorge de la Vega con un discurso sobre los "Caballos de Troya", en el que afirmaba que había que respetar las reglas escritas y las no escritas. Ellos seguían las no escritas, desde luego. Ese día, De la Vega me telefoneó para decirme: "Quiero agradecerte que hayas asistido a la Asamblea". Quizá pensó que no nos habíamos dado por aludidos. A los tres días saqué un documento rechazando el ataque, diciendo que los que estaban fallando en el partido eran sus dirigentes, y quedó claro que estábamos en franco rompimiento, más que con el partido, con todo el sistema. El golpeteo aumentó; nos decían que estábamos fuera del partido. Siempre dijimos: mientras no nos expulsen, estamos en él. Ya no hubo contacto con De la Madrid; creo que lo volví a ver como jefe de Gobierno.

En una reunión, Carlos Tello dijo: "Pues yo hasta aquí llegué, no iré a una colisión con el gobierno". Días después, en el rancho Los Barandales, del licenciado Manuel Moreno Sánchez, Carlos Tello llegó con el nombramiento como embajador en Portugal. O sea, la no colisión lo llevó a Portugal. Para mí fue una consecuencia directa de haberse separado de la Corriente Democrática. Moreno Sánchez dijo entonces que el partido tenía que abrirse y que debían presentarse tres precandidatos: Carlos Salinas, Gustavo Petriccioli y yo.

¿En qué momento salen del PRI? Nunca salimos del PRI. Formalmente no nos fuimos. No nos corrieron, porque no tenían bases para hacerlo. Cuando otros partidos vieron que no sería Manuel Bartlett el candidato, quedaron muy desanteados y se nos acercaron. La propuesta vino de ellos. Porfirio y yo ya lo habíamos comentado y posteriormente le doy el sí al PARM para la candidatura. Con Carlos Cantú y Pedro González Ascuaga se concretó un compromiso. Al día siguiente, en un desayuno en casa de mi madre, ya no llegó González Ascuaga.

Intentó desconocer a Cantú, pero éste se sostuvo y entonces se fijó la fecha y protesté como candidato. Esto, automáticamente, me colocó fuera del PRI.

En mayo de 1988, en Zamora, Michoacán, al calor del discurso se me ocurre decir que había que buscar la unidad de candidaturas y eso hizo que nos buscaran del PMS al día siguiente. Lo discutimos en casa de Gilberto Rincón Gallardo, con Porfirio si mal no recuerdo, y ahí se habló, ya no de una candidatura, sino de que Heberto pudiera declinar la suya. Se elaboró un documento en el que se hablaba de que Heberto tuviera la facultad de compartir decisiones en el nombramiento del gabinete. Dije que no, que si no llegaba con plenas facultades, no llegaba. Hubo varias reuniones en las que se fue afinando el documento; finalmente unos pocos días después llegó Heberto —ahí a casa de Rincón—, venía de una gira muy abatido, muy cansado, y nos dijo: "Lo que acuerden está bien y así nos vamos". Digo, ya se había avanzado mucho. Entonces vino el acto formal de declinación de Heberto, que me parece que fue la culminación del proceso de suma que se fue dando en el Frente Democrático. *¿Cómo lo definiría si tuviera que armar una frase que lo describiera?* Yo creo que tuvo un fuerte efecto simbólico demostrar que había unidad de todos los que estaban buscando un cambio democrático. Desde otro punto de vista tengo conocimiento, por lo que me han platicado posteriormente, que se hizo una encuesta en el PMS y las cifras eran muy desfavorables; quiero pensar que eso consolidó la decisión de quienes buscaban una sola candidatura, pues presionaron con más fuerza sobre Heberto y la gente que quería mantenerlo hasta el final. Yo nunca he visto la encuesta. *¿Hubo alguna voz influyente en Heberto que lo convenciera en particular...?* No sé. No creo, mi trato con él me permite pensar que esas decisiones, como sería mi caso también, pues se to-

man sólo personalmente, más allá de que lo puedas consultar con mucha gente.

Ayúdeme a reconstruir la escena del día de la elección, en la Secretaría de Gobernación, en la que estaban Rosario Ibarra, Manuel Clouthier... El 6 de julio hubo una comunicación con el PAN. Porfirio y yo fuimos al departamento de Luis H. Álvarez. Ahí estaban él, Manuel Clouthier, Carlos Castillo Peraza y no sé si Diego Fernández de Cevallos también. Teníamos reportes de muchas irregularidades y comentamos que era necesaria una representación conjunta ante Gobernación. Se acordó un documento que, si mal no recuerdo, elaboraron Porfirio y Castillo Peraza. Se le habló a Rosario Ibarra y convenimos llevarlo a Gobernación esa noche. Nos reunimos después en el Fiesta Americana, en la Glorieta de Colón, y como a las nueve de la noche nos fuimos a pie hacia Gobernación. Seríamos unas 50 o 60 personas. Ya teníamos conocimiento de que el sistema se había callado y caído. *¿Hubo esa escena donde la corpulencia de Clouthier les ayudó a entrar a Gobernación y cosas por el estilo?* Para nada; de ninguna manera. *¿Le pidieron una cita a Bartlett?* No. La Comisión Electoral estaba en sesión permanente en Gobernación y el secretario de Gobernación la presidía. Llegamos y dijimos que queríamos verlo. Nos recibió en una situación muy tensa. Rosario Ibarra dio lectura al documento y Bartlett dijo que intervendría para evitar irregularidades. Subimos a una terraza que da a la calle de Abraham González. Ahí hay un patiecito; estábamos en la parte alta y la gente de los medios estaba abajo. Rosario volvió a leer el documento y Diego lo aventó —en un gesto muy suyo— a ver quién agarraba las copias.

¿Cómo se cayó el sistema? Existía el compromiso de que los partidos tendríamos acceso a la

recepción de la información electoral y que esto se haría público. Entonces llegó la información del distrito que tiene por cabeza Tula, Hidalgo. Aparecieron las cifras oficiales y el representante del PARM en la Comisión Electoral dijo: "Momento, yo aquí tengo el acta de ese distrito firmada por todos los representantes y las cifras no coinciden". Y ahí se cayó el sistema. Ahí fue que De la Madrid ordenó "suspender la información". Ya después se dieron a conocer datos de sólo 55 por ciento de las casillas. Nunca se publicaron los datos de 25 mil (45 por ciento de las casillas), que son los "datos agregados" a los que se refirió De la Madrid. Hubo distritos extremos. En el caso de las *casillas contadas* decía: PRI, 52 por ciento; Frente Democrático, tanto; PARM, tanto; Partido del Frente Cardenista, tanto; PAN, tanto. En el caso de las *casillas no contadas* decía: PRI, 107 por ciento. Entonces hubo que quitarle votos de los ya contados para ajustar las cifras. Eran dos elecciones, en dos mundos totalmente diferentes.

Después de la elección, el nuevo Congreso se instaló. De la Madrid llegó a rendir su informe y hubo protestas. Ahí se calificó la elección. Ya era inapelable el fallo del Congreso. Todavía acudimos formalmente a la Corte; fue el último recurso que no prosperó.

Seguimos con las movilizaciones, llamando a la anulación de la elección. Hubo una muy fuerte el 14 de septiembre en el Zócalo, donde por primera vez se apunta la posibilidad de formar un partido político. No había la fuerza para detener el país mediante una movilización simultánea, que hubiera sido lo único realmente eficaz. *Hay cierto reclamo hacia usted, por no haber llevado a otros puntos la movilización. ¿Cómo ve esa crítica que dice: "Hubiéramos tomado el Palacio"?* Estoy convencido que se hizo todo lo que se tenía que hacer

y todo lo que se pudo hacer. Se llamó, por ejemplo, en algún momento, a que, como protesta, se apagaran las luces durante x minutos todos los días. Fue un acuerdo de todo el Frente Democrático. Esto tuvo que haber sido una acción nacional. Se cumplió, pero de una forma muy limitada. Esto nos hizo ver que los propios partidos y las organizaciones del Frente tenían poca eficacia por sí mismos: donde yo acudía, la gente se movía; pero donde no, no se movía. *¿Cruzó por su mente tomar el Palacio Nacional?* A lo largo de toda la campaña no hubo el acercamiento de un solo militar, ni en activo, ni retirado. *De ni uno solo, a pesar del apellido Cárdenas...* Ni uno solo; a pesar de que se detectó que en los comicios los elementos de las fuerzas armadas habían votado en la misma proporción que el resto de la gente. No supe en aquel momento —lo he sabido 10 o 15 años después— que en Palacio Nacional había una concentración de fuerza inusual: había mucha gente, artillería, todo lo que uno pueda imaginarse ahí adentro. *No lo supo en ese momento, pero ¿lo imaginó?* Sí, desde luego. Hubiera sido una irresponsabilidad intentar tomar Palacio Nacional. Tomar en esas condiciones un edificio significativo no iba a llevar muy lejos; iba a llevar simplemente a un baño de sangre, a una represión generalizada, y eso sí no estaba yo dispuesto a provocar.

Me decía que hay elementos definitorios en el resultado electoral de 1994... Hay tres: el levantamiento en Chiapas, el asesinato de Luis Donaldo Colosio y, sin duda, la brutal inequidad de acceso a los medios de comunicación. Recuerdo que nos ofrecieron en las dos televisoras la "tarifa oficial" que era de 300 millones de pesos por minuto (unos 100 mil dólares). ¡No teníamos ni para un minuto y un minuto no hubiera servido de nada! Además de la forma en que se daba la noticia en la televisión. El presentador decía: "El candidato del PRI, *con voz*, estuvo en Veracruz y dijo tal cosa"; luego la propaganda del PRI y el anuncio de Solidaridad. Era un bloque completito, todos los días y a toda hora. Después de la muerte de Colosio, salía el levantamiento en Chiapas y luego Cuauhtémoc Cárdenas, *sin voz*, al igual que los demás candidatos de oposición. Yo representaba el caos, la caída de la economía, el rechazo a no sé cuántas cosas.

¿Cómo entiende usted el asesinato de Colosio? Como un crimen de Estado, sin tener identificado quién está detrás. No lo veo de otro modo: 200 o 300 guardaespaldas en torno a los candidatos; penetrar no es creíble. Sin embargo, cuando hay alguien dispuesto a cambiar la vida, le pueden llegar al que sea: a Anastasio Somoza le llegaron con una bazuca; a Colosio le llegaron, no sé con qué arma, pero le llegaron.

¿A qué se debió el contexto tan violento de 1994? La única explicación que encuentro es la de querer asegurar la continuidad en el ejercicio del poder. Por alguna razón, por algún indicio que pudo haber dado señales en sentido contrario. El discurso de Colosio es un "solo discurso", es el Discurso de Colosio. *Salinas dijo en su momento que fue la nomenclatura del PRI...* Bueno, en ese régimen la nomenclatura tenía nombre y apellido.

Sobre el 2000 y la llegada de Vicente Fox a la Presidencia. Otro quiebre de la historia en esta tormentosa construcción de la democracia. ¿Cómo entiende ese tránsito del régimen autoritario y presidencialista al intento de consolidar una vida democrática por lo pronto representativa? Lo entiendo en el cambio en la calidad de las elecciones y de la competencia electoral que surge en 1997. La reforma de 1996 hace posible el 97 y es tangible en la campaña del Distrito Federal, que por los medios se hace campaña nacio-

> **[EN 2006] A FELIPE CALDERÓN LA LEGALIDAD SE LA DIO EL TRIBUNAL. NO HABLARÉ DE LEGITIMIDAD EN ESTE CASO; ME ABSTENGO.**

nal sin serlo. La apertura de los medios en este caso es muy importante. En 1997 no tenía tiempo para atender todas las invitaciones que tenía de ellos. *Ahí Ernesto Zedillo fue un factor fundamental...* Zedillo se vio forzado, y lo digo por esto: los muertos del PRD, 300 en el periodo de Salinas y más de 300 en los primeros tres años de Zedillo. *¿Los muertos del PRD obligaron a Zedillo o era un demócrata?* No podría decirlo así, pero sin duda tuvo que aceptar e instrumentar cambios. No creo que por convicción; su vida posterior no me indica que sea un demócrata y menos un patriota. Un documento del Banco Mundial dice que si en México se da la alternancia será la señal más clara de que ha entrado a la modernidad. Y eso es lo que Zedillo manejó: "México es un país demócrata, es un país de primer mundo, moderno". *Convenía la alternancia, ¿y la favoreció Zedillo?* Creo que la permitió. Por lo menos no se opuso. *¿Su sana distancia con el PRI era una forma de favorecerla?* No creo que tuviera esa sana distancia. Sigo pensando que él decidió quién era el presidente del PRI, quiénes los candidatos principales; manejó al PRI como todos los demás.

¿El triunfo de Vicente Fox fue inobjetable o hubo ese empuje desde el ámbito oficial? Creo que Zedillo no hizo nada por obstaculizar el triunfo de Fox. Me parece que desde febrero de 2000 Zedillo tuvo dos candidatos, y poco después uno nada más, que fue Fox.

Había un ánimo fundacional por la llegada de la alternancia. ¿Qué balance puede hacer del paso de Fox por la Presidencia? La llegada de Fox la viví como espectador, muy consciente de que llegaba un presidente y un partido como Acción Nacional, opuestos a aquello por lo que muchos luchábamos. *No sintió alegría...* No. *¿Qué sintió?* Sentí que íbamos a tener un gobierno retrógrado, conservador,

con muchas incapacidades, con muchas inconsecuencias, con manejos torpes y absurdos.

¿Qué daño le hizo Fox a la consolidación democrática? Me parece que aún no hay una certidumbre absoluta. La gente no tiene suficiente confianza en la autoridad electoral, aunque no es la misma calidad de elecciones que había antes. ¿Dónde están ahora las distorsiones? Ya no están en las urnas, sino en disponer de medios —sobre todo dinero del Estado o de fuentes indebidas— para promocionar las campañas; en las actitudes de los medios de comunicación, y en lo que se llevan éstos al publicitar las campañas. Esto es lo que no se logró en el periodo de Fox.

¿Cómo afectó el intento de desafuero de Andrés Manuel López Obrador a la vida democrática de México? Fue un factor relevante que ha impedido la consolidación democrática, pues la autoridad pretendió atropellar el derecho de una persona con toda la fuerza del Estado. Electoralmente, fortaleció la candidatura de Andrés Manuel. Le hicieron un favor. Me parece que no tenían base legal.

¿Le regateó apoyo a López Obrador y eso incidió en la elección presidencial? No creo. Decidí no participar en 2006 porque la contienda interna no fue equitativa. Hubo recursos externos al partido y a los precandidatos. Recursos del gobierno de la ciudad de México. No diría que recursos fiscales, pero sí los que surgen de la política de la ciudad. Consideré que estaba en desventaja y que no tenía obligación de participar en la campaña. Sin embargo, mi voto fue para los candidatos de mi partido. *¿Y hasta qué punto llegó el distanciamiento con él?* Hay un distanciamiento porque diferimos acerca de cómo conducirnos en la política. Compartimos un partido, pero a ver qué queda de él después de estos días. Andrés Manuel y yo compartimos un partido... un partido *partido.*

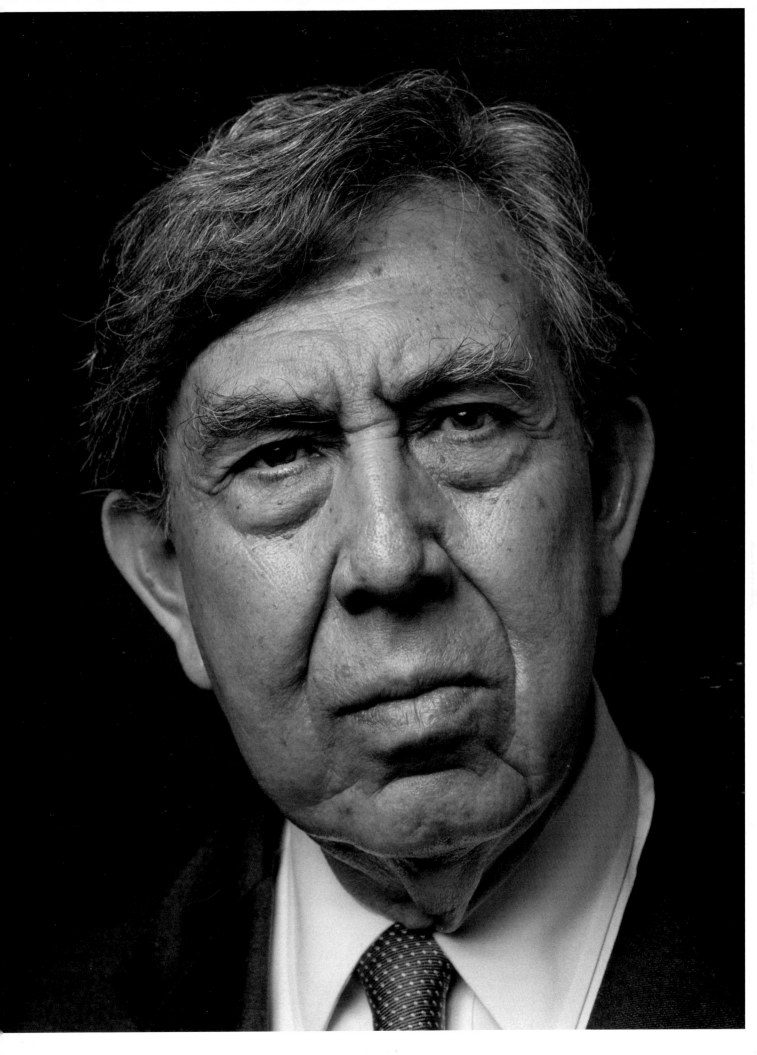

JORGE Cárpizo

POLÍTICO Y ACADÉMICO.

CAMPECHE, 1944.

RECTOR DE LA UNAM, 1985-1989.

PRIMER PRESIDENTE DE LA COMISIÓN NACIONAL
DE LOS DERECHOS HUMANOS, 1990-1993.

PROCURADOR GENERAL DE LA REPÚBLICA, 1993-1994.

SECRETARIO DE GOBERNACIÓN, 1994.

EMBAJADOR DE MÉXICO EN FRANCIA, 1995-1998.

64

LA DEMOCRACIA en México fue un proceso muy lento; yo diría que empezó sus pininos con la reforma política de 1977 que propició don Jesús Reyes Heroles. Es una democracia formal en la que es importantísimo el respeto al voto, que no haya fraude, que exista equidad. La democracia implica mucho más cosas. Hay que hablar de la democracia material en la cual hemos fallado. Y lo digo con una inmensa tristeza. En estos años los partidos de oposición han logrado gubernaturas, presidencias municipales y ya para cuando el señor Vicente Fox gana, alrededor de la mitad de los habitantes de México son gobernados, a nivel local, por los dos partidos más fuertes de oposición. ¡Pero no se ha notado el cambio! Ha resultado lo mismo: corrupción, impunidad, negocios, ayudas a los amigos y a los familiares... Entonces no ha habido un cambio material; formal sí.

El año 1988 es muy importante porque nace una verdadera fuerza de oposición de izquierda, con un programa popular encabezado por el ingeniero Cuauhtémoc Cárdenas. Si hoy le preguntáramos al ingeniero una serie de visiones de estos años, quizá ha cambiado un poco. Te voy a decir la mía y sé que lo que voy a decir es muy polémico: en esas elecciones se pudo mover al país de una forma natural. Vivíamos una crisis económica que golpeó de nuevo a la clase trabajadora y a la clase media. Eran recurrentes las crisis económicas, el país estaba molesto —una situación parecida a la de ahora en la que existe desasosiego social— y esto se pudo encauzar muy bien en el movimiento que encabezó el ingeniero Cárdenas. Ahora bien, según yo, qué pasó: en las elecciones de 1988 existió una situación curiosísima; Salinas gana la elección y hubo fraude. Parece contradictorio pero no lo es; Salinas gana la elección sin alcanzar el 50 por ciento de aceptación y la Secretaría de Gobernación —que lo podía hacer en aquel entonces— decide que no podía haber un presidente de México que ganara con menos de 50 por ciento. *¿Lo decide la Secretaría de Gobernación?* Sí. Quien manejaba todo este sistema electoral era la Secretaría de Gobernación a través de la Comisión Federal Electoral. Y esto no es especulación, es un hecho. En estados como Chiapas rellenaron las urnas para "subir". En ese momento, con todas las acusaciones de fraude que hay —recuerda que entonces yo era rector—, el nuevo gobierno necesita legitimarse y se da cuenta de que ese sistema electoral ya no funcionaba y que había que cambiarlo. *Se forzó la máquina hasta el máximo.* Exactamente, unas nuevas elecciones con ese sistema electoral pudieron haber provocado un conflicto armado; iba a haber sangre. La gente no hubiera admitido ese sistema de una Comisión Federal Electoral controlada 100 por ciento por el gobierno. El nuevo gobierno estaba muy sensible por todas las impugnaciones y vio con toda claridad que había que cambiar ese sistema. Aquí el PAN de Carlos Castillo Peraza jugó un papel excepcional. Y no soy de derecha, pero respeto a la derecha honesta y doctrinaria, la que viene de don Manuel Gómez Morin. Carlos, que más que político fue muy buen filósofo, hizo un planteamiento para cambiar el sistema electoral: demandó garantías para que se celebraran elecciones libres, sin fraude y objetivas. De ahí nacería la idea del IFE, que se creó en 1990.

En aquellos años también nació la CNDH, de la que fuiste fundador, y en el IFE fuiste el presidente del Consejo General en tiempos de la reforma. Para efectos de la construcción democrática estás tocando un tema muy importante: en estos 20 años se han construido instituciones que tuvieron momentos dorados y momentos de cobre, digámoslo así: el IFE, la CNDH... Quizá no soy imparcial en lo que voy a exponer porque todo esto no lo he visto desde la barrera; lo he visto desde adentro y creo que avanzamos. En la CNDH creamos, en muy poco tiempo, un prestigio. La Comisión todavía vive de él porque ayudamos a la sociedad y nos enfrentamos a monstruos terribles,

a intereses muy poderosos. *¿En quién pensaste?* En Guillermo González Calderoni, que la DEA decía que tenía 400 millones de dólares. ¿A cuánta gente importante le regaló dinero para que me atacara? Nadie se había atrevido a consignarlo. *Acabó asesinado.* Pues sí, porque sabía muchas cosas y no sólo de México, sino de Estados Unidos. Lo asesinaron en Estados Unidos y la que se supone que es la mejor policía del mundo, el FBI, ¡no sabe nada!

Con el IFE, hablo en plural, un grupo de mexicanos logramos su ciudadanización y después la reforma de 1996 fue resultado de todo lo que hicimos en 1994; salvo una cosa: sacar al secretario de Gobernación. Yo lo propuse e inmediatamente se opusieron Porfirio Muñoz Ledo como presidente del PRD y Carlos Castillo como presidente del PAN. El argumento fue que el proceso estaba muy avanzado y que no podrían ponerse de acuerdo con un nuevo presidente del IFE. Me decían que era a mí a quien le tenían confianza y que debía quedarme; además, me dijeron: "Hemos aceptado todas tus ideas, pero ésta no". "Está bien —les dije—, vamos a ponerlo en un 'pliego de mortaja' pues esto tiene que venir". Me dijeron: "¡Claro que tiene que venir, pero después del proceso, no en este momento!" Corrí con la suerte de que eran mis amigos y me tenían plena confianza. Un día Porfirio Muñoz Ledo le dice a Carlos Castillo a propósito de una discusión que estaba empantanada: "Oye, Carlos, si le tenemos confianza a Carpizo, propongo el método del confesionario: tú vas con Jorge y le cuentas hasta dónde puede llegar el PAN, después yo voy y le cuento hasta dónde puede llegar el PRD. Jorge ausculta a los partidos pequeños. Viene sabiendo hasta dónde y nos hace una propuesta". Y así fue como avanzamos la reforma de 1994 en tan poco tiempo. ¿Qué es lo que ha pasado ahora? ¿Por qué andamos como andamos? Éste es un gran país y tenemos gente muy capaz pero tal pareciera que se quiere que a estos organismos llegue gente muy pequeña.

El de 1994 es un año trágico que construyó una situación de incertidumbre muy grave. El propio IFE vivió un luto, tú estando ahí. Recuerdo la escena de Muñoz Ledo que decía: "Voy a denunciar, por primera vez, a un individuo por delincuente electoral", y se refería a José Francisco Ruiz Massieu, quien esa mañana estaba siendo asesinado. ¿Cómo recuerdas ese año? Fue un año muy trágico para México pero que nos dejó muchas lecciones positivas. Comenzó con el levantamiento de Chiapas; fue dificilísimo y complicadísimo. Yo era procurador general de la República y el gabinete de seguridad nacional se dividió. Unos estábamos por la vía de solucionar el conflicto por medios pacíficos y otros por la fuerza. *¿Quiénes estaban ahí?* Bueno, cuando hablo de este señor siempre dice que no y me saca desplegados de página entera atacándome; en fin, te voy a decir: era Patrocinio González Garrido; por la paz estábamos Camacho y yo. Y algo maravilloso que tiene México, el Ejército mexicano, que afortunadamente respeta la autoridad civil. Me acuerdo que el presidente le preguntó su opinión al general Antonio Riviello, secretario de la Defensa, quien dijo: "Lo que ordene nuestro comandante en jefe". En fin, la discusión fue primordialmente con Patrocinio. Y decidió quien tenía que decidir: el presidente de la República. Y fue por la paz.

Cuando me ofreció la Secretaría de Gobernación le dije: "Necesito las garantías de que vamos con una estrategia de paz". Tan fue así que el 10 de enero tomo posesión y el 12 del mismo mes el gobierno mexicano declaró alto al fuego de manera unilateral. Esto iba a tener importancia en la elección. Para la elección en Chiapas se instalaron todas las casillas electorales; ni una se dejó de instalar. ¿Sabes lo que fue eso? *¿Incluida la tierra zapatista?* Incluida, y no hubo ni el más mínimo incidente. Me tenían confianza y tuve una representante maravillosa en Chiapas para todo esto:

Ofelia Medina. *¿En serio?* Sí, fue mi representante, hablé con ella y se lo pedí por México. *¿Ella ayudó a instalar las casillas?* Todo. Tanto en la PGR como en Gobernación metí a mucha gente de la sociedad civil; a Eduardo Valle, *el Búho*, como delegado de Tamaulipas para el lío de Juan García Abrego; Teresita Jardí, delegada de Chihuahua para el cártel de Ciudad Juárez, ¿verdad que son palabras mayores? En ese momento, en las elecciones logramos el 78 por ciento de las votaciones. *¿Ése fue el voto del miedo?* Sí, pero hay algo más que se debe recordar. Pensé: "A ver, ¿quién es la gente a la que más le creen en este país? Artistas y deportistas". Los llamé y les dije: "Quiero *spots*; no tengo con qué pagarles. ¿Lo hacen gratis por México?" No hubo un artista ni deportista que me dijera que no. *En 1994 el país estaba horrorizado.* ¡Horrorizado! *Y se dijo vamos a las urnas porque esto es algo que se va al abismo, y bueno, ahí está todavía una parte de los zapatistas.* Estoy de acuerdo, pero no hubo un baño de sangre indígena como querían algunas gentes. *Los primeros días hubo muertos.* Sí, pero no mientras yo fui secretario de Gobernación, porque las órdenes eran muy estrictas. El movimiento zapatista venía de 30 años atrás. Tuvo sus raíces en la gente inconforme del año 1968, del año 1971. La situación de los indígenas en Chiapas continúa siendo muy difícil pero en aquel entonces era peor. Había problemas sociales extraordinariamente serios como la explotación y el trato a los indígenas como si fuera la Edad Media. Lo que necesitaban realmente era un líder y lo encontraron en Marcos. Escogieron esa fecha como algo simbólico; era el día que entraba en vigor el TLC. Quiere decir que hubo base social... *¿Qué significado tiene para la construcción democrática y para la transición mexicana el zapatismo?* Para mí está clarísimo: lo único que no me gusta del movimiento zapatista es que, pasados los años, muchas de las injusticias a los indígenas continúan. Cuando menos en 1994 se destinaron grandes recursos federales a Chiapas, para cuestiones sociales. Y mucho de ese dinero no llegó por corrupción. *¿A dónde se fue?* Pues a los bolsillos de mucha gente. *¿Sabes de quién?* ¡Ojalá! *¿Intuyes?* Sí, claro. No tengo elementos y no voy a especular qué tanto se pudo haber mejorado o no. Pero algo sí me consta en el aspecto político: cuando surge el movimiento zapatista —diciembre de 1993— nadie cuestionaba el marco electoral con el que nos íbamos a regir en las elecciones de 1994. El movimiento zapatista parte de las cosas sociales y dice que quiere discutir una reforma electoral con el gobierno; y este último tomó una decisión muy acertada: "Esto no se discute con ellos; con ellos se discuten las cosas sociales. En las cosas políticas y electorales los interlocutores válidos son los partidos políticos". En ese momento, el marco de 1993 ya no era suficiente y había que lograr una gran reforma electoral consensada admitida por los partidos. Si no hubiera habido movimiento zapatista no hubiera existido la reforma electoral de 1994 y yo tampoco hubiera sido secretario de Gobernación. Era ilógico que una gente sin partido político llegara a ese puesto. Fue un cambio muy especial. En conclusión, la reforma política de 1994 se debe indirectamente al zapatismo y directamente a la madurez que presentaron los partidos políticos.

En la madrugada del 22 de agosto, cuando se dieron los resultados, pronuncié una pequeña arenga de 10 minutos. Todo el Consejo se paró a aplaudir. Existía la idea de que habíamos hecho las cosas lo mejor posible en poquísimo tiempo, aunque tuvimos defectos. Una anécdota que está en los periódicos, y que demuestra el ambiente que existió en ese momento, es cuando Porfirio Muñoz Ledo se despide de mí aquella madrugada y me dice: "Jorge, le hablo al rato porque hay cosas delicadísimas y tenemos que comer". Estando en

Gobernación me llama: "Jorge estamos en lo dicho, vamos a comer juntos". Para esos casos teníamos la casa de Barcelona y le dije que lo esperaba a tal hora ahí. Él contestó: "Sí, pero no quiero ir a comer a Barcelona con usted. Comeremos en Fouquet's; además ya invité a dos amigos mutuos". "¿Cómo, Porfirio? —le reviré—, ¿vamos a hablar de cosas delicadas delante de dos amigos mutuos?" "No puede decir usted que no." "Pues dígame quiénes son", le exigí. "Gabriel García Márquez y Carlos Fuentes". En ese momento le digo: "Porfirio, al secretario de Gobernación esto le conviene muchísimo, pero usted, como presidente del PRD, tiene tribus que se le van a ir en contra y me preocupa; no porque sea mi amigo, sino porque está en los mejores intereses de México, un presidente del PRD fortalecido". Palabras más palabras menos, Porfirio me contestó: "Ése sería mi problema, no se preocupe por eso. A mí lo que me interesa es México". Porfirio ya le había avisado a varios periodistas y entonces, cuando llegamos, fotos y fotos —recuerdo la primera página de *La Jornada*—. Ya en la mesa les pregunté qué querían de aperitivo, y Gabo dijo: "Cómo que qué queremos de aperitivo. ¡Vamos a festejar! De aperitivo y toda la comida va a ser pura champaña Cristal porque esto no le pudo salir mejor a México". Les dije: "Está bien, y que conste, yo no lo podría pagar pero esto le conviene mucho al país porque es un mensaje de paz —quién sabe si le convenga a Porfirio—. Estoy de acuerdo en que la Secretaría de Gobernación nos invite, a dos grandes intelectuales latinoamericanos, al presidente del PRD y al secretario de Gobernación, pura champaña Cristal". *¿Y en cuánto le salió al erario?* No sé, nos tomamos como cuatro botellas, una por cabeza.

Pasemos a un tema que nos preocupa a todos: la impunidad y la corrupción. Hace tiempo sostuve una entrevista con el ex presidente Miguel de la Madrid para este libro en la que hizo una serie de señala-

mientos en contra de Carlos Salinas y de su familia. Habiendo sido tú parte de esa estructura en el sexenio con Carlos Salinas y viéndolo hoy a la distancia, ¿qué dices sobre todo esto? Mi idea es que podemos tener un gran sistema de gobierno sin corrupción y sin impunidad. Son cánceres que hay que combatir. No creo que haya intocables; el problema es la voluntad política y el miedo. En mi caso tocar a un ex ministro me trajo un costo político. Y varios ministros me dejaron de hablar y consideraron que estaba lesionando a la Suprema Corte. Sobre el caso Salinas. Te lo voy a decir con mucho gusto y muy franco, porque además de esto tengo declaraciones. Algo que yo puedo asegurar es que nunca llegó, ni a Derechos Humanos ni a la Procuraduría, ninguna denuncia contra Raúl Salinas de Gortari de algo indebido para investigarlo. *¿Pero quién la iba a presentar, Jorge, en un país como México?* Hay otra cosa, un procurador y un secretario de Gobernación se enteran de muchas cosas. Mientras fui procurador, y Jorge Tello Peón —un hombre honorable y un gran técnico— fungía como director del órgano de inteligencia de la PGR para el crimen organizado, en todas las investigaciones que nos llegaron sobre narcotráfico nunca estuvo el nombre de Raúl Salinas y tampoco una prueba en su contra. He de decir, y esto me ha tranquilizado, que no sucedió algo que yo ignorara. En Suiza y en Francia hicieron investigaciones exhaustivas y no encontraron ni una prueba de que el dinero de Raúl Salinas estuviera ligado con el narcotráfico. Ahora bien, quiero ser muy claro y muy preciso en esto, no sólo aquí sino en el extranjero —y cuando fui embajador en Francia me lo preguntaron mucho—, no encontramos nada, ni en Suiza; tan fue así que ese dinero lo han regresado a México. *No a Raúl Salinas sino al gobierno mexicano.* Y el gobierno lo devolvió, me parece que a Carlos Peralta, porque fue el único que dijo: "Sí, era mío". Que eran

70 millones de dólares; tú y yo no los ganamos mañana. Pero déjame decirte algo que para mí es muy importante: no defiendo la honorabilidad de Raúl Salinas; probablemente, no lo sé ni me consta, el capital o parte de su capital lo haya podido hacer en tráfico de influencias. Nunca he visto una prueba, ni una denuncia. Una cosa que sí digo con mi criterio jurídico es que al final el juez en el asesinato de Pepe Ruiz Massieu nunca tuvo pruebas jurídicas para imputarle ese asesinato. Pero más allá de las pruebas jurídicas —y no lo defiendo, que quede claro— José Francisco en su vida tenía una prioridad antes que nada, que la política, que la academia. Su prioridad era el amor a sus dos hijas. Y las dos lo adoraban. Quizá no soy objetivo porque las quiero. Bueno, haber ido a declarar que era imposible que su tío Raúl fuera el asesino de su padre, pesa en mi ánimo completamente. No había pruebas jurídicas y suficientes y se comprobó que las pruebas que había fueron fabricadas. Yo vi el expediente. Por el bien de México hay que saber la verdad. Estas cosas se deben investigar a fondo.

Sobre Carlos Salinas, ¿qué balance se puede hacer de sus dos temas más destacados: el modernizador, transformador del Estado mexicano, y el de la corrupción? Muy claro, lo que he dicho en muchas otras ocasiones. *Dime algo que no hayas dicho en otras ocasiones.* En Derechos Humanos, en la PGR y en Gobernación jamás tuve una prueba de ningún acto de corrupción de Carlos Salinas. *¿Pero quién iba a denunciar a Carlos Salinas en el sexenio de Salinas?* Sí, he oído chismes pero nunca he visto una prueba. Y también hay que ver cómo vive hoy, en la misma casa que se compró siendo un director general. Ahora, la famosa partida secreta —y qué bueno que ya no existe—, a mí me tocó en los cargos que tuve. Lo que me consta es que la PGR recibía, me parece, la cantidad de 250 mil pesos al mes. *¿Tan poquito?* Sí, de esos 250 mil pesos, de inmediato, 120 mil iban directamente al Centro de Inteligencia de la PGR para lo que no se podía decir en público; lo otro era para investigaciones especiales que llevaba el procurador. Bueno, con la mitad detuve al *Chapo* Guzmán, detuve al primer Arellano Félix, detuve a todo el Estado Mayor de García Abrego... ¡Los éxitos fueron fabulosos! ***Platícame del* Chapo.** No, pues un día me va a mandar al otro mundo. ¿Quién lo detuvo? ¿Y cómo lo sacaron? Por la puerta grande. ¿Tú crees, Carmen, que todo esto no me duele? ¡Expuse mi vida para que después vengan todos éstos con pura corrupción...!

Voy a poner un ejemplo de cómo empleábamos el recurso, y esto me lo agradeció mucho Leonel Godoy, el actual gobernador de Michoacán. Él era el fiscal especial para el caso de Ovando. Era un caso muy difícil. Necesitaba todo el apoyo del procurador y lo ha dicho: "Carpizo me apoyó en todo". En todo, incluso en dinero, pero Leonel Godoy no quería firmar nada e hizo bien. Fue escogido porque se le pidió a Cuauhtémoc Cárdenas que dijera un nombre, alguien de su confianza. Bueno, un día el loco del Ruiz Massieu publica algo horrible de Leonel Godoy. Y yo le contesté que, claro, Leonel Godoy recibía ese dinero pero para la investigación que fue un gran éxito: la detención del ex procurador de Michoacán, que estaba metido en el asunto. Aun así me sobró dinero porque llevábamos un control confidencial. Cuando le entregué la Procuraduría a Diego Valadés le di un cheque: "Diego, aquí está el remanente de la partida secreta y fírmame este recibito para que conste que estás recibiendo este dinero". Cuando llegué a Gobernación todas las cuentas habían sido canceladas. Y de esto tengo pruebas. ¡Ah... pero si yo sé algo, lo lucho! Regresaron todo el dinero de nueva cuenta y parte de ese dinero fue para el Cisen. En Gobernación me sobró bastante dinero; cuando le entregué a Este-

> ❝¿QUÉ ES LO QUE HA PASADO AHORA? ¿POR QUÉ ANDAMOS COMO ANDAMOS? ÉSTE ES UN GRAN PAÍS Y TENEMOS GENTE MUY CAPAZ PERO TAL PARECIERA QUE SE QUIERE QUE A ESTOS ORGANISMOS [IFE, CNDH] LLEGUE GENTE MUY PEQUEÑA. ❞

ban Moctezuma le dije: "Éste es el cheque y aquí está la cantidad también".

¿Qué le pasó al gobierno mexicano con el combate con el narcotráfico? Corrupción. ***¿Simple y llanamente corrupción?*** Sí; oye, ¿quieres más pruebas, si *el Chapo* sale de una prisión de alta seguridad como Juan por su casa y no pasa nada? Es corrupción. ***¿Qué te parece todo lo que hace Felipe Calderón en términos del combate al narcotráfico?*** Mira, yo no hubiera metido al Ejército. No es un problema para el Ejército sino que es un problema de inteligencia política y de saber dónde golpear. En mi época teníamos un presupuesto 10 veces menor que ahora en los casos muy complicados; primero iban los ministerios públicos; en segundo lugar, la Policía Federal Judicial, y en los casos muy complicados pedía apoyo al general Riviello, si era necesario. ***¿Apoyo?*** Sí, una tercera fila, por si era necesario. Sólo se lo debo de haber pedido en cinco o seis casos de esos en los que tenía miedo de que con el poder de fuego de los otros se me fueran a escapar. La lucha contra el narcotráfico hay que darla con un maravilloso servicio de inteligencia, hay que saber dónde golpear pero ¡con investigación, investigación y más investigación!

En toda esta historia, ¿qué significa para Jorge Carpizo el año 2000 y la alternancia? Yo estoy convencido de que la alternancia en el poder era indispensable. En cualquier país del mundo donde un partido se perpetúa existen problemas. En uno de sus aspectos la democracia implica alternancia y le convenía al propio PRI para que se viera cómo gobernaban otros partidos. En el año 2000 el partido de oposición que tenía más posibilidades de llegar al poder era el PAN, que durante décadas tuvo una tradición democrática entre sus postulados. Si Gómez Morin viera esta

ala ultraderecha del PAN, se vuelve a morir, porque él jamás fue así. La alternancia era necesaria, Vicente Fox fue un estupendo candidato, le dijo a la sociedad lo que quería y ha sido uno de los peores presidentes en la historia de México. ***¿Qué fue lo peor de Fox?*** Su frivolidad, no gobernó y dejó las decisiones en manos de otras personas. Yo no sé si Fox es corrupto o no, pero lo que sí sé es que permitió la corrupción de gente cercana a él. No tuvo una idea del Estado y por ello no actuó como estadista. Le tocó una época de oro. Y era para que México hubiera hecho un programa de infraestructura maravilloso. Parte de ese dinero se fue en gasto corriente.

¿Y 2006? Ese año todos daban por hecho que la elección se la llevaba Andrés Manuel López Obrador. Cometió errores políticos que lo vulneraron. En política no te puedes hacer enemigo de todo el mundo y los mexicanos somos una sociedad muy especial. Quizá por nuestros orígenes indígenas somos una sociedad que se basa en la cortesía y ciertas expresiones de López Obrador le hicieron perder muchos votos. Por otro lado, creo que no existe una elección perfecta en el mundo; sin embargo, estoy convencido de que en este país, desde 1994, es muy difícil realizar un fraude electoral después de todos los candados que le pusimos a las elecciones en México. ***Con miras al bicentenario de la Independencia y al centenario de la Revolución ¿qué ves?*** Ser profeta es muy difícil. En México tenemos una sociedad maravillosa, sufrida, que aguanta y no pasa nada, nada ¡hasta que pasa! Lo que no puedo saber es hasta cuándo la mitad del pueblo mexicano, que no está comiendo, lo va a seguir soportando. Los datos son horribles: familias que viven con 500 pesos al mes, que no tienen agua o que la tienen que ir a buscar quién sabe dónde y además ¡qué calidad de agua!; entonces, hasta cuándo, no sé. Hay que luchar por que los cambios sean pacíficos.

JORGE G. Castañeda

POLÍTICO.
CIUDAD DE MÉXICO, 1953.
SECRETARIO DE RELACIONES
EXTERIORES, 2000-2003.

LA IMPOSIBILIDAD de participación del ciudadano es llevada al extremo. Hay partidos que tienen la sartén por el mango y no la quieren soltar: ¡es poder y es una *lanototota*! Un ejemplo: sin ser candidato, sin ser dirigente de un partido, *el Peje* puede salir en la tele y yo no. ¿Por qué?, pues porque es la ley. No pertenezco a ningún partido. Es el inmenso poder que tienen los partidos en México.

¿Cómo ha jugado el factor Salinas en estos años, particularmente de Fox para acá? Vicente Fox tomó una decisión muy acertada; tenía una de dos: o se iba contra él o lo dejaba en paz. Decidió la segunda. Lo que no se vale es la ambigüedad, como Ernesto Zedillo, que por un lado lo golpeó y por otro no procedió institucionalmente.

Uno de los grandes reclamos a Fox es haber intervenido indebidamente en el proceso de sucesión. ¿Qué evaluación crítica haces de esos años hasta llegar a la ruptura de 2006? He sido muy crítico de la pasividad de Fox para desmantelar el sistema; sin embargo, en esto del proceso de sucesión no comparto tus premisas, aunque lo padecí. Me parece que hizo lo que tenía que hacer dentro de la ley. Antes, en el sistema autoritario, el presidente saliente escogía "por dedazo" al presidente entrante y punto. Lo que es completamente distinto a que en un sistema de elecciones transparentes, con autoridad electoral, con paridad entre los partidos, el presidente en funciones intervenga haciendo campaña activamente a favor del candidato que considere que le conviene más al país. Así sucede en muchos países democráticos. Decir que Fox actuó fuera de la ley simplemente es falso.

¿Qué pasó entonces con la transición? Algo que todo el mundo debió haber previsto. Estaba cantado que, partiendo de la experiencia de casi todos los países del mundo, la salida del autoritarismo en México iba a ser por la derecha y no por la izquierda. *¿En qué se veía?* En que en el mundo entero así había sucedido y en México a partir de 1991 era evidente que las fuerzas sociales, políticas y las élites se acomodaron en una salida del autoritarismo: hacia la derecha. Bastaba ver las elecciones municipales, el desplome del PRD ese mismo año y sus excesos posteriores, la alianza entre Diego Fernández de Cevallos y Carlos Salinas de Gortari. Octavio Paz dijo lo evidente: "Mientras la izquierda y la derecha no se unan, no van a derrotar al PRI". No existía esta posibilidad detrás de un candidato de izquierda. Los números, las posibilidades y las personalidades no lo justificaban. Cuando en septiembre de 1999 se hace el último intento de lograr una alianza entre Vicente Fox y Cuauhtémoc Cárdenas, para ver quién sería el candidato, había dos opciones: una alianza pactada, que encabezaría Fox con el PAN —en la que evidentemente Cuauhtémoc y el PRD serían una fuerza de remolque—, o una alianza "abajo", sólo en los hechos y en la que los votantes de izquierda se cargarían hacia la derecha. *El voto útil...* Exacto: el voto útil. *¿De tu autoría?* La idea sí, el hecho no. Sólo el nombre, ahora sí que "le puse Jorge al niño..." *La izquierda te reclamó por esto.* Sí, fue un poco absurdo porque el reclamo debió haberlo hecho a los dos millones de votantes de izquierda que votaron por Fox. Sólo interpreté un fenómeno que se estaba dando. Había seguido todo esto fuera de México con más detalle que otros analistas y había vivido el proceso más de cerca con Cuauhtémoc y percibí cómo iba deshaciéndosenos entre las manos a partir de noviembre de 1988. *¿Qué significa "deshaciéndose entre las manos"?* Que perdía popularidad, discurso, ascendencia, seguidores, perdía todo. Para no prejuzgar, a "ojo de buen cubero", supongamos que empataron Cuauhtémoc y Salinas en 1988: 40-40. Siempre he dicho que Cuauhtémoc ganó, pero que es indemostrable. Para 1994 estaba en 17 por ciento: había perdido más de

la mitad de sus votos en seis años y el PRD estaba disminuido a su mínima expresión, salvo en el Distrito Federal. Esto frustró a mucha gente de izquierda que no lo esperaba. Decían: "En 1988 no sucedió, pero va a suceder en 1994" y tampoco; "Bueno, pero en el 2000, sí". Pues tampoco. Entiendo que estén muy enojados —no con Fox, ni conmigo— con la vida, con el mundo, con todo, pues no salieron las cosas como querían. *¿Tampoco en 2006...?* Es una elección distinta, porque no es la salida del régimen autoritario; en 2000 sí. Ahí se dio la alternancia.

Esta frustración es comprensible y en parte justificada. Generó una animosidad innecesaria hacia el otro lado, es decir, hacia donde sí se fue la transición. Como ejemplo está el comentario de Cuauhtémoc la noche que ganó Fox: "Es lo peor que le pudo haber sucedido al país". *¿Tú lo oíste?* No, pero había gente que conozco bien que estaba ahí. *¿Y se equivocó?* Por supuesto. Pudo haber otros escenarios mucho peores y violentos. Se me pueden ocurrir cien, pero él estaba pensando en uno solo: que no ganó él. Entiendo su decepción y su enojo, pero no su comentario. No, no era lo peor. Tan no lo era, que aquí estamos y él acabó teniendo una relación cordial con Fox. La izquierda se consideró ajena a la alternancia. Hay un sentimiento de despojo: "La lucha fue nuestra y ahora llegan estos usurpadores y nos chingan. Pues ahora se chingan ellos: no los vamos a ayudar. Es más, son hasta peores enemigos que los tiranos de antes". Con eso excluyeron de participar en la transición a una parte del electorado. *¿No se subieron o Fox no los invitó a subir?* Fox los invitó y me consta. Quizá no a los puestos que querían, pero estaba incluida gente como Amalia García, Rosario Ibarra y Alejandro Encinas. El PAN brincó y armó un escándalo monumental; Fox trató de revirar diciendo que tenía que ser una mujer —esperando que el PAN no tuviera una— y Felipe Calderón inventó a

> "NUNCA CREYÓ FOX EN LA REFORMA DEL ESTADO... NUNCA LE DIO IMPORTANCIA, NI LA ENTENDIÓ. ÉSE FUE SU ERROR PRINCIPAL."

la *Chepina*, que no era del PAN pero la metieron al partido. Entiendo por qué no quisieron: no fue por desacuerdo de políticas, sino por el sentimiento de despojo: "Nos chingaron lo que era nuestro".

Desmontar el autoritarismo era una tarea de la derecha y de la izquierda que no ocurrió. Dices que en el arranque del sexenio de Fox se definió una cosa fundamental: hacer tabla rasa o no. Cuéntanos de eso, porque es un punto de quiebre para que la democracia mexicana sea lo que es. El hecho de la alternancia en un país como el nuestro es fundamental. Ahora podría darse la alternancia y además el desmantelamiento del sistema completo. *Ése era el mandato, ¿no?* Sí, pero del 43 por ciento. Ésa era la discusión con Fox. No era el 53 o 54 por ciento de Obama o el 60 por ciento de Lula. Si se hubiera sumado el 17 por ciento de Cuauhtémoc, hubiera sido un mandato de 60 por ciento y ahí sí se hubiera empezado a poner buena la cosa. *Cuéntanos una escena que hayas vivido donde estén Santiago Creel, Jorge Castañeda y Adolfo Aguilar Zínser, como los tres personajes más influyentes.* Hubo muchas, pero te contaré una de cuando ya habíamos perdido la guerra. Cuando fuimos a Washington, en septiembre, redacté el discurso de Fox ante el Congreso estadounidense; se centraba en una sola palabra: confianza o *trust*. Decía que el gran problema entre México y Estados Unidos, todos estos años, había sido la falta de confianza; pero ahora, finalmente, podría haber confianza. ¿Por qué?, porque hay democracia en México, y al haberla, junto con la transparencia, es posible la confianza. Les pedimos que entendieran nuestra desconfianza, como nosotros entendimos la suya frente a los gobiernos anteriores, pues estaba fundada; no era una pendejada. Así estaba el discurso, muy bien armado. Creel pidió una junta conmigo y con Fox. Dijo: "No estoy de acuerdo. Nos va a crear un enorme problema con el PRI; les estamos echando la culpa de las dificultades con Esta-

dos Unidos. No hay que hacerlo porque significa pelearnos con ellos, romper, bla... bla... bla..." Yo le dije a Fox: "Todo eso que dice es cierto, pero de eso se trata: marcar una línea, un deslinde donde es más importante para México. Porque de ahí va a salir la certificación del combate a las drogas, el acuerdo migratorio, entre muchas otras cosas".

Fox me dio la razón. Y, en efecto, se encabronaron los del PRI. Creo que siguen enojados. Pero bueno, esa batalla la gané y Adolfo también, pues lo que habíamos platicado antes estaba plasmado ahí. *¿Y en qué momento se perdió la guerra?* De regreso del viaje a Chile, ya en funciones, preparábamos el primer informe de gobierno. Alfonso Durazo había hecho un texto completamente inocuo, sin chiste, que no decía nada. Lo leí y le dije a Fox: "¿Por qué no me dejas hacerte un mensaje político que lleve la estructura del informe y luego me dices si sigo o no?" Accedió y en el avión con Héctor Aguilar y con Joel Ortega —a quien yo había invitado— me puse a redactarlo. Comenzaba con una idea muy sencilla: "Se dio la alternancia y la ciudadanía jamás hubiera perdonado el que se hubiera suscitado una crisis sexenal, como había sucedido desde 1970. Ya sorteamos la transición transexenal. Ahora quiero explicar en qué estado el PRI nos entregó el país: en educación, salud, carreteras, pobreza, narcotráfico, en todo... Éste es el país que nos entregaron. Tendremos que romper con ese pasado, porque no vamos a poder construir si no reconocemos cuál es el punto de partida. Y el punto de partida es éste, no nos hagamos pendejos, es éste". Y ahí le agregaba: "Hoy lo puedo decir, no lo podía decir el 1º de diciembre, ni el 5 de febrero; como presidente tenía que cuidar que no hubiera una crisis transexenal. Ya pasó, ya estamos a toda madre y ahora sí les puedo contar la neta y es ésta". Lo escribí, quedó bien bonito. Se lo entrego a Fox al bajar del avión y le digo: "Léelo y ahí me dices". Y al día siguiente me lo encuentro en un acuerdo y le digo: "¿Qué?", y me contesta: "Estás loco, cabrón, nos vas a hacer pelear con todo el mundo, olvídalo". *¿Y ahí se perdió la guerra?* Se perdió al mes o dos de la toma de posesión. Mi impresión es que fue por ahí de enero o febrero, o quizá con la reforma fiscal, en abril, donde Fox vio claramente que el PRI es traicionero como él solo. Y no lo hacían porque fueran malos, sino porque no tenían jefe; nadie mandaba ahí. Además sabía que el PRD no jalaba en nada; no negociaba. Era no y ya. Por otro lado, la fuerza de las élites es poderosísima y le dijeron a Fox: "Mira, lo primero es que no haya bronca económica, lleva la fiesta en paz". *¿Ellos le pidieron que dejara a Francisco Gil y a Guillermo Ortiz?* A Ortiz seguramente sí. De Gil tengo la impresión que una parte de ellos pidió nombrarlo y vetar a Luis Ernesto Derbez, con toda la razón. Fox tomó la decisión, no sólo de ponerlo, sino de entregarle todo el poder explícitamente: "Yo no me voy a meter en estos asuntos, manda Gil y lo que él diga es inapelable e irreversible". *¿A petición de los empresarios?* Sí, especialmente Roberto Hernández. No sé si todos. Por ejemplo, no sé si todos los de Monterrey hayan estado entusiasmados. *Fox se percata de que el asunto no camina y el gran punto es la reforma fiscal. ¿Ahí se da cuenta de que no va a poder, a los dos meses?* Mira, ésa es una, pero además decidió antes de la reforma fiscal, tácitamente, no hacer lo que llamábamos la Reforma del Estado. Es decir, primero tratar de dotarse de instrumentos para hacer reformas. Pensó que a la gente no le interesaba y que era innecesaria, porque con lo que había podíamos hacerlo perfectamente. *La Reforma del Estado olvídenla...* Y ahí tuvo a Porfirio Muñoz Ledo haciendo sus tonterías... *Nunca creyó Fox en la Reforma del Estado...* Nunca le dio importancia, ni la entendió. Ése fue su error principal. No entendió que era la llave que abre todo el desmantelamiento del sistema corporativo.

> "[ME DIJO FOX] ESTÁS LOCO, CABRÓN, NOS VAS A HACER PELEAR CON TODO EL MUNDO, OLVÍDALO."

¿Sus hombres principales empujaron lo suficiente? A Adolfo no le interesaba tanto, aunque aportaba muchísimo en el esquema general. Era una discusión básicamente entre Creel y yo. Ganó Santiago Creel porque Fox así lo decidió; por las élites, porque no había que romper con el PRI, con el corporativismo, con las televisoras, etcétera. A Gil le valía madre: mientras él manejara la política monetaria y fiscal, podíamos hacer lo que quisiéramos.

¿Qué dirías de Fox: tuvo la intención de hacerlo o no? ¿No pudo o no quiso? Es una pregunta que me hago con cierta frecuencia y lo he discutido con él. Hoy dice que yo tenía razón, pero que no se podía en ese momento. Fox no terminaba de entender la posibilidad de la ruptura. Era discípulo —sin saberlo— de Daniel Cosío Villegas respecto del problema de las instituciones mexicanas. *Eso no responde a la pregunta de que si en el momento en que podía lo quiso hacer.* Creo que estuvo tentado, pero tuvo miedo. Le tenía terror al sindicato de Pemex. Tenía pavor a que se parara Pemex y el país. A Elba Esther Gordillo no tanto, pues tenía una buena relación con ella, en buena medida construida por mí.

¿Todos estos poderes al final de cuentas le perdieron el miedo a Fox y hasta el respeto? Nunca hubo un respeto reverencial, por la cercanía que había con él. Era un respeto de otro tipo: por grandote, por audaz; pero le perdieron el miedo. Se dieron cuenta muy pronto. *¿Dos meses después de la toma de posesión?* Cuando mucho.

Si el sexenio de Fox fue el descarrilamiento, si se perdió la oportunidad de una consolidación democrática al no desmontar el régimen autoritario, ¿cómo lo describirías respecto de la transición? Fue un desaprovechamiento de la oportunidad de desmantelar el sistema y de patear la lata hacia adelante. Fox pensó: "El que sigue, a ver si puede, yo no. A mí me toca la alternancia". Y si el que sigue llega con menos legitimidad, menos va a po-

der hacerlo. En este caso es Felipe Calderón. Hay quien dice que su debilidad es su fuerza; no estoy de acuerdo. Hubiera podido decir a las élites: "Si no hacemos esto ahora nos va a cargar la chingada la próxima vez. Mejor apechúguenle y entiéndanlo". A principios de sexenio existía la duda de si tomaría medidas antimonopólicas, ahora ya no. Ya no lo hizo.

Con la situación actual —los gobernadores despachándose con la cuchara grande, unas elecciones en las que el PRI ganó la mayoría y la construcción de una apuesta política, desde un poder fáctico como es la televisión, con Enrique Peña Nieto— uno se pregunta dónde quedó la transición. ¿Hacia dónde vamos? La fragmentación del poder de los gobernadores no necesariamente es buena para el país y eso va a durar un rato. Es una muestra de que sí hay una desconcentración del poder, que está bien distribuido entre los tres partidos. *Pero no es una vida democrática como quisiéramos; al contrario, se reeditan prácticas...* Reeditar es mucho decir. En México hay elecciones, prensa libre, respeto a los derechos humanos —menos del que sería deseable, pero mucho más del que había—, el país está muchísimo mejor que antes. Que los gobernadores manden no me parece lo más grave. En cuanto a la tele y todo eso, el problema no es Peña Nieto. Estoy seguro de que le van a jalar el tapete, empezando por Televisa. A la televisora le conviene que haya una contienda dentro del PRI, para que los otros gasten la misma lana que Peña Nieto y los otros contendientes corrompan como él a los conductores de Televisa. *¿Cómo?* Pues como se corrompe a la gente, con dinero. *¿Qué sabes?* Yo sé. Sé quién, cómo, cuándo, dónde, pero son detalles que no voy a decir. Todo esto le conviene a Televisa, porque va a cobrar más lana. *Pero no hay lana que se equipare a tener un presidente propio...* El que fuera, si saliera así, sería propio.

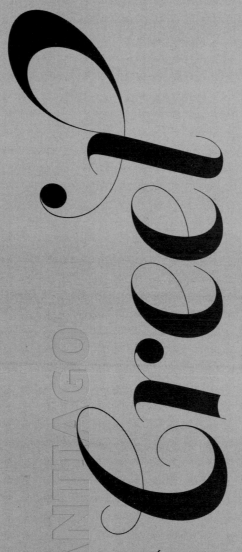

SANTIAGO

Creel

POLÍTICO.

CIUDAD DE MÉXICO, 1952.

CONSEJERO ELECTORAL, 1994-1996.

SECRETARIO DE GOBERNACIÓN, 2000-2005.

SENADOR DE LA REPÚBLICA, 2006-2012.

HOY NOS ENCONTRAMOS en un momento crítico en el tránsito hacia la consolidación de un Estado democrático que sea socialmente eficaz. Finalmente la democracia es un medio y tiene que arribar a un fin que se encuentra en el pueblo. La gente tiene que estar cada vez mejor en las condiciones materiales tanto de su desarrollo humano como personal. Vivimos un momento crítico porque las estructuras políticas, económicas y sociales que imperan en el país son de otro régimen. Lo que me ha hecho participar en política sigue estando presente. Quizá hoy más que nunca, porque los retos son mayores. Romper con un monopolio político era un enorme desafío y nuestra generación pudo hacerlo. Ahora está resultando más fácil haberlo hecho que enfrentar a los monopolios que están enraizados en intereses económicos. *¿Con qué pared te topaste?* Pues con el enredo de los intereses creados. Un ejemplo claro estuvo en nuestra reforma electoral [2007] y las enormes tensiones que vivimos con el oligopolio de la televisión. Eso evidenció de forma muy clara cómo un grupo tuvo la fuerza suficiente para enfrentar al Congreso, que cuenta con una representatividad de todo el país y que surge de un proceso legítimo y democrático, con un poder que tiene como referente la defensa de sus propios intereses económicos, que no está mal desde el punto de vista empresarial, pero que sí lo está desde la lógica de ser usufructuarios de un bien de dominio público con una clara función social. *¿Qué es lo peor que te ha pasado con ese duopolio televisivo?* Las respuestas son distintas. Unos borran y otros calumnian. Yo creo que ésa no debe ser la alternativa en tiempos de cambio. Tampoco creo que en materia educativa debamos elegir entre la rifa de Hummers y la venta de plazas.

Los que tenemos un puesto de representación popular no podemos estar de acuerdo con estas cosas. *¿Qué le hiciste a las televisoras para que te trataran con tanta saña?* Pues no lo sé, habrá que preguntárselo a quienes ejercen el borrón o la calumnia. Creo que la reforma electoral, que tenía una orientación muy clara para mejorar la calidad democrática, afectó intereses. Ésa no era su parte principal, no fue hecha con ese objetivo, y la respuesta se ha ceñido sobre mi persona por lo que yo represento en política. *¿Y qué representas?* Un ejemplo es que quien la hace, la paga. Ése es el punto. Esta campaña es vindicativa, pero también inhibitoria, y tiene que ver, desde mi punto de vista, más con el futuro que con el pasado. Es una clara señal a la clase política en muchos sentidos. Es muy importante para mí seguir dando la batalla con templanza y con mucha firmeza en los puntos torales del proceso de democratización, no solamente para demostrar que sí se puede caminar por otros rumbos, sino, sobre todo, que se puede enfrentar el enredo de intereses y sacar cosas positivas para el país.

Nadie como tú sabe lo que es probar las hieles y las mieles de los tratos con las televisoras. Les ayudaste siendo secretario de Gobernación con los permisos y las apuestas. Tuviste un tratamiento preferencial cuando se competía dentro de tu partido por la candidatura presidencial. Gozaste de una exposición como nadie. No sólo es el que la hace la paga, sino el que estuvo con nosotros y nos la hizo, nos la paga doble o triple... Puede ser. Yo aporto la experiencia que tengo en las distintas capacidades que me han tocado servir, y he sacado moralejas como en las fábulas. No hay que perder los orígenes que nos hacen participar en la vida pública y estar donde estamos. Es un regreso permanente a los orígenes.

¿No logramos transitar a la democracia? Lo logramos en el camino de las elecciones, en el sufragio, y con ello en la alternancia. Pero buena parte de lo que fue el montaje del viejo sistema sigue vigente. Esto se traduce en una economía muy concentrada y de enormes privilegios para unos cuantos en perjuicio de muchos pues la pobreza sigue imperando en la mitad de la población. ***¿Adónde nos ha llevado todo esto?*** A un momento crítico, porque el fantasma del viejo régimen —de las formas antiguas— se aparece por todas partes. La economía no es su único espacio. Si te vas a los gremios ni siquiera podemos hablar de sufragio efectivo, como ya existe en la política. En el campo mexicano el clientelismo y las formas corporativas son las reglas de organización. No hay desarrollo para el campesino, ni modernización de instrumentos productivos. Estos vicios también están en áreas muy cercanas a la gente, por ejemplo en el deporte. ***¿El deporte?*** En el futbol, algo tan común para todos, vemos que hay una dominancia evidente de un oligopolio. ***Dominancia por decirlo suave.*** Esos patrones se repiten. Están presentes en la economía y en los gremios, lo que nos lleva a que seamos muy poco competitivos jugando futbol, como también lo somos en nuestra propia economía interna, por causas muy similares, causas que tienen que ver con alta concentración en la toma de decisiones. Estoy hablando de monopolios. La cultura también está afectada por el monopolio estatal, con subsidios y apoyos selectivos. ***¿Nada se salva?*** No podemos arriar las banderas y concentrarnos en el sufragio. Debimos haber visto las cosas con una visión mucho más integral, más comprensiva, que pudiera abarcar todos estos aspectos de la sociedad. La raíz es mucho más profunda que la raíz política. La reforma del Estado, por ejemplo, es

"EL FANTASMA DEL VIEJO RÉGIMEN —DE LAS FORMAS ANTIGUAS— SE APARECE POR TODAS PARTES."

> **ÉSTE ES UN PAÍS DE DOS: DE DOS TELEVISORAS, DOS TELEFÓNICAS, DOS CEMENTERAS, DOS REFRESQUERAS, DOS CERVECERAS, DOS GRUPOS DE FUTBOL, DOS GRUPOS DE BEISBOL. Y LUEGO VENIMOS LOS UNOS.**

apenas una respuesta política al problema de la transición, pero esto va mucho más allá. ¿Por qué seguimos teniendo ocho por ciento de analfabetas en el país y por qué el número de analfabetas funcionales es muy superior al de cualquier país similar en desarrollo? Porque casi 80 por ciento de los maestros que toman por primera vez un examen lo reprueban. Hay preguntas de fondo que tienen que ver con el auténtico bienestar, más allá de lo político. Es difícil hablar de democracia cuando las condiciones materiales para la mitad de la población son muy limitadas. La democracia se finca en la libertad, pero para poder ejercitarla se requieren alternativas. Esas alternativas se van construyendo cuando las condiciones materiales son más amplias, desde la vivienda, la alimentación, la educación, la posibilidad de asumir un empleo, el desarrollo personal. Ésa es la parte oculta del proceso de la transición y del cambio del país.

La élite política, a la que perteneces, tiene una responsabilidad incumplida. ¿Qué impide que se tomen las decisiones para desmontar estas estructuras? Hay un enredo de intereses entre quienes pueden y deben tomar las decisiones. Los intereses políticos están vinculados a los intereses económicos. El no enfrentar la problemática económica tiene que ver con esto. *¿Por qué?* Si quieres más inversiones que generen empleos, que ensanchen el mercado y que nos permitan consolidar la competencia en el exterior, pues necesitas abrir mercados e inversiones en todos los sectores. Éste es un país de dos: de dos televisoras, dos telefónicas, dos cementeras, dos refresqueras, dos cerveceras, dos grupos de futbol, dos grupos de beisbol. Y luego venimos los unos. Esto te da una idea de que algo está pasando. Hay patrones que se repiten: el de las élites y el del enredo de intereses. Los intereses creados frenan el avance democrático en la vida sindical y el desarrollo de una economía justa desde el punto de vista social. Éste es un gran reto para nosotros los políticos. En Estados Unidos las campañas se hacen en contra de los intereses creados; ése fue el gran discurso del señor Obama, en contra de los cabilderos, de las grandes compañías de armamento y de los contratistas. Nuestra problemática está mucho más agravada por la desigualdad social y por la falta de oportunidades. Y no se trata de barrer con todos los intereses, sino de empezar a reordenarlos, lo mismo en los sindicatos que en los monopolios de carácter económico que debilitan al Estado y que merman su capacidad institucional. *¿Dónde están los hombres y las mujeres que tienen la obligación de ir desmontando esos sistemas?* Creo que se ha avanzado, pero no con la velocidad ni con la profundidad necesarias.

¿Qué pasó con la transición? Todo depende de cómo definamos transición. Para mí va más allá de la democracia electoral; tiene un sentido social. Hablo de una democracia socialmente eficaz; parto de ese concepto. Creo que la reforma de 1996 fija un parteaguas. Y las primeras elecciones a partir de esas modificaciones son las de 1997, donde el voto empieza a contarse de una forma cualitativamente distinta. El propio presidente Ernesto Zedillo reconoció con mucha claridad, después de su elección, que surgía de un proceso legal pero inequitativo. No digo que a partir de 1997 las condiciones de equidad hayan sido perfectas, pero la competencia se abrió; el órgano electoral produjo un arbitraje mucho mejor. *¿Vivimos en una democracia?* Es una democracia formal, donde tenemos procesos de renovación y de alternancia, y un sistema de partidos en una intensa competencia. *Califica nuestra democracia.* Tiene ese adjetivo: formal. Creo que tendríamos que pasar de formal a social. De una democracia de medios tenemos que llegar a una de fines, donde haya bienestar social y un bien común en lo colectivo.

¿Qué riesgos amenazan a la democracia? Así como tú estás ausente de la pantalla, hay fenómenos como el de Enrique Peña Nieto, que goza de una sobreexposición y cuya candidatura podría estar construida con dinero público y con un padrinazgo televisivo. Sin duda es un riesgo, pero también un enorme desafío para quienes pensamos de una manera distinta, para convencer a las personas de que la ruta no es ésa. Que ésa es la ruta de un país que no crece. El ir abriendo caminos acelera mucho las cosas. En enero de 1996 pensábamos que los cambios en materia electoral no iban a llegar en 1997, sino hasta las elecciones del año 2000. Pero en marzo o abril las cosas se fueron aclarando y el 25 de julio cerramos el acuerdo para cambiar la estructura electoral del país. Las condiciones económicas de los próximos meses van a determinar muchas de las decisiones, y en ellas, estoy convencido, se van a abrir espacios de oportunidad para empezar a hacer cambios. La presión sobre el empleo, la poca producción, la problemática de la seguridad, van a alterar el estado de la conciencia de muchas personas. No es lo mismo tener un empleo seguro con un salario fijo, que enfrentar condiciones laborales precarias; no es lo mismo tener que pagar un pequeño crédito, que abonar intereses moratorios, o enfrentar situaciones más graves que afecten el patrimonio. Todo esto me tiene convencido de que el camino se va a abrir. *¿Mientras peor nos vaya, más oportunidad habrá para cambiar?* Ojalá que ése no sea el camino.

¿Cómo ves al Estado en un momento en que la violencia y el narcotráfico dominan buena parte del país? Otro enfoque para probar nuestra democracia, o su grado de avance, es la fortaleza de las instituciones que soportan el mundo de libertades del país. Muchas de éstas están pensadas y forjadas al amparo del viejo régimen y no están respondiendo a la problemática del México actual. No lo hacen en materia de seguridad, ni de economía. Por eso tenemos un debilitamiento institucional. La transición es pasar de un viejo régimen estructural a uno nuevo. Es decir, con la decadencia y la reposición simultánea de las viejas organizaciones por las nuevas se hace evidente este debilitamiento del Estado de derecho, cuya contraparte es la impunidad. Si 97 por ciento de los crímenes del país no son sancionados es porque tenemos un problema mayúsculo en la vida institucional del país. *¿Tenemos un Estado fallido?* No, porque los elementos del Estado están presentes. Hay que preguntarnos si la mayoría de la gente cumple o no con la ley. Los malosos son pocos desde el punto de vista del conglomerado social. El crimen organizado, inclusive con sus vinculaciones primarias y secundarias, tiene un número infinitamente inferior comparado con la población. *Si tuvieras que ponerle una definición al Estado mexicano, ¿cuál sería?* Es un Estado que vive un momento crítico en el cual puede empeorar enormemente la situación, pero también existe una oportunidad extraordinaria de mejorar las cosas porque los males están identificados. Sabemos lo que tenemos que hacer para mejorar las áreas claves donde el Estado no está funcionando. ¿Nos conviene tener los mercados cerrados o con enormes dominancias, nos conviene que se siga la vieja estructura en los gremios, repetir los vicios del corporativismo y clientelismo en el campo, nos conviene un sistema educativo que deseduca?

¿Terminamos nuestra transición democrática? No, yo creo que terminó la transición electoral. *¿Qué palabra define a esta transición inconclusa?* Empezamos a cumplir un precepto de la Revolución, que es el sufragio efectivo. Aunque no sé cómo interpretar la no reelección porque todos los grupos dominantes se reeligen en todas partes salvo en la Presidencia, y así el montaje queda igual en la clase directora. Llevamos varias décadas, dos o tres generaciones al menos, viendo cómo un secretario general de un sindicato festeja 35 años a cargo de esa organización. Explicar ese fenómeno es muy difícil. Este país tiene poca movilidad social. El pobre casi irremediablemente se va a quedar en su lugar: siendo pobre.

Por último, Santiago, en las encuestas eres el panista mejor posicionado para una eventual candidatura presidencial en la elección de 2012. ¿Te ves compitiendo? Por el momento me veo en otra parte. *¿Pero no dirías que no?* No lo sé. Conozco lo que se requiere pasar y lo que se necesita asumir en un proceso interno y eventualmente externo de una candidatura presidencial. *¿Se puede ser presidente peleado con las televisoras?* Se puede ser presidente de muchas maneras. Para mí lo importante en este momento es buscar nuevos caminos para el proceso de democratización del país, abrir nuevas puertas, lograr nuevos cauces, marcar avenidas distintas, como lo hicimos cuando abrimos el proceso democrático en las elecciones.

JUAN RAMÓN de la Fuente

MÉDICO PSIQUIATRA Y POLÍTICO.
CIUDAD DE MÉXICO, 1951.
SECRETARIO DE SALUD, 1994-1999.
RECTOR DE LA UNIVERSIDAD NACIONAL
AUTÓNOMA DE MÉXICO, 1999-2007.

EL MAYOR RIESGO que veo en la consolidación del Estado democrático es la tentación autoritaria. Existe una gran presión por el desencanto de la sociedad ante la inseguridad y el narcotráfico, y las tentaciones autoritarias están ahí. Las vemos un día sí y el otro también. Hay medidas que se toman con buenas intenciones, pero sin la preparación que requieren. Una de ellas es la participación del Ejército en la lucha contra el crimen organizado. Es una decisión controvertida, que pone en riesgo los derechos humanos y civiles. Nos vendría muy bien más trabajo de inteligencia. Entonces es cuando yo me pregunto dónde están nuestros científicos, nuestros intelectuales. ¿No tendrían nada que ofrecer? Cotidianamente hablo con ellos y estoy convencido de que sí. *¿No están porque no los llaman o porque no van?* No existen los canales. Hay que llamarlos para generar una mayor unidad nacional en torno al tema de la seguridad. Creo que no hay un grupo indispuesto a participar. Se necesita una concepción más integral de la seguridad: individual, familiar, laboral, social y nacional. No vamos a evitar la delincuencia juvenil mientras sigamos teniendo coberturas de educación media superior y superior que han avanzado un punto porcentual en los últimos ocho años. Si los jóvenes no están en la escuela o en el trabajo, ¿dónde quieres que estén? En la calle. Muchos de ellos delinquiendo y consumiendo drogas. Diversos medios han señalado que 500 mil personas están enlistadas en el crimen organizado. Si la cifra fuera cierta, el principal empleador en México resulta ser la delincuencia, con enormes posibilidades de crecer debido al desempleo galopante.

Para efectos de la aspiración de la sociedad mexicana de ser democrática, ¿qué significó el año 1988?

No se puede entender 1988 sin 1968. El punto de inflexión es 1968. *¿Ahí comienza la transición?* Sí, y se tarda 20 años en tener una expresión electoral con la candidatura del ingeniero Cuauhtémoc Cárdenas. Mi balance histórico y mi experiencia biográfica son los dos elementos que pongo como argumento. El año de 1968 nos marcó a los jóvenes de esa época de una forma definitiva. Los gobiernos del PRI nos dieron desarrollo. Las primeras reivindicaciones sociales de educación, salud, empleo y vivienda son parte de la llamada Revolución inconclusa. Son postulados que vienen desde ese entonces. El PRI los hizo suyos y nos dio un esquema de desarrollo, pero no democracia. Este esquema es desigual y no se corrige cuando Vicente Fox gana las elecciones. Los dos grandes problemas que amenazan nuestra democracia son la inseguridad y la desigualdad. Ha crecido el abismo que separa a los pocos que tienen mucho de los muchos que tienen casi nada. Esto genera un desencanto por la democracia que es muy peligroso. Frente a la inseguridad está el riesgo del autoritarismo; y frente a la desigualdad, el del populismo. Necesitamos un Estado mucho más fuerte. No uno obeso, ineficiente u opaco, sino uno musculoso, transparente, eficiente y moderno. La gran crisis del modelo que prevalece en México surgió de las democracias liberales que han mostrado su ineficiencia. *¿La transición democrática se ha logrado o sigue en curso?* Sigue en curso. Se logró la alternancia, que fue la barrera en 1988. El Estado democrático se encuentra instalado, pero no consolidado. Estamos en tránsito, como cuando viajas a algún lugar y haces una escala. Vamos hacia allá, pero no hemos llegado. Einstein decía que la locura consiste en seguir haciendo las cosas exactamente igual y esperar resultados diferentes. Hoy se abre una gran oportunidad en el debate por la crisis financiera internacional.

¿Cómo entiendes lo ocurrido en 2006? Como rector, mi mayor temor era que la Universidad quedara entrampada en la dinámica de la política. Mi objetivo se cumplió, la UNAM siguió funcionando. Interactué con todos los que me buscaron. *¿Quiénes?* Todos los candidatos. Pero hubo una situación que le reclamé al secretario de Gobernación, Carlos Abascal. Cuando Andrés Manuel López Obrador iba a visitarme a Rectoría, a las dos horas estaba en todos los medios de comunicación. Y cuando iba Felipe Calderón no salía nada. Mis colaboradores me decían que a la entrada de Rectoría había unos señores que no parecían estudiantes. No traían gafete de Gobernación, pero no era necesario que lo mostraran. A mí me parecía muy bien que los candidatos fueran con el rector a intercambiar puntos de vista, pero no dejaba de ser molesto que siempre que iba López Obrador hubiera ese gran cauce mediático. Se generó una impresión equivocada. *Tú no eras partidario de López Obrador...* Yo voté por López Obrador. Yo, Juan Ramón de la Fuente, voté por él. *Más allá de eso, jugaste en su proyecto político.* Él comentó en una entrevista: "Si gano y él acepta, me gustaría que Juan Ramón de la Fuente me ayudara en la política interior". Lo dijo en un programa nocturno; yo estaba dormido. Comencé a recibir telefonazos a medianoche. Había dos condiciones de por medio: que ganara y que me invitara. Posteriormente le agradecí la mención, pero le dije que no había sido lo más oportuno. *Cuando se hablaba de anular la elección, apareciste como un presidenciable de coyuntura, interino.* Sí, se mencionó mi nombre. Ya ha quedado claro que lo sembraron desde Los Pinos, desde la oficina del vocero Rubén Aguilar. Me monitorea-

"EL MAYOR RIESGO QUE VEO EN LA CONSOLIDACIÓN DEL ESTADO DEMOCRÁTICO ES LA TENTACIÓN AUTORITARIA."

> **"** CUANDO ANDRÉS MANUEL LÓPEZ OBRADOR IBA A VISITARME A RECTORÍA, A LAS DOS HORAS ESTABA EN TODOS LOS MEDIOS DE COMUNICACIÓN. Y CUANDO IBA FELIPE CALDERÓN NO SALÍA NADA. **"**

ban, hacían encuestas para saber qué grado de aceptación tenía. Esto fue después de la elección, cuando el Tribunal Federal Electoral aún no había hecho el dictamen. La posibilidad de la anulación siempre me pareció nimia. La alianza que impulsó la candidatura de López Obrador optó por el recuento voto por voto, que es diferente de la anulación. ***Al no haber recuento, ¿la anulación no queda en el ámbito del Tribunal?*** No. La denuncia que se hizo ante el Tribunal siempre fue de voto por voto. ***¿Hubiera convenido una anulación?*** No, creo que el camino era el voto por voto. ***¿Pero al no haberlo?*** Todos teníamos —o por lo menos yo— alguna duda sobre si ése era el camino más adecuado. La democracia debe permitir ese tipo de acciones. Soy el primero que piensa que para que el Estado democrático marche, primero necesita funcionar el Estado de derecho. La única manera de disipar las dudas es decir "pásale, vamos a volver a contar y que haya aquí cámaras y micrófonos, actuarios y notarios". El *hubiera* no existe, pero nos hubiera ahorrado este complicado escenario.

El 2006 es un año de fractura. Generó una Presidencia que proviene de un proceso de confrontación y una sociedad dividida. Falta una capacidad de convocatoria, un liderazgo con la legitimidad y la fuerza necesarias para generar consensos... En política ése es el gran tema. Estamos en 2009 y el asunto no se ha resuelto. Me tocó vivir muy de cerca el conflicto de la UNAM en 1999, con una comunidad universitaria que se atomizó no en dos bandos sino en múltiples frentes. Empezó por la revisión del reglamento de cuotas y se fue complicando porque apostaron a que el tiempo lo resolvería. El tiempo no resuelve los problemas. Es una lección que tenemos que asimilar todos los mexicanos. Parecía una comunidad irreconciliable. Muchos subestimaron la capacidad de recomposición social que tiene un grupo disímbolo, plural y con las corrientes de pensamiento más diversas y encontradas. Esa gran diversidad solamente pudo entenderse a través del diálogo, con un debate de gran tolerancia. Sí es posible la recomposición del tejido social y ésa debería ser una de las principales tareas del Estado democrático. La construcción de consensos es posible, pero no es factible cuando se es intolerante con la crítica, cuando se criminaliza la protesta o se imparte justicia de manera desigual. Se necesita un liderazgo fuerte... *¿Y aquí qué hay?* No veo un gobierno con la capacidad para hacer esta gran convocatoria y que ponga un punto final a la crisis política abierta en 2006. *¿Y la oposición?* También está fragmentada. Ahora, ¿de cuál oposición quieres que hablemos? Está el partido que gobernó por muchos años, que tiene una postura. La izquierda está presentando dos frentes: la que ha optado por la vía parlamentaria y la de la movilización social, que ha sido más radical. El gobierno que gana las elecciones tiene que sentarse a hablar primero con sus adversarios, porque si se queda hablando con los que votaron a favor de él —que tampoco hay que subestimarlos— es poco probable que sea rentable desde el punto de vista democrático. Hay que sentarse a hablar con la oposición. Muchas veces en los términos que ellos demanden. *¿Calderón tendría que llamar a López Obrador y decirle "siéntate a dialogar"?* A estas alturas, eso no va a suceder. Primero hay que agotar las instancias de diálogo. Esto no quiere decir que el diálogo te lleve siempre a la resolución final. En la Universidad finalmente hubo un desalojo después de 97 diálogos públicos, transmitidos por muchas estaciones de radio durante mes y medio, pero había que agotar el diálogo.

¿Qué ha pasado con el IFE? Ha costado mucho dinero público, cantidad de esfuerzos... Ha sufrido una regresión. No olvidemos que las instituciones están hechas por hombres y mujeres, cuyo liderazgo marca la calidad de la institución. Costó muchísimo trabajo ciudadanizar el IFE. Jorge Carpizo dio algunos pasos y luego llega un gran consejero presidente que es José Woldenberg, que le da lo más valioso a un árbitro en cualquier escenario: credibilidad. De repente ese activo valiosísimo empieza a minarse, hasta llegar a erosionarse por completo. ¿Cuál es la alternativa? Recuperar la credibilidad a como dé lugar. Ésa debería ser la prioridad. Hay que voltear a ver las instituciones autónomas, claves para la democracia... *El Banco de México, el IFE...* La Comisión Nacional de los Derechos Humanos y una institución que no puedo omitir, ya que siempre ha estado allí como organismo público descentralizado: la UNAM. En los momentos críticos del país y para la construcción de la democracia, la Universidad ha jugado un importante papel desde la reapertura que hizo Justo Sierra en 1910.

La televisión ha decidido construir una candidatura a partir de una plataforma mediática. Es un riesgo para la democracia... La política siempre ha sido mediática. Los medios juegan un papel importantísimo. En muchas democracias hay una diversidad de medios y esto permite que haya una sana competencia. Sí se vale que un medio tenga preferencias, siempre y cuando garantice la igualdad de condiciones para todos los candidatos. Para esto tiene que haber una mayor diversidad mediática que la que tenemos. Los canales de televisión están completamente acotados y son predecibles. Tenemos a nuestro favor la revolución tecnológica, que con internet y otras nuevas tecnologías nos irá dando esa diversidad.

Hay que trabajar para que todos los jóvenes de México tengan acceso a internet; ellos serán los grandes electores en 2012. Esto terminará siendo el gran acotamiento de las televisoras.

¿Está en tu talante ser presidente de México? No me desborda la ambición. *Tampoco te disgusta...* No es algo a lo que te puedas negar categóricamente. En este momento tengo más dudas que ambiciones. Entiendo que a la gente le gustaría una respuesta monosilábica, pero no es así. No depende sólo de uno. Yo, como tú y millones de mexicanos, no milito en un partido político. El Código Federal de Instituciones y Procedimientos Electorales (Cofipe) dice que para poder participar en un proceso de esta naturaleza tienes que ser presentado por un partido político. *Pero no tienes que ser militante.* El no militar se convierte en una limitación en la vida real. *O en una ventaja. Las candidaturas independientes pueden permitir que los partidos se legitimen en una crisis de credibilidad.* En mi experiencia, las cortinas no se abren, se cierran. Los partidos políticos mexicanos están en crisis. Los siento muy distantes de la sociedad. Están más enredados en sus conflictos internos y creo que la gente no tiene ningún interés en ser bombardeada mediáticamente con todos los pleitos intestinos de los partidos. Deberían estar abiertos; pero no estoy seguro de que lo estén. Hay gente muy valiosa que no milita en ningún partido y que en este momento tiene pocas o nulas posibilidades de participar. En la academia, el sector privado, los medios de comunicación, en muchísimas ONG, encuentras hombres y mujeres con un enorme talento y vocación política. La política y la democracia mexicana se enriquecerían si hubiera mecanismos para que algunas de esas personas pudieran acceder al poder. *¿Sientes que tus derechos políticos y tu even-*

tual aspiración a la Presidencia están limitados por este esquema? Yo estoy muy cómodo del lado de la sociedad. No creo que haya que cerrar el capítulo, pero estoy consciente de que hay limitaciones en el marco jurídico y que en la dinámica que está adquiriendo el país hay muchas dudas. *Entonces, que no te den por muerto.* Esa frase es muy mala en la política, tiene muchas connotaciones. Preferiría no usarla. En la política, el manejo de los tiempos es muy importante. Hay momentos para contender y otros para analizar, discutir, debatir y ver cómo podemos lograr que las voces de la sociedad se escuchen con más fuerza y tengan un mayor peso en la toma final de decisiones.

"NO VEO UN GOBIERNO CON LA CAPACIDAD PARA HACER UNA GRAN CONVOCATORIA Y QUE PONGA UN PUNTO FINAL A LA CRISIS POLÍTICA ABIERTA EN 2006."

MIGUEL de la Madrid

POLÍTICO.

COLIMA, 1934.

PRESIDENTE DE MÉXICO, 1982-1988.

¿CÓMO VE USTED el año 1988 en la historia de esta transición democrática? Como un momento muy importante. En ese año se dio una lucha pluripartidista como no la habíamos observado. Salinas ganó por una fracción mínima de arriba de 50 por ciento, Cuauhtémoc Cárdenas obtuvo una votación de 33 por ciento y eso le permitió afianzarse como un personaje político destacado. *Queda el fantasma del fraude electoral. Veinte años después, ¿cómo se defiende de eso?* En 1988, yo digo que no hubo fraude. Una de las pruebas es que en las elecciones de 1991 el PRI volvió a ganar por mayoría absoluta. *¿Una cosa prueba la otra?* Por lo menos está relacionada. *Me gustaría conocer su reflexión, sus recuerdos, sobre la famosísima caída del sistema.* Las elecciones de 1988 tuvieron características extraordinarias en relación con el pasado. La Secretaría de Gobernación, en un exceso, señaló que iba a dar a conocer los resultados el mismo día de las elecciones, a las 12 de la noche. Bueno, después se daría cuenta de que el conteo de los votos a las 11 de la noche no estaba cumplido y, por lo apretada de la elección, a esa hora no estaba claro quién había ganado; tan es así que Carlos Salinas no quería proclamar su triunfo. Se esperó hasta que hubiera ya un conteo sustancial como a las tres de la mañana, cuando ya los resultados fueron mayoritarios. *¿Usted le llamó para que se pronunciara antes de esa hora?* Sí. *¿Y qué le dijo?* Pues que él prefería esperarse. *¿Y usted qué pensaba?* Que era un error. La tradición había sido que una vez tenida la información básica se proclamara el triunfo. El hecho de que no se proclamara el triunfo a las 11 de la noche dio motivos para que la gente dudara de los resultados.

¿Qué fue exactamente la caída del sistema? Técnicamente, la expresión es incorrecta porque no se cayó el sistema, sino que no se computó la mayoría que se había prometido. *¿Por qué razón?*

Pues porque no había llegado. *En la charla que tuvimos para este mismo proyecto, Cuauhtémoc Cárdenas dijo que hubo una petición expresa de evitar la incorporación de los llamados "agregados" en la información de los resultados.* No, lo que hubo fue la decisión de no dar a conocer los resultados a las 11 de la noche, porque se hubieran prestado a mayores dudas por parte de la población. *Los primeros que recibían le daban el triunfo a Cuauhtémoc.* Sí. Sobre todo en algunos estados. *¿En el Distrito Federal?* Sí. *¿Qué pasó por su mente?* Me preocupé mucho. De saberse que él iba adelante, se iba a poner en duda toda la elección.

¿Tenía que ganar Carlos Salinas a fuerza, o cabía en su mente la posibilidad de que ganara Cárdenas? No, yo creía de buena fe que el que iba a ganar era Salinas, como sucedió. *¿Pero cabía en su mente la posibilidad de que ganara Cuauhtémoc? No que usted lo quisiera, sino que pudiera ocurrir.* Nunca lo pensé. *No cabía en la mente de un presidente priísta de aquellos años.* No. *Era una contienda simulada.* No, era real. *¿Y por qué no contemplaba esa posibilidad?* La costumbre, la tradición... Simplemente pensaba que no podía ser. *¿Usó alguna vez la expresión "fraude patriótico"?* No. De ninguna manera.

Cuauhtémoc Cárdenas nos dijo que 15 años después se enteró de buena fuente que había artillería lista en Palacio Nacional. No, no es cierto. Sólo estaba lo normal, la guardia presidencial que está en Palacio. *No hubo ninguna instrucción de su parte ni al Ejército ni a la policía.* No. *¿Qué buena fuente le habrá dicho a Cuauhtémoc que sí había tal cosa?* Algún amigo suyo. *Pero usted lo niega categóricamente.* Así es. *A Cuauhtémoc se le cuestiona si debió haber seguido adelante y le reclaman por frenar la movilización. Había temor a un baño de sangre. ¿Pudo haber ocurrido algo así?* Sí, por alguna imprudencia. *¿Qué hubiera sido una imprudencia?*

Supongamos que la gente, con Cuauhtémoc o sin él, dice: "Tomemos Palacio Nacional". Hubiera habido violencia. *¿Y entonces sí hubiera habido una instrucción de su parte al Ejército?* Sí. *¿Cuauhtémoc actuó responsablemente?* Sí, porque lo alentaban a tomar Palacio. Tenía algunos partidarios muy violentos. *¿Sabe de alguno en particular?* No, no.

El libro de Martha Anaya 1988: El año que calló el sistema *generó debate.* Me parece que es una buena reseña. *Ella aborda lo que ocurrió después de la elección de Salinas, esa alianza con el* PAN *que para muchos es un punto de quiebre en la política mexicana y que tiene que ver con una serie de reformas constitucionales antes impensables. ¿Cómo vivió los seis años que vinieron después?* Me imagino que al ver el PRI su relativa debilidad y la agresividad del PRD, se abrió más a negociar con el PAN ciertas reformas que hicieron que éste fuera acumulando fuerzas. *¿Se "empanizó" el* PRI *o se "emprizó" el* PAN*? O las dos cosas y se hizo lo que algunos llaman el* "PRIAN". *¿Qué expresión le gusta más para describir ese fenómeno?* Tolerancia del PRI respecto al PAN. *Eso trajo modificaciones muy importantes, desde la apertura comercial, el* TLC*, hasta el tema de las iglesias, y fue creando una nueva competencia política que derivó en una nueva institucionalidad y reformas electorales sucesivas. ¿Cómo ve estos 20 años?* Se debilita el PRI, gana las elecciones de 1988 por una ligera minoría, pierde las de 1997 en el Distrito Federal y ya tenemos dos gobiernos panistas, el de Fox y el de Calderón. *¿Y qué le pasó a México desde su punto de vista? ¿Prosperó, retrocedió...?* No creo que haya prosperado. *¿Qué balance hace de los dos gobiernos panistas?* Fox hizo francamente un mal gobierno en todos los sentidos, pero fue tan hábil que logró que las elecciones siguientes las ganará el PAN. *¿Y qué valoración hace de 2006? Si 1988 fue controvertido, 2006 no se diga.* El año 2006 es menos controvertido, porque ya

> **ME SIENTO MUY DECEPCIONADO PORQUE ME EQUIVOQUÉ, PERO EN AQUEL ENTONCES NO TENÍA ELEMENTOS DE JUICIO SOBRE LA MORALIDAD DE LOS SALINAS; ME DI CUENTA DESPUÉS QUE ES CONVENIENTE QUE LOS PRESIDENTES ESTÉN MEJOR INFORMADOS DE LA MORALIDAD DE SUS COLABORADORES.**

100

> " ... SOBRE TODO LA CORRUPCIÓN DE SU HERMANO. CONSEGUÍA CONTRATOS DEL GOBIERNO, SE COMUNICABA CON LOS NARCOTRAFICANTES... "

la población estaba más resignada a que ganara la Presidencia el PAN y obtuviera la mayoría relativa en el Congreso. *¿Hubo fraude en 2006, como dice Andrés Manuel López Obrador?* Puede ser. *¿Qué opina de la autoridad electoral en México?* Se ha perfeccionado. *¿No se ha desgastado o desacreditado como muchos dicen?* No.

Al inicio de su gobierno, Salinas tomó una serie de decisiones de fuerza, por ejemplo, contra la Quina *y Jongitud. Muchos interpretan que fue para dotarse de legitimidad. ¿Qué le pareció a usted?* El caso de *la Quina* fue inevitable. Era muy hostil, hacia mí primero y luego hacia Salinas. *¿Por qué no lo quería* la Quina? Porque yo no le hacía caso a sus pretensiones cuando se revisaba el contrato colectivo de Pemex. Quería más y más prestaciones. *¿Qué era lo más inaceptable que* la Quina *le pedía?* Más plazas, mayor participación en los contratos de Pemex, tanto de obra como de transporte. *¿*La Quina *lo amenazó explícita o implícitamente?* Noté su enojo cuando yo me negaba a aceptar sus pretensiones. Una vez en público, en relación con alguna petición que yo no le acepté, me dijo que en su opinión eso debilitaba a México y me debilitaba a mí. Y sí, sí hubo amenazas. *O sea, "si nos va mal a nosotros le va mal a México y a usted". Era una amenaza. ¿Usted temía a los petroleros?* Sí. Temía que me crearan un conflicto laboral que me obligara a usar el Ejército. *¿Estuvo a punto de ocurrir alguna vez?* Sí. Yo sabía que *la Quina* importaba armas y que las tenía preparadas para algún enfrentamiento con el gobierno. *¿Desde cuándo lo hacía?* Desde mi gobierno. Era una cantidad importante. Le ordené al general Juan Arévalo Gardoqui que le advirtiera que era un delito introducir armas de contrabando, que se abstuviera de seguir con esa práctica y que me informara dónde las tenía depositadas. *¿Y lo hizo?* No. *¿Dónde las* *tenía?* En distintas plazas petroleras. *¿El Ejército no le dijo a usted que interviniera?* No. *Cuando detuvieron a* la Quina *le incautaron algunas armas, pero se ha dicho que se las sembraron. ¿Esas armas ya estaban ahí?* Y en varias partes. *¿Era de verdad todo eso? ¿Incluido el muerto o ése sí era sembrado?* De eso no estoy seguro. *Dice que lo del "Quinazo" era inevitable. Salinas tenía que hacerlo. ¿Por qué no lo hizo usted?* Yo lo fui debilitando a lo largo de mi gobierno, porque era un líder muy fuerte. No quise arriesgarme a traer un enfrentamiento violento con él. Entonces fui preparando el camino y le advertí a Salinas, siendo candidato. Además no fue necesario que lo hiciera yo, porque a Salinas le llegaban informes de que *la Quina* se oponía a su candidatura. *¿Es cierto que* la Quina *apoyó a Cuauhtémoc Cárdenas en su campaña?* Yo creo que sí. *¿Y aquello de que* la Quina *mandó hacer un pasquín donde se contaba la historia de que Salinas mató a su sirvienta con su hermano cuando eran niños? Se dice que eso fue lo que realmente enfermó a Salinas con respecto a* la Quina. Sí, así fue. *Y Salinas enloqueció con el tema.* Sí. El mismo Salinas me platicó que había descubierto que *la Quina* había fabricado y distribuido ese folletín y que él por su parte había tomado providencias. O sea, ya estaba el pleito.

¿Qué opina de eso que no ha muerto y que impide la democratización plena: el gran corporativismo? Hay que hacer un esfuerzo para seguir debilitando la posición de los sindicatos frente al gobierno. *No tenemos a* la Quina, *pero tenemos a Carlos Romero Deschamps; no tenemos a Carlos Jongitud, pero tenemos a Elba Esther Gordillo. Esto no se ha debilitado; al contrario, ha adquirido una fuerza distinta, nueva.* Estoy de acuerdo. *Y eso hace dudar a muchos que esto sea en efecto una democracia de calidad.* Claro. Yo creo que la alianza entre esos grandes sindicatos y los gobiernos del PRI se de-

bió a que los dos necesitaban el apoyo recíproco. *¿Cómo se ejercía el poder con esos grandes sindicatos, cuáles eran los códigos fundamentales de entendimiento para que esa maquinaria funcionara?* Éramos benévolos mutuamente. *Algunos dirían que hasta cómplices.* Pues podría calificarse de complicidad. El gobierno le toleraba al sindicato sus abusos y el sindicato toleraba los suyos al gobierno. *Los presidentes priístas también debían ser tolerantes con la corrupción para poder gobernar. Usted a veces tuvo que mirar a otro lado.* A veces sí. En general, mi esfuerzo fue combatir la corrupción. *¿Qué tuvo que aceptar?* La venta de plazas, los contratos, cosas con las que fui acabando gradualmente. Pero acepto que eso fue gradualmente. *¿Qué le parecía intolerable personalmente pero aceptable políticamente? Por ejemplo, figuras como Carlos Hank González.* Él era un aliado del sistema. Nunca amenazó con violencia a los gobiernos del PRI. *Podía enriquecerse como lo hizo, pero sin violencia. Ésos eran los códigos del sistema.* Sí. *¿Cómo se lleva eso a cuestas siendo presidente de México?* En realidad, viendo la proporción de la corrupción. Por ejemplo, Hank González se enriqueció por los contratos de transportación de productos petrolíferos. Como yo estuve en Pemex dos años, me informé por dentro que no había corrupción, que la flota petrolera era muy eficaz. *¿No había necesidad de robar?, ¿con el contrato era suficiente?* Sí. *Se tiene que tener un cuero duro para tolerar todo eso. Un poco de cinismo.* El necesario para gobernar. *¿Mucho, poco, regular? ¿Para gobernar México?* Mucho. Lo reconozco, pero señalo que durante mi gobierno, gradualmente, fui quitándoles esas concesiones ilícitas.

¿Qué le pareció el gobierno de Carlos Salinas? Bueno. *¿Y qué le pareció el final de ese sexenio?* Malo. Terminó muy mal, ¿no? Permitió una gran co-

rrupción de parte de su familia, sobre todo de su hermano. *De Raúl. ¿Qué tan grande estuvo eso?* Mucho. Permitió también que Raúl y Enrique consiguieran de manera indebida contratos de licitación, ya fuera de obra o de transporte. *Lo llamaban el hermano "Ten Percent".* Sí, parece que así fue. *Diez por ciento por cada licitación que se echaban... Don Miguel, se está acordando de cosas... Raúl y Enrique robaron mucho. ¿Y Carlos...?* Sobre todo Raúl. *Insisto, ¿y Carlos?* No tanto. *¿Pero de dónde sacó su fortuna? Que la tiene y mucha. ¿De la partida secreta...?* Siempre había existido en México una partida secreta para cubrir gastos políticos. Pero se abusó. *¿Cómo abusó Salinas de esa partida secreta? Porque era mucho más grande que la que usted ejerció. Eso está clarísimo.* ¡Ampliamente! *¿De qué tamaño fue aquella partida secreta en relación con la que usted ejerció? ¿Era cinco, diez, cien veces mayor?* Por ahí. *¿Cien veces?* Sí. *¿Y el dinero hacia dónde fue?* Por ahí anda. *En una grabación se le oyó decir a Luis Téllez que Salinas "se robó la mitad de la cuenta secreta". ¿Usted cree que así fue?* Sí, es posible. *¿O completa?* No. *Pero la mitad sí. ¿Cómo puede un presidente robarse la mitad de la partida?* ¡Pues porque es secreta! *Y si lo hizo Salinas, ¿fue a través de sus hermanos...?* Es posible. *¿Cómo se usa la partida secreta? ¿Está en el escritorio del presidente? ¿Hacen cheques o qué?* Sí, sí. No había justificación de lo que se erogaba en esa partida, por eso se llamaba secreta. *De ahí la fortuna de Carlos Salinas.* Es posible, sí. *¿Y de otros ámbitos? De las licitaciones, por ejemplo, ¿también tomó su tajada?* Yo creo que sí, sobre todo Raúl.

¿Qué puede pasar con una figura como la del ex presidente, con cosas como éstas que nos está diciendo usted o las investigaciones que se hicieron, por ejemplo, en Suiza, con evidencias del enriquecimiento ilícito de la familia Salinas? ¿Eso ya no tiene remedio? ¿No hay un canal para la justicia frente a la eviden-

cia del uso indebido del poder? Lo hubo en el caso de Raúl. Estuvo 17 años en la cárcel. *Por un asesinato, no por el dinero.* Implícito, por el dinero.

¿Qué dice a la distancia de haber sido, porque no me lo va a negar, el factor para que Salinas llegara a la presidencia? ¿Se equivocó? Me siento muy decepcionado porque me equivoqué, pero en aquel entonces no tenía elementos de juicio sobre la moralidad de los Salinas; me di cuenta después que es conveniente que los presidentes estén mejor informados de la moralidad de sus colaboradores. *¿Qué le decepcionó más de Carlos Salinas?* Principalmente esa inmoralidad que hubo. *Respecto al dinero. ¿Y de su gestión política?* También creo que cometió equivocaciones graves, que le atrajeron la antipatía de ciertos grupos de la población.

¿Cree que Carlos Salinas se hizo socio de Teléfonos de México para vender ese gigante a Carlos Slim? No tengo elementos de juicio para saber eso, pero sí pudo haber pasado. *¿Y cree que por sí mismo o a través de su hermano Raúl se convirtió en socio de TV Azteca?* De Raúl no lo dudo. *¿Y de Carlos pudo ser?* Por tolerarlo...

Andrés Manuel López Obrador habla de una oligarquía cohesionada por la figura de Carlos Salinas. ¿Acepta esa descripción de cómo opera una parte del poder en México? Sí. Posiblemente por la influencia de haber sido presidente. Y ha de tener mucho dinero. Ahora ya se calmaron las cosas, los chismes, y él ya vive aquí en México. No aparece mucho en público. *¿No puede salir a un restaurante?* No, sí puede. Últimamente ya. *¿Qué pasa si Salinas va al San Ángel Inn?* No pasa nada. *¿Y si va usted?* Me aplauden. *Pero, ¿Salinas tiene que salir con cautela?* Con mucho cuidado.

¿Cuál es su análisis sobre el asesinato de Luis Donaldo Colosio? Es un misterio todavía. *Echeverría dijo que fue la nomenclatura.* Yo no creo. *¿Usted*

cree en el asesino solitario? Sí. A quien más se le adjudicó fue a Salinas, pero yo no lo creo. *¿Pudo haber sido alguien de su entorno, pero no Salinas...? ¿Pudo haber sido su hermano?* Sí. *¿Manlio Fabio Beltrones?* No lo creo. *¿Raúl también pudo haber tenido motivos para querer ver muerto a su ex cuñado? ¿Qué pleito había ahí?* Ruiz Massieu se casó con Adriana, la hermana de los Salinas. Se divorciaron y es posible que le hayan guardado rencor. *¿Por un divorcio, así de fuerte?* Sí. *¿Había alguna relación distinta, algún elemento adicional?* Sí. *¿Político?* Familiar en gran parte.

¿Raúl Salinas pudo haber tenido motivos para querer ver muerto a Francisco Ruiz Massieu y a Colosio? Sí. *¿Están conectados estos dos asesinatos?* No sé, podrían estarlo. *El fiscal Miguel Montes dijo que el entorno político era lo que había que investigarse. Se habló de que Colosio rechazó sentarse con un importante narcotraficante y que Raúl había promovido ese encuentro.* No creo. *¿No cree que el narcotráfico tenga que ver en esta historia?* No.

El PAN ha dicho que ustedes, los del PRI, toleraron el narcotráfico. Lo que hubo fue una influencia creciente de los narcotraficantes en la esfera del gobierno. *Hay quien dice que usted abrió la puerta al narcotráfico como un mecanismo de vigorización de la economía mexicana en aquellos tiempos difíciles.* De ninguna manera. Cuentan que los gobiernos de México propiciaron el narcotráfico, sobre todo en Sinaloa, porque el mismo gobierno norteamericano se los pidió. En la guerra mundial necesitaban narcóticos para curar a los enfermos y de ahí ya se hizo el negocio. *¿Y cómo lo consiente un presidente?* Es que a veces no hay elementos de información suficientes, no llega más que a sospecha. *Uno supone que el presidente es el hombre más informado del país.* No es cierto. *¿No saben todo de todos?* No.

Usted creía que Salinas era estudioso, inteligente, honesto, buen muchacho. Y resultó que cometió

> **¿LA IMPUNIDAD ES CONDICIÓN NECESARIA PARA QUE LA MAQUINARIA SIGA FUNCIONANDO EN MÉXICO? SÍ.**

errores muy serios. El peor, la corrupción. Sí y sobre todo la corrupción de su hermano. Conseguía contratos del gobierno, se comunicaba con los narcotraficantes... *¿Con quiénes?* No sé exactamente, los que le dieron el dinero para llevárselo a Suiza. *Acuérdese que un grupo de empresarios reconocieron una parte de ese dinero.* Por complicidad. *¿Era dinero del narco?* Es posible, sí. *¿Y ellos pusieron su nombre...?* Para llevarse una tajada. Son informaciones muy difíciles de obtener; fue más fácil procesar a Raúl por la muerte de Ruiz Massieu. *¿Es más fácil demostrar un asesinato que la corrupción o los vínculos con el narco?* Sí. *De haberlo sabido usted a tiempo...* Hubiera actuado.

¿Desde cuándo tenía Raúl Salinas vínculos con el narcotráfico? A partir del gobierno de su hermano. *¿Cuál fue la última referencia que tuvo sobre esa relación?* Desafortunadamente fue cuando yo ya no era presidente. *Enrique Salinas de Gortari fue asesinado.* No se llegó a saber nada, pero a lo mejor estuvo ligado con dinero del narcotráfico.

Ernesto Zedillo fue muy severo con Carlos Salinas. ¿Al sancionar a Raúl sancionaba al ex presidente? Sí. *¿Los excesos de Carlos Salinas tenían que ser sancionados, aunque fuera indirectamente?* Sí. *¿Debería Carlos Salinas ser enjuiciado en México?* A estas alturas ya no. Ya pasó mucho tiempo y al mismo gobierno no le conviene. *¿No soportaría la democracia mexicana un proceso así?* Se reviviría el escándalo. *¿No cree en la utilidad del escándalo para la salud pública, si con eso se hace justicia?* No tendría tanta utilidad. Desgraciadamente, la justicia a veces es inútil. Es cuestión de realismo político. Si el escándalo desprestigia al gobierno, sea cual sea, es malo. *¿La justicia estorba para ejercer el poder?* A veces sí. *¿La impunidad es condición necesaria para que la maquinaria siga funcionando en México?* Sí. *¿En este momento no le conviene a Felipe Calderón ni a ningún presidente enjuiciar a Salinas?* No. *Humberto Lira Mora decía que en México hay puros prófugos de la opinión pública. Carlos Salinas no está indiciado formalmente ante el Ministerio Público. ¿Usted lo considera un criminal?* No. *Pero si habla de vinculación del hermano con el narcotráfico y presumimos que Carlos tendría que haberlo sabido, pues eso ya lo hace delincuente, ¿no?* Desde ese punto de vista, sí. *¿Qué es entonces Carlos Salinas?* Es cómplice de delitos de sus hermanos.

¿Qué es para usted el año 2006, a partir del desconocimiento de López Obrador del mandato de Calderón? Un demérito del prestigio del gobierno. *¿López Obrador es un peligro para México?* Sí, porque es un demagogo. *Hay muchos...* Sí, pero hay unos "más peores", como dicen. *¿Y cómo ve el gobierno de Felipe Calderón?* Razonablemente bien. *¿Quién va a ser el candidato del PRI en 2012? ¿Enrique Peña Nieto?* Puede ser. *¿No le preocupa el padrinazgo de la televisión a esa campaña?* Bueno, en eso gasta mucho él. Igual que Marcelo Ebrard. *¿Piensa que la televisión ya no quiere sólo influir, sino decidir desde su propio poder quién será el próximo presidente?* Sí, sí puede ser. *¿Qué significaría para nuestra democracia relativamente joven?* Lo que no me gustaría es el mero hecho de la influencia de la televisión.

¿Se imagina un presidente narco en México? No sería el primer caso del mundo. *Pero sí en México, o quién sabe, ¿no?* Aquí en México, sí.

¿Nuestra democracia es pobre, débil, fuerte, vigorosa? ¿Cómo la calificaría? Por ahorita débil. Por ahorita débil.

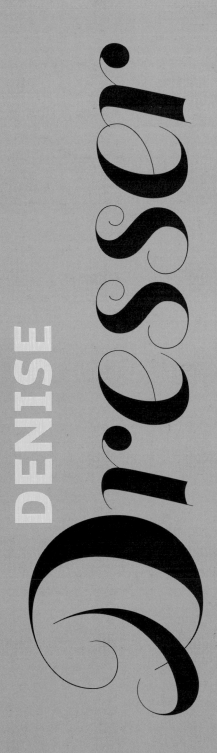

DENISE Dresser

ACADÉMICA Y PERIODISTA.
CIUDAD DE MÉXICO, 1963.
CATEDRÁTICA DEL INSTITUTO
TECNOLÓGICO AUTÓNOMO DE MÉXICO.

> **ES UNA DEMOCRACIA OLIGÁRQUICA, UNA DEMOCRACIA QUE FUNCIONA MUY BIEN PARA SUS ÉLITES Y MUY MAL PARA SUS CIUDADANOS.**

VEO UN PAÍS ATORADO. Un país en el cual una transición —incompleta— que generó enormes expectativas en personas de mi generación parece capturada, obstaculizada por quienes promueven el *statu quo* y son sus beneficiarios. Me parece que lo sucedido a partir de los momentos que considero definitorios —el año 1996, las reformas electorales de 1998, la victoria histórica de Cuauhtémoc Cárdenas en 1997— es que se tiene una transición que se ha centrado en gran medida exclusivamente en lo electoral, en el terreno de los partidos, en las elecciones, en la competencia. Si estuviera aquí José Woldenberg nos diría que hay mucho que celebrar... *Y nos lo dijo...* Exacto: el pluralismo, el hecho de que hay competencia real entre los partidos, que se ha dado la alternancia, que llegó un partido de oposición primero a la Jefatura de Gobierno del Distrito Federal en 1997 y luego a la Presidencia de la República en 2000... Lamentablemente lo que ha ocurrido a partir del año 2000 es que hay más jugadores, pero el juego sigue siendo el mismo.

El detonador de la transición fueron las sucesivas crisis económicas. La longevidad del PRI se debe en gran medida al aparato clientelar que logró armar; es decir, el PRI no era sólo un partido, era una forma de vida, de repartirse el botín, pues hasta los ochenta hubo mucho que repartir porque México crecía, porque teníamos petróleo, etcétera. Pero las crisis de 1985, 1987 y 1988 encogieron el tamaño del pastel, el tamaño del botín que podía repartirse. Entonces el PRI va descubriendo que no tiene militantes, en el mejor de los casos simpatizantes, y las personas que esperaban la gestoría social ven un PRI exprimido por la crisis. Y el Estado mexicano no puede ser ya el gran "ogro filantrópico"; entonces la población empieza a buscar opciones y a usar el voto de castigo contra un PRI —que siente que la gente ya no le responde de la misma manera— y surge una sociedad que, paralela, comienza a movilizarse. Como ejemplo de esto recuerdo ese libro de Carlos Monsiváis, *Entrada libre, crónicas de una sociedad que se organiza* —publicado después del terremoto—. Se dan de forma paralela el desgajamiento político electoral del PRI y una ciudadanía que comienza a despertar al descubrir que el gobierno ya no puede actuar como actuaba y empieza a organizarse a sí misma. Entonces empieza esta gran oleada de victorias panistas. Creo que la transición tiene que entenderse mucho en función del creciente poder del PAN en la periferia donde, dado el debilitamiento del PRI, el despertar de esta sociedad civil tiene una opción que empieza a construirse. Y esa opción descubre que, cuando llega Carlos Salinas al poder bajo la sombra de la ilegitimidad, necesita sacar acuerdos y alguien que le alce el brazo para que pueda gobernar; el PAN se presta a hacerlo a cambio de que le den cosas que quiere en el ámbito electoral. Aquí es cuando empieza: recuerda el reconocimiento de la primera victoria de oposición en Baja California, cuando comienza la era de concertación entre el PRI y el PAN. El PAN que le da al PRI el reconocimiento de la victoria de Salinas, la quema de las boletas electorales, la negociación para sacar acuerdos de las reformas constitucionales que Salinas necesitaba, la reforma al artículo 27, el restablecimiento de relaciones con el Vaticano, el TLC... Es decir, el PAN se vuelve comparsa; quienes dicen que el PAN acaba subyugado, no entienden que en esa época recibe mucho a cambio.

Hay quienes nos han dicho que en realidad lo que ocurrió fue que el PAN le impuso su agenda a Salinas y que, a cambio de esa legitimidad, podría abrir la puerta a los temas históricos del PAN. No, Salinas lo que hace es arrebatarle al PAN su agenda. La agenda del PAN era liberal, o sea, neoliberal; desde su fundación apuesta a un Estado menos interven-

cionista, al fortalecimiento del sector privado, a la contracción del Estado. El neoliberalismo que comienza a recorrer el mundo a partir de los ochenta es una agenda con la cual el PAN se siente plenamente identificado y por eso intuye que el gobierno ahora va a echar a andar gran parte de esa agenda. Además, si revisas la historia intelectual de Salinas, en todo lo que empezó a escribir encontrarás que la gente con la que se rodeó traía esa agenda. La llegada de Salinas coincide con el ascenso de la tecnoburocracia mexicana, con esa élite educada en Estados Unidos que ya no cree en el Estado.

Por su parte, el PRI también se globalizó ideológicamente. Recuerda que fue la época de Margaret Thatcher y de Ronald Reagan. ¿Qué hizo el PRI? Adoptar el consenso de Washington en términos de las privatizaciones, la desregulación, la reducción de la obesidad del Estado intervencionista, la disminución del proteccionismo, la apuesta por el TLC, la apuesta por el fortalecimiento del sector privado como palanca del desarrollo. La verdadera transformación electoral se da en el año que vivimos en peligro: el asesinato de Luis Donaldo Colosio, Chiapas y la primera renovación del IFE —los primeros consejeros ciudadanos surgen en junio de 1994— que condujo a lo que Ernesto Zedillo reconoció como una elección libre pero injusta. ¿Qué es lo que descubrimos en esa elección? Que el terreno de juego entre los partidos seguía siendo absolutamente inequitativo por los programas sociales, por la intervención presidencial. Y bueno, acuérdate del escándalo de esa elección: Salinas convocando a los 25 empresarios más importantes para ¡pasarles la charola de 25 millones de dólares y Televisa favoreciendo al candidato presidencial! Todo eso que sabemos históricamente contribuía a que el PRI ganara y que persistiera el cordón umbilical entre el Estado y el partido, los medios y el gasto público.

Creo que Zedillo —porque no provenía del PRI, porque sentía que no le debía nada; porque en el fondo no era un político, porque era un hombre mucho más libre— tomó la decisión de sacrificar al priísmo y obligar al partido a aceptar esta reforma electoral que viene de él.

¿Por qué los priístas piensan que impulsó la democratización para que el PRI perdiera? Yo no creo que haya sido una intención deliberada; quiso democratizar el sistema, porque si no lo hacía hubiera tenido serios problemas de gobernabilidad. Y si perdía el PRI, pues ni modo. *Aunque siempre queda esa duda por el Pemexgate, respecto a si Zedillo llegó a saber o no que esa cantidad de los 500 millones se le iban a dar a la campaña de Francisco Labastida. Ésa es una historia que podría inclinar la balanza para saber si realmente quería que perdiera el PRI.* Pero el hecho inequívoco es que esa noche del 2 de julio, cuando Zedillo fue presionado por los priístas para postergar su salida a los medios, no cedió. *Salió al instante, después de Woldenberg.* Claro... *En la televisión.* Y salió a decir que si las tendencias electorales seguían así, el próximo presidente de México sería Vicente Fox. No se doblegó ante la intensísima presión de los priístas que le decían que esperara el voto verde. Todos estaban tratando de ver qué podían hacer para revertir un resultado electoral que era inexorable. Creo que la decisión que tomó Zedillo de nivelar el terreno de juego fue crucial para entender la transición.

En 1997 el PRI pierde la mayoría del Congreso, ese otro quiebre fundamental de la transición hacia la democracia. ¿Sabes qué pasó? Que cuando se instrumentaron las reformas electorales de 1996 —que efectivamente nivelaron el terreno de juego con la decisión fundamental de asignarle presupuesto público a los partidos— cambió la naturaleza del juego político en este país en la medida en que los partidos de oposición recibieron, por primera vez, dinero. ¿Qué hicieron con ese dinero? Fueron a competir en los medios. En esa elección, Cuauhtémoc Cárdenas armó una buena campaña: finalmente sonrió y dejó de ser el hombre totémico, el "jefe nube negra" para vender el sol. Recuerda que fue una campaña muy aspiracional y el jefe de campaña era Andrés Manuel López Obrador. Contrató todo un equipo —creo que fue Epigmenio Ibarra, no me acuerdo—, pero lo asesoraron y ya no fue esa campaña de pueblo en pueblo, sino que aprendieron a usar los medios. Hubo quienes no lo hicieron, como en el caso de Carlos Castillo Peraza: el único candidato en la historia del país capaz de perder un debate contra sí mismo. Así, en la medida en que se niveló el terreno de juego, la oposición pudo ganar en condiciones de equidad. *Y no ganó; arrolló en el Distrito Federal.* Arrolló porque por primera vez importaron las campañas y los candidatos; antes no importaban. Importaba la maquinaria, quien tenía la relación cercana con Televisa o quien era el designado por el "dedazo".

¿Para ti la transición a la democracia culminó, fracasó, sigue su curso? Depende de tu definición de democracia. Para mí, en este momento, la democracia mexicana es una democracia disfuncional y electoral con enormes lagunas en cuanto a su capacidad de representación real. Somos una democracia tan disfuncional porque nos abrimos a la competencia, pero no a la representación; nos abrimos a la competencia, pero no a la rendición de cuentas. Es decir, seguimos siendo una democracia que funciona muy bien para su clase política y muy mal para sus ciudadanos. El sistema fue creado para permitir la rotación de élites; antes era la rotación de élites priístas y ahora existe la rotación de élites priístas, panistas y perredistas. Para mí la transición no ha acabado; terminará el día en que haya reelección

legislativa, plebiscito, referéndum y una sanción política, electoral, ética, a quienes elegimos, por sus errores y por las formas en las que violan la ley.

Pienso que en la medida en que el cambio se centró exclusivamente en lo electoral y no en lo demás, el sistema político sigue respondiendo a los grandes intereses económicos en un sistema que es el peor de todos los mundos: presidencial, de gobierno dividido y sin reelección. Somos el único país en el mundo, con excepción de Costa Rica, que no tiene reelección. El sistema no fue creado ni modificado para representar ciudadanos. Esto significa que nadie tiene incentivos para colaborar con el presidente en turno. En un sistema con reelección, si el presidente es popular, los partidos de oposición tienen incentivos para ayudarlo. Aquí nadie los tiene; entonces, llegue quien llegue, por más inteligente, carismático o buen político que sea, se enfrenta a ese obstáculo estructural. Entonces ese presidente, para sacar acuerdos tiene que negociar con los partidos de oposición. Sexenio tras sexenio el verdaderamente fuerte ha sido el PRI, que ha sabido diluir y sabotear reformas o sacarlas a la medida de sus intereses. Cualquier presidente se enfrentaría a lo mismo, y claro, los intereses atrincherados de este país están viendo a quién apoyan y en qué momento. La transición se ha vuelto una transición vetada a cada instante por quienes —los concesionarios, los monopolistas, el duopolio televisivo, los sindicatos, los beneficiarios de los famosos derechos adquiridos— no quieren que el *statu quo* cambie. ¿Qué siente Televisa?: tengo el derecho adquirido de mi espectro. ¿Qué sienten los maestros?: tengo el derecho adquirido de mi plaza, tengo el derecho a heredarla, venderla o intercambiarla por favores sexuales. A todos ésos yo los llamo los centros o poderes de veto que se aprovechan de esta democracia disfuncional para seguir obstaculizando el cambio fundamental.

Es una democracia oligárquica, una democracia que funciona muy bien para sus élites y muy mal para sus ciudadanos. ***Eso dijo para este mismo libro Andrés Manuel López Obrador.*** Yo siempre he dicho que Andrés Manuel tiene el diagnóstico correcto —por eso voté por él— pero tiene, a mi juicio, las soluciones inadecuadas. ***¿Votaste por él y luego te arrepentiste?*** No, no, no me arrepiento, o sea, siento que él cometió errores serios. ***¿Cuáles?*** Todos sus errores de campaña; Andrés Manuel sigue haciendo política sólo dentro de su cabeza. Siente que basta su autoridad moral, su popularidad, su liderazgo; no entiende que desde 1997 la forma de hacer política en este país cambió y que hay que aprender a competir dentro de este modelo. En algún momento de la elección de 2006 Andrés Manuel llevaba 30 puntos de ventaja; cuando arrancó la campaña oficial tenía ¿13? —no me acuerdo cuántos, muchos—. ¿Dónde acabó esa ventaja?: dilapidada en errores de campaña: desde el "cállate chachalaca", hasta no acudir al primer debate... Hay una frase en las campañas estadounidenses que dice "It was his, to lose": ¡era su elección para ganar!

Cuando llevaba 30 puntos de ventaja era el momento de moderarse, de desplazarse hacia el centro del espectro político, de enarbolar las ideas de la izquierda social —demócrata, no peligrosa, no amenazante—. Dijo que no iba a pactar con los empresarios; no tenía que pactar, tenía que reunirse con ellos. ***¿Tenía que fingir?*** No; tenía que hacer lo que hizo Barack Obama. No sé si te acuerdes de que en un programa tuyo, Lorenzo Meyer decía: "Lo que yo le reprocho a Obama es que nunca hizo una campaña a favor de los pobres"; si él hubiera hecho una campaña así jamás hubiera ganado; hubiera sido visto como un héroe mojado, radical.

El problema que veo es la falta de un buen gobierno y de una buena ciudadanía. Tan falta buena ciudadanía que si miras las encuestas —acabo de ver la de *Reporte Índigo*— con la pregunta: ¿Quiere usted un gobierno de mano dura?, la respuesta de 70 por ciento es sí. ¿Qué está reflejando eso? Que nuestras libertades democráticas son frágiles, hay muchos que no las entienden y estarían dispuestos a sacrificarlas. Hemos sido educados para acomodarnos, para vivir con la palma extendida esperando la próxima dádiva del próximo político, para pensar que el mejor político es el que más obra pública faraónica realiza; hemos sido educados para pensar que el buen gobierno es el que mantiene el orden, pero no hemos sido educados para la ciudadanía. Yo comparo al México de hoy con la Rusia del Yeltsin —ese momento en el cual la democracia es percibida como anarquía, caos, pleitos, oligarcas poderosos, crimen organizado—, en la que la población rusa empoderó, después de Yeltsin, ¡a Putin! Y a eso me refiero cuando digo la "putinización" de México. Así se explica el regreso de los priístas, porque no me digas que la población los está regresando porque son más modernos, más democráticos y más transparentes. *Pero ¿legitimados?* Legitimados, y esto es lo peor, por Acción Nacional. Si el PRI regresa hay dos grandes responsables: Acción Nacional y Felipe Calderón, por la búsqueda incesante del consenso con los priístas para sacar esas reformitas en el Congreso que no cambian al país y con eso lavarles la cara a todos esos priístas y tenderle la mano a Manlio Fabio Beltrones y a Emilio Gamboa y volverlos interlocutores legítimos.

Hubo una extraordinaria oportunidad histórica para Vicente Fox en 2000 cuando se enfrentó a un PRI desconcertado, desgajado, en estado de shock por haber perdido la Presidencia. Se dio un gran debate: en un hombro Vicente Fox tiene a Santiago Creel susurrándole al oído buscar consensos con el PRI y en el otro hombro tiene sentado a Jorge Castañeda diciéndole: "Éste es el momento para ir tras ellos". *¿Y quién tenía la razón?* Absolutamente, sin la menor duda, Jorge Castañeda. ¿Por qué se echó a perder la transición? Porque no supimos transitar del viejo al nuevo régimen. Nos quedamos atorados cargando con todo lo peor que el PRI le había enseñado al país —las prácticas sindicales, el corporativismo, los pactos con los oligarcas, las concesiones negociadas, los regulados en complicidad con el andamiaje regulatorio— . ¿Y qué hizo Fox? Siempre digo que lo que define a su sexenio es que frente al PRI se rajó, con Andrés Manuel López Obrador se obsesionó y con Marta Sahagún se casó. Eso es lo único que tienes que saber. ¿Por qué la historia va a juzgar tan severamente a Fox? Porque el que habló de sacar a las tepocatas, a las víboras prietas y a las alimañas de Los Pinos acabó acurrucado con ellas. No los denunció, ni fue tras ellos; no los encarceló, no llegó y dijo: "Éste es el gobierno que veo". *¿Les tuvo miedo?* Les tuvo miedo, fue también una cuestión de personalidad. Creo que Fox es un hombre al que no le gusta la confrontación ni el estira y afloja de la política. El Estado mexicano hoy vive acorralado por las criaturas que engendró: Carlos Slim, Ricardo Salinas Pliego, Emilio Azcárraga, Elba Esther Gordillo, Carlos Romero Deschamps son criaturas del Estado. ¿Y qué hizo el gobierno de Vicente Fox? Las alimentó aún más, las hizo gordas, las hizo más grandes con todas las decisiones que se tomaron. ¿Por qué ahora todos esos actores —he mencionado sólo cinco, pero hay 50 mil más— hacen lo que se les da la gana? Porque Vicente Fox jamás les puso un alto. Él inauguró la Presidencia de hagan lo que se les dé la gana. ¿Cuál fue la frase más famosa? "¿Y yo por qué?" Por encima del presidente y ¡por encima del Congreso! Las televisoras lograron lo que el presidente de México jamás había logrado: sacar una ley en siete minutos, por unanimidad, cero votos en contra... Ahí está demostrado el poder.

¿Hubo fraude en las elecciones de 2006? ¿Es la palabra que usarías? Yo no; pero más bien estoy de acuerdo con José Antonio Crespo: "No vamos a saber jamás". Fue una elección cuyos resultados jamás vamos a conocer en la medida en que no hubo un recuento de votos. Yo fui de las que estaban en esa posición terriblemente incómoda de exigir el recuento y el respeto a las instituciones, lo que ocasionó que cada bando te despreciara. Pero ¿y los que queríamos ambos?

Regreso a lo de la clase empresarial. Recuerdo haber estado en un panel pocos meses después de la elección, en el foro empresarial de Monterrey, con Claudio X. González, donde él decía: "Es que nos pasó muy cerca la bala, nos rozó la sien, pero ahora sí, por primera vez, reconocemos que es necesario cambiar este país, democratizar los feudos, hacer que la democracia funcione, atender a los pobres". Ése era el discurso. Esa retórica de "nos pasó muy cerca la bala" les duró unos tres meses, porque cuando Felipe Calderón intentó rebasar a Andrés Manuel López Obrador "por la izquierda", con el IETU, con la reforma electoral, la gente se amparó contra el impuesto, y los empresarios se vieron afectados con la reforma electoral que buscaba regresar al Estado y a los partidos el poder que les había sido arrebatado por las televisoras. Actúan yendo al hangar presidencial a esperar a Felipe Calderón cuando regresa de la India para que vete la reforma. La clase empresarial no entiende que si este país no se democratiza a fondo siempre va a haber un Andrés Manuel López Obrador por ahí. Él es sintomático de la incapacidad de transformarnos con mayor rapidez y de esta estructura oligárqui-

"POR ENCIMA DEL PRESIDENTE Y ¡POR ENCIMA DEL CONGRESO! LAS TELEVISORAS LOGRARON LO QUE EL PRESIDENTE DE MÉXICO JAMÁS HABÍA LOGRADO: SACAR UNA LEY EN SIETE MINUTOS, POR UNANIMIDAD, CERO VOTOS EN CONTRA... AHÍ ESTÁ DEMOSTRADO EL PODER."

ca, concentrada, monopolizada, que mantiene al país secuestrado.

¿Qué tendrían que hacer los ciudadanos? Los mexicanos piensan que ser buen ciudadano es cosa de ir a votar cada tres años. Ser ciudadano entraña trabajo de tiempo completo y puede comenzar por recoger la basura afuera de la casa; algunos dirían que ésa es una agenda muy trivial, que no es heroica, que no es noble. Pero el significado es enorme y quiere decir que se reconoce que ese espacio, el de allá afuera, te pertenece, ¡es tuyo!

Hay un buen ejemplo para que no perdamos la fe después de este diagnóstico: hace 20 años se decía que en México no íbamos a poder, jamás, erradicar la cultura del fraude. Bastaron 10 mil millones de pesos, 15 años y el IFE logró instituir cierta confiabilidad en las elecciones. *¿Y la perdimos?* La veo mermada por la elección de 2006, pero no totalmente; existe la posibilidad de recuperarla. A lo que me refiero es que la gente aprendió a confiar en su voto; bueno, aprendió la cultura de ir a votar pensando que el voto cuenta. Se logró un cambio cultural a través de un cambio institucional. No me conformo con esta idea de que "México es así", "así somos los mexicanos", "somos flojos, corruptos y mentirosos, ¿qué le vamos a hacer?"

Todo esto ha tenido antecedentes. ¿Qué significa para ti 1988? Es el inicio de lo que después se volverá una crisis del sistema, del partido dominante; es una enorme sacudida, una primera toma de conciencia y un primer reclamo. Que no se nos olvide que Carlos Salinas salió de la Presidencia con altísimos niveles de popularidad y que la ciudadanía lo colocó sobre un pedestal. Fue un primer ímpetu y después hubo una regresión importante a la Presidencia hiperimperial, a la genuflexión frente al poder. Fue tan sólo en 1994 que se desencadenaron tantas cosas que

no hemos mencionado, pero sin duda el levantamiento zapatista fue otro momento crucial en la historia de la transición en cuanto que obligó a la clase política de este país a sentarse y decir: "Tenemos que negociar, tenemos que construir condiciones de confiabilidad para esta elección". Recuerdo haber estado en una comida con Luis Donaldo Colosio tres semanas antes de que lo mataran y que saqué a colación la idea de observadores extranjeros. Y, bueno, los que estaban ahí —Fernando Solana, la gente de *Vuelta*— dijeron: "Ah, claro, Denise, la primera norteamericana nacida en México, ¿cómo nos viene a sugerir que alguien de fuera venga a calificar nuestras elecciones?" Y Colosio volteó y dijo: "Denise tiene razón, porque lo que va a pasar en esta elección es que vamos a ganar y no nos van a creer". Entonces, todo lo que ocurrió ese año llevó al PRI a crear condiciones en las que la gente creyera que habían ganado legítimamente. *¿Y Salinas como personaje con sus luces y sus sombras?* Salinas, un modernizador a medias; Salinas, un modernizador fallido; Salinas, responsable en gran medida de la construcción de esos cuellos de botella que mantienen atrapado al país. *¿Sigue aquí Salinas, sigue gobernando?* Acabo de desayunar con Dulce María Sauri, quien me dice que está ahí. El proyecto de Enrique Peña Nieto es el proyecto de Salinas. Salinas moviéndose, Salinas poniendo las piezas en su lugar para que el PRI regrese con Peña Nieto y la gente que lo rodea. Yo no sé qué tanto es cierto eso. *¿Salinas de la mano de Televisa o viceversa?* Exactamente. *¿Cómo es el mapa?* Salinas de la mano de Televisa; Salinas de la mano de algunos gobernadores; Salinas en una alianza pragmática con Manlio Fabio Beltrones y Emilio Gamboa; la disciplina interna y el fin de los pleitos públicos e ideológicos partidistas motivados por el hambre de ganar.

MANUEL Espino

POLÍTICO.
DURANGO, 1959.
PRESIDENTE DEL PAN, 2005-2007.
PRESIDENTE DE LA ORGANIZACIÓN
DEMÓCRATA CRISTIANA DE AMÉRICA.

HOY VIVIMOS en un país con muchas confusiones en torno a lo político. Antes teníamos claro que vivíamos un régimen autoritario; hoy no tenemos claro qué régimen tenemos. Creo que es una democracia incipiente, muy inexperta, que apenas ha logrado pasar la frontera de lo electoral y que falta consolidarla en las instituciones, en la actitud, hacerla práctica de vida cotidiana. Nuestra sociedad sabe que vive en una democracia, pero no se siente parte de ella. Ya hay participación electoral, se cuentan los votos, hay un grado de confiabilidad en los procesos electorales. Se ha institucionalizado la democracia más en la sociedad que en el gobierno. Estamos dando los primeros pasos, creo que estamos en transición todavía. No hemos sido capaces, ni desde el gobierno, ni desde los partidos, ni desde las nuevas instituciones democráticas, de transformar las estructuras políticas.

¿En qué situaciones concretas ocurre eso? ¿Cómo identificas los rostros, las conductas que hoy se presentan en el ejercicio del poder? A estas alturas de la vida democrática de México ya deberíamos haber erradicado las prácticas que más estorban a la transición. Los acuerdos bajo la mesa, la vigencia de reglas no escritas. Es anacrónico que sepamos que el gobierno del presidente Felipe Calderón tiene acuerdos con Manlio Fabio Beltrones o con Elba Esther Gordillo, pero no son transparentes; no sabemos en qué consisten, los intuimos porque hay cambios de posiciones en el gobierno, por ejemplo, en la Lotería Nacional; como que hay un acuerdo de que la Lotería Nacional es para Elba Esther Gordillo. Si alguien lo hace mal se tiene que ir, pero el que viene lo pone ella también. En una democracia esos acuerdos deben ser transparentes, debe haber una justificación formal de por qué el gobierno se debe compartir. Tenemos

un gobierno muy calderonista, muy del presidente, y sólo él decide con quién hace acuerdos y a quién le da concesiones. *¿No con su partido?* No. Ahí hay otra expresión de este atorón de la democracia. El partido que se hace responsable del gobierno debería ser el principal representante de los intereses de la sociedad frente al poder, pero se ha convertido —como en el pasado— en un instrumento del poder. Es muy grave, porque el PAN es el que más pregonó que el partido en el poder no debe ser un instrumento del gobierno.

Fuiste el presidente del PAN. ¿En qué punto se dio ese quiebre, qué ocurrió para que pasara lo que estás diciendo? Simplemente hubo una declinación de las convicciones permanentes del partido, tanto de doctrina como de pragmática política. Por ejemplo: que el presidente de la República no debe designar a un sucesor, ni controlar la vida interna de su partido, ni a los grupos parlamentarios. En marzo de 1996, cuando Calderón aspiraba a ser presidente del PAN, le dijo al Consejo Nacional que resultaba paradójico, pero que en la medida en que el PAN se acercaba a la responsabilidad del gobierno, debía ratificar su autonomía frente al poder público; que no bastaba con ganar el gobierno, sino que había que conservar al partido. Ahora somete al partido a los intereses del poder y eso pone en riesgo también el avance democrático. Nuestra transición fue casi de terciopelo, tersa, suave, casi imperceptible. Deberíamos sentirnos orgullosos. No tuvo que haber una guerra civil, una crisis económica o una debacle social. En cambio, la mayoría de los países de Europa del Este, por ejemplo, sufrieron mucho en sus procesos de transición y la mitad de ellos regresó al autoritarismo al siguiente periodo electoral. La gente se decepcionó muy rápido de la democracia. *¿Es el riesgo que ves en México?* Sí. Aquí veo todas juntas las causas de decepción respecto a la democracia que se dieron en algunos de esos países: crisis económica, de inseguridad y de funcionalidad institucional.

Criticas al PAN *y su ejercicio en el gobierno, diciendo que ha roto sus principios doctrinarios. Ahora se requiere de una dosis de autocrítica. ¿Qué pasó en el sexenio de Vicente Fox, cuando tú presidías el* PAN *y se acusó al gobierno de abusar de su poder para obstaculizar la candidatura de Andrés Manuel López Obrador?* Primero, creo que el PAN le ha venido dando la espalda a sus tesis de política práctica, que yo distingo de su doctrina. Segundo, fui presidente del partido sólo un año ocho meses con Fox. *¡Pero qué año ocho meses...!* Sí, pero tres años antes —como secretario general— comencé a tener discrepancias con Vicente Fox. Recordarás que durante meses la posibilidad de que Marta Sahagún fuese candidata a la Presidencia de la República sacudió al país. *¿Una idea promovida por Vicente Fox?* No, aceptada. Él la dejaba pasar. Como secretario general acompañaba al presidente de mi partido, Luis Felipe Bravo Mena, cada ocho días a Los Pinos a una reunión de coordinación y hoy doy fe de que nunca hubo subordinación del partido hacia Vicente Fox en esas reuniones. Había discusión y debate, pero Bravo Mena omitía una cosa: en el Comité Nacional se nos exigía —a los que íbamos con Vicente Fox— que le dijéramos que parara toda esa campaña, que ya le dijera a su señora esposa que eso no podía ser. Había un malestar dentro del partido y en la sociedad porque se dejara correr la versión de que Marta podría llegar a ser la candidata presidencial. Pasaba un lunes tras otro y no se decía, aunque eran las ocho columnas; era el tema más denso en lo político.

"NO SÉ DE DÓNDE PROVINO LA INICIATIVA DEL DESAFUERO. SUPONGO QUE FUE DEL PAN. ¿Y EL PROCURADOR? NO TENGO DUDAS, ERA QUIEN LO ALENTABA MÁS."

¿Y por qué no se decía? Creo que había demasiada consideración de Bravo Mena. Pena, respeto, no sé... El caso es que no se decidía. Un buen día me indisciplinéy al término de la reunión le dije: "Perdón, a lo mejor yo me perdí de algo y ya se habló de esto en algún momento, pero necesito saber qué vamos a hacer; es el tema en todos los periódicos, en todos los noticieros de radio y televisión, es la comidilla en los cafés, en las juntas del partido. Señor presidente, ¿qué hacemos?" Y contestó: "Bueno, muchachos, nos vemos la próxima semana, se acabó la reunión". ¡No hubo respuesta! Hubo una actitud de enojo.

Al siguiente lunes Bravo Mena me dijo: "Mejor quédate a atender unos pendientes". No fui a la reunión. Y a la siguiente: "¿Sabes qué? Creo que no es prudente que vengas. El presidente está molesto". Le dije muchas veces que yo era secretario del partido, no del presidente del partido. Entonces salí a rueda de prensa y dije: "La señora no puede ser candidata por ningún motivo. El poder no se hereda, esto no es dinástico, esto le afecta precisamente a esta joven democracia. La señora tiene derecho, pero es mal visto en nuestra cultura política". Ni en los tiempos de mayor autoritarismo del PRI se vio que la esposa de un mandatario anduviese buscando la candidatura para suceder a su marido. Jamás volví a ser invitado a Los Pinos; se generó una controversia interna, pero finalmente forzamos a que la señora dijera: "No voy".

¿Y sobre Santiago Creel? Muchos elementos hacían pensar que era el candidato de Fox y de Marta. Absolutamente falso. Ésa fue una versión mediática alentada muy probablemente desde el partido. La estrategia era acusar al presidente de favorecer a Santiago Creel, para generar un enojo en los panistas que nunca han aceptado esa actitud y entonces favorecer un proyecto. *¿El de quién?* El de

Felipe Calderón. Era su gente la que esgrimía ese argumento. Era muy vendible mediáticamente. Ya como presidente del PAN le dije a Fox: "Yo creo que tú no debes participar", y él contestó: "No, ni me interesa". *¿De verdad?* De verdad. Fox ni conocía el partido, hombre. Doy fe de que no hubo esa parcialidad. Yo no la vi. Además era el presidente del partido y no la hubiera permitido. *Entonces ¿fue una maquinación de Calderón?* Fue una estrategia de Calderón que le funcionó. Incluso después de ganar la Presidencia, él y su equipo hacen parte de su estrategia la versión de que yo estoy apoyando a Santiago Creel. Hoy es la primera vez que lo voy a decir para que se publique: *es al último que hubiera apoyado. ¿Por qué?* Porque hubo una serie de incidentes lamentables, atribuibles a la Secretaría de Gobernación. Estaba lo de Atenco, que mucho le afectó al país, al gobierno y al partido. No se podía procesar la reforma laboral, la educativa, la hacendaria. Pero hubo una gota que derramó el vaso: 57 panistas tuvieron que dejar sus trabajos y huir como prófugos a Estados Unidos y estar como ilegales casi dos años, por una omisión de la Secretaría de Gobernación.

¿Qué opinas de que ahora Creel es el que mejor pinta para las encuestas del PAN? Trae a favor suyo la búsqueda de la candidatura para 2006, esa casi sobreexposición que se dio, precisamente en su calidad de secretario de Gobernación; y parte de lo que se le critica seriamente tiene que ver con que dio concesiones —digámoslo así— a las televisoras, por el tema de los sorteos y las apuestas. Eso le abrió las puertas para una campaña que ni de lejos pudo haber aspirado Calderón a tener. Al final eso fue contraproducente para Creel, porque el universo de votantes era panista; pero ahora le da una posibilidad más amplia, una popularidad y una presencia pública que no tiene ningún otro panista en este

momento. Dentro del PAN ganó puntos porque muchos lo perciben como víctima del calderonismo. *¿Y lo es?* No, yo pienso que no, pero existe esa percepción. Calderón no quería a Creel como coordinador de los senadores panistas; eso le ayuda, porque hay entre los panistas un gran malestar por ese control del partido desde el gobierno. Por otro lado, lo sacan de la coordinación una semana después de que se presenta una encuesta nacional que lo ubica como primer lugar, en segundo a Josefina Vázquez Mota y muy rezagado a Juan Camilo Mouriño. Creo que hoy eso también favorece a Santiago.

¿Hiciste una alianza con Vicente Fox y Marta Sabagún para llegar a la presidencia del PAN? Lo que pareció un distanciamiento acabó siendo un gran acercamiento con los Fox. Pero fue institucional. *¿Pudiste haber llegado a la presidencia sin ese apoyo?* No, a eso voy. Cuando busco la presidencia del partido, ya había habido un intento de Felipe Calderón de hacernos desistir de ocupar la presidencia a los que la buscábamos. Convenció a Germán Martínez de que declinara y se pronunciara a favor de Carlos Medina Plascencia; convenció a éste de que desistiera de buscar la Presidencia de la República y aspirara a la del partido; convenció a Pancho Barrio, a Creel, a Alberto Cárdenas, de que trataran de persuadirnos. Hubo una reunión que yo llamé de los Presidenciables con mayúsculas y los presidenciables con minúscula, los que aspiraban a la candidatura presidencial y los que aspirábamos a la presidencia del partido. Ésa sí fue una reunión fallida en la estrategia de Calderón, porque no quisimos declinar. Le dije: "Por el único que yo declinaría sería por ti. Eres al único que le reconozco más experiencia que yo en el trabajo del partido, a ningún otro". *¿Y qué te dijo?* No, pues ahí se acabó la reunión. Esa actitud de querer poner a como diera lugar a Carlos Medina me hacía pensar que había un consentimiento incluso del presidente Fox. Mi argumento siempre fue que yo para candidato presidencial a lo mejor no, pero para el partido sí. Sé a qué estímulos reaccionan los panistas; he vivido en las entrañas del partido. Un día antes de la elección el favorito era Carlos Medina. Los analistas decían que le iban a dar una arrastrada a este pobre parroquiano. *¿Qué biciste para ganar?* Mientras Carlos Medina salía en los periódicos, en Televisa y en Televisión Azteca, yo me iba a dar parte a los consejeros nacionales en todo el país. *¿Tocaste la puerta en Los Pinos?* Fui un día a decirle al presidente Fox: "Si gano, quiero una coordinación respetuosa. Tú eres el capitán de este barco que es México, y yo quiero que un motor importante sea el partido. Todo tiene su dinámica propia, funciona de manera autónoma y nos podríamos coordinar". Llegué con los foxistas en contra, porque había ese sentimiento de agravio de mi parte por lo de Marta. El día de la elección Marta estaba sentada junto a mí. Le dije: "Marta, la versión de que estamos peleados es muy fuerte, en términos mediáticos; yo te propongo que hagamos un esfuerzo por revertirla y que platiquemos". Al día siguiente fue al partido, platicamos y le invité a ser parte de mi consejo político.

¿Fuiste solito, tocaste la puerta en los consejos distritales? Solito. Hasta a mis amigos cercanos les decía: "En este México, si uno escupe es baboso y si no escupe es reseco". Por eso es difícil entender a la prensa. Un día dicen una cosa y al siguiente otra diametralmente opuesta.

¿Cómo describirías en términos de poder, de decisiones y de elementos involucrados, el capítulo del desafuero? Didáctico, primero. El primer gobierno no

surgido del PRI comenzaba a ser percibido como un gobierno de un sexenio y nada más, porque la figura de un político que ya no era ni del PRI ni del nuevo partido del gobierno tenía un atractivo social impresionante: Andrés Manuel López Obrador, del PRD. Las encuestas ya lo prefiguraban no solamente como candidato de su partido, sino como un posible ganador de la contienda presidencial. Había una gran animadversión entre Fox y López Obrador. López Obrador desdeñó mucho al presidente, enfatizó que el gobierno del Distrito Federal no quería nada con el gobierno de la República. Eso llevó a Fox a tomarlo como algo muy personal y a alentar el desafuero. No sé de dónde provino la iniciativa del desafuero. Supongo que fue del PAN. *¿Y el procurador?* No tengo dudas, era quien lo alentaba más. Fox me decía: "Esto va bien, me dice el procurador que va bien". Yo respetaba el argumento legal de que el gobierno estaba obligado a actuar si un juez así lo ordenaba, pero a mí me interesaba la parte política. Le dije: "Mientras ustedes están metidos en esto por obligación y nuestros diputados, encabezados por Germán Martínez, están empeñados en llevar el desafuero, el PAN sigue bajando en intención de voto y eso es lo que no quiero. Siento al partido en un precipicio sin fondo. Quiero encontrar una salida donde el partido se pare en seco y detenga su caída. Nos va a doler, pero ahí comenzaremos a construir una nueva oportunidad de subir. Señor presidente, con todo respeto, mi prioridad es ganar la Presidencia, mi prioridad no es apoyar al presidente de la República en este proyecto, en este asunto". Y ahí empezó otro problema. Un día fui cordialmente invitado por Ramón Muñoz para ir al rancho a hablar con Fox. Me crearon un ambiente amable. Yo jamás había ido al rancho. Muy casero, muy amigable, una copita, un cafe-

cito. *¿Y qué te quería decir?* Quería persuadirme del tema del desafuero. *¿Qué le dijiste?* Que no. "Señor presidente, si estuviéramos empezando su sexenio, tal vez; pero ya estamos cerca de la sucesión, y yo quiero que nuestro partido gane la Presidencia de la República". A los pocos días fui citado otra vez, con condiciones tan extrañas que hasta llegué a pensar mal, la verdad. Me citaron en una gasolinera y ya que llegué ahí me dijeron: "Mira, mejor vente para acá porque puede haber mucha gente; ya ves que al rancho vienen periodistas y demás. Mejor entramos por otro lado". Yo muy dócil, pero empecé a recelar. Unos lentes, un sombrero, en el asiento de atrás de un vochito viejo, metiéndonos en terracería. Yo dije: "Ah caray". *¿Pensaste que te iban a secuestrar?* Pensé que me querían dar una asustadita; la verdad lo pensé, porque el ambiente estaba muy denso, el tema estaba pesado políticamente hablando. Me había llevado el chofer del partido, pero él se quedó en la gasolinera y me fui ya solo. Llegué y ahí estaban Creel, Daniel Cabeza de Vaca, Eduardo Medina Mora, Ramón Muñoz, Marta andaba ahí saludando, pero no era parte de la reunión.

¿Te echaron montón? Sí, yo en ese momento estaba seguro de que estábamos perdiendo la Presidencia de la República. Dejé claro que mi posición era inamovible. "Yo no voy por el desafuero, sino por la Presidencia de la República; lo voy a parar, y voy a pedir a los diputados que ya dejen ese tema, porque estamos perdiendo desde ahorita el 2006." *¿En qué momento y bajo qué circunstancias Fox finalmente tuvo que recular con el tema del desafuero?* Ahí mismo. Le hice unos comentarios preliminares; la almohada no me aconsejó otra cosa. Y Fox fue muy práctico; dijo: "Manuel, ya lo tengo claro, estás convencido de que esto no es por ahí. Está bien, te compro tus

argumentos. Nada más que dame el remedio y el trapito, porque por lo que estás describiendo se me hace que vamos en un avión que se va a estrellar contra una montaña; si así va a ser, dime dónde está el botón para que salgamos antes de que se estrelle". *¿Y qué dijiste?* No, pues que había que construirlo, que yo quería que saliéramos todos juntos de esto. Y él insistió: "Dime cómo y luego hablamos". Se generó un ambiente tenso. Hablé en privado con Fox en una minibiblioteca que tiene. Le dije: "Te hago una propuesta. Queremos salir, pero creo que esto lo tenemos que hacer entre todos". "Pues cuando la tengas me buscas." Y pues ya me hicieron favor de llevarme a encontrar a mi chofer. *¿En el mismo vocho?* No, no, ya fue en un vehículo más decoroso. Mandé a mi chofer por carretera, me regresé en avión a la ciudad de México, me puse a trabajar y a las seis de la mañana —en lo que mi impresora doméstica escupía siete hojitas— le hablé a Ramón Muñoz y le dije: "Quiero hablar con el presidente ahorita". Fui a verlo a las ocho y le entregué los documentos. *¿Era el remedio y el trapito?* Sí. Me dijo: "Oye, ¿de veras quieres que hagamos esto? ¿Cuándo lo preparaste, si apenas ayer nos vimos?" "Anoche", le dije. *¿Qué contenía ese documento?* Era un golpe de timón que tenía que dar él, no el partido. Tenía que ser rápido. Le dije que debía hablar de inmediato con algunas instituciones pesadas, las iglesias por ejemplo, quizá la Corte, para que no les cayera de sorpresa. Y yo hablaría con las instancias del partido. Todo con discreción, para no arruinar la jugada. Él tenía que hacer el anuncio.

Además, en el último punto de la propuesta le decía que alguien tenía que pagar los platos rotos y que ése era Rafael Macedo de la Concha. Lo aceptó el presidente, no sé si de buena gana. Quedamos de vernos en la tarde, después de que yo lo platicara

con los panistas y él hiciera lo propio con su equipo de gobierno; no sé exactamente con quiénes. La propuesta era bien vista por todos. Era lunes en la tarde. Entre el lunes en la tarde y el miércoles en la mañana, yo hice la parte que me tocaba, juntar diputados, senadores, jefes estatales, el CEN. *¿Y Fox hizo lo suyo?* Fox hizo lo suyo, habló con la Corte, habló con las iglesias. Supongo que habrá pedido algunas cortesías por ahí, y el miércoles salió dando un mensaje a la nación, diciendo que salimos de esto y además dijo: "Se va el procurador".

Escribiste Señal de alerta *en 2008; ¿alerta de qué?* El libro plantea el asombro de que el presidente Felipe Calderón acuerde con un hombre tan perverso en la política mexicana como Manlio Fabio Beltrones. Es un personaje muy peligroso en la política mexicana —como lo consideran muchos de sus correligionarios y muchos que no estamos en su partido— y así considerado por el propio Felipe Calderón cuando era presidente nacional del PAN, con quien tuvo diferencias públicas y a quien me mandó a mí a Sonora precisamente a combatir políticamente. Que al paso de los años aparezcan como aliados, provoca un extrañamiento. *¿Y por qué no iban a ser aliados, si le dio el paso a la Presidencia?* Pues yo no diría que le dio el paso a la Presidencia; el paso a la Presidencia se lo dieron los votos. *En la crisis de 2006 el* PRI *se convirtió en el fiel de la balanza de alguna manera.* Pero no para ganar la Presidencia. Que Beltrones haya operado o haya contribuido para que el presidente pudiese rendir protesta de ley en San Lázaro, en condiciones muy lamentables, no es suficiente mérito como para pagarle con tanto poder. Además, el senador Beltrones tiene el deber de responder institucionalmente; siendo senador de la República y presidente del Congreso eso era lo menos que podía hacer. No puede decirse que hizo un favor.

Pero el PRI *tuvo la posibilidad, y Beltrones en particular, de no reconocer el mandato de Calderón. Por eso al final la posición del* PRI *era clave. ¿Qué hubiera pasado si el* PRI *dice: "Tiene razón López Obrador, fue fraude"?* No lo sé, no me gusta tratar de interpretar cosas que no han sucedido ni van a suceder. Lo que sí tengo muy claro es que no le debemos a Beltrones, ni a Elba Esther, ni a Carlos Romero Deschamps, el haber ganado la Presidencia de la República. *Pues ellos cobran como si así fuera.* No, cobran más. Es una decisión personalísima; es responsabilidad personalísima del presidente Felipe Calderón.

Acabas de mencionar tres personajes clave. ¿Qué tipo de cosas se viven con Elba Esther, Manlio Fabio y Romero Deschamps, más los que nos faltan? Mira, no sé qué acuerdos haya, ni por qué. *¿Cómo se hacen esas cosas, qué tipo de cosas suceden?* Yo no me lo explico, y menos porque no me lo esperaba de Felipe Calderón, el panista de abolengo, nacido en familia panista, muy exigente de la congruencia del partido. Que ahora haga acuerdos con gente a la que antes combatió. Fue el diputado más empeñado en desaforar a Carlos Romero Deschamps, para poder procesarlo judicialmente. Recuerdo la vehemencia, la convicción con que Felipe decía: "Éste es un pillo y tenemos que desaforarlo para meterlo a la cárcel". Y ahora verlo acordar con él, como el año pasado [2008], en una ceremonia pública del 18 de marzo en Tabasco, echándose flores mutuamente y diciendo: "Ya estamos hablando de la reforma energética". *¿Qué pensaste cuando dijo eso, cuando viste esa imagen?* "No puede ser." Yo reconozco que el gobernante debe ser abierto y dialogar con todos los

que piensan diferente, pero acordar con los que hemos considerado pillos... ¿Eso qué reinstala? Pues la impunidad.

¿Y qué ocurre con Elba Esther Gordillo y el SNTE, *qué tipo de situaciones te tocó vivir?* No sé. La señora Elba Esther, como persona, debo decir que merece respeto; sin embargo, en términos de sus intereses políticos, creo que le ha hecho mucho daño a la política nacional y muy particularmente a esa parte de la tarea pública que debería ser considerada casi sagrada, que es la educación.

¿Qué piensas de lo ocurrido en 2006? ¿De la polarización a la que se llegó? Y seguimos polarizando, porque una de las contribuciones lamentables del equipo de Felipe Calderón fue el polarizar la política. Cuando le tomé protesta como candidato presidencial, hice un llamado a respetar a los adversarios, a la oposición. Era una oportunidad de oro para dar testimonio, ahora desde el poder, de lo que siempre exigimos al gobierno: respetar a la oposición. Y a las pocas semanas estábamos metidos en una guerra impresionante, una guerra sucia, iniciada, promovida y alentada por nosotros. *¿Por qué ocurrió?* Creo que por desesperación. Fue una mala jugada, en mi opinión. Habríamos ganado más con una campaña de propuesta, de respeto. Lo que nos puso en riesgo de perderla fue esa actitud desesperada, insegura, titubeante. Se tenía una estrategia, pero luego dudábamos de ella y nos íbamos a hacer cualquier cosa. Eso es terrible, pero también es mucho la forma de ser del presidente Calderón. No es un hombre que una vez que toma una decisión ya cree firmemente que sea posible o conveniente. *¿Estás pensando en los cambios que hubo en la campaña presidencial? ¿Por ejemplo en los slogans? El quiebre de "Las manos limpias" en campaña a "Es un peligro para México" básicamente sería como la gran definición y una estrategia que es*

abismal. Cuando acababan de llegar los bombazos de la campaña de Calderón, también nos caían pedazos de lo que se destrozaba en el partido. Y como aquello comienza a ser mal visto, la solución fue muy fácil: "Es que eso es lo que se le ocurrió al partido, es que esto fue Manuel Espino". Y lo asumimos. *Pero ahora ya nos puedes contar lo que pasó realmente.* Sí, porque creo que es importante para poder interpretar los acontecimientos. Había una estrategia muy fuerte, insisto, de Felipe Calderón y de su equipo de decir: "El partido no me apoya". Había mucha presión y aunque no estábamos de acuerdo dijimos: "Vamos, está bien, asumamos la responsabilidad, fue nuestra idea".

¿Participaste en algo de la campaña, en el diseño, en los conceptos...? Llegamos a participar en algunas reuniones. Me percaté de que muchas de ellas eran inútiles, porque algo se decía ahí, pero luego veías las expresiones de la campaña... *¿Estaba decidido en otro lado?* Y si no en otro lado eran ellos mismos; al equipo mismo le cambiaban la jugada. La coordinadora de campaña era Josefina Vázquez Mota, pero el que realmente tomaba las decisiones era Juan Camilo Mouriño. Había reuniones formales para tomar decisiones y había hechos consumados que no tenían nada que ver con lo que se acordaba. Esta desesperación nos puso en mucho riesgo.

Déjame regresar al caso de Elba Esther Gordillo y de esta factura que cobra y que sigue cobrando y seguirá cobrando, por lo que se puede ver. Se le atribuye haber participado en la elección a favor de Felipe Calderón. Según lo que tú viviste, ¿cómo participó con los gobernadores a favor de Felipe Calderón? En las pláticas con Felipe, Josefina y Juan Camilo, yo tenía claro que ellos estaban convencidos de que la maestra los iba a apoyar. Lo único que me informaban de lo que platicaban con ella

> **"** LO QUE SÍ TENGO MUY CLARO ES QUE NO LE DEBEMOS A BELTRONES, NI A ELBA ESTHER, NI A CARLOS ROMERO DESCHAMPS, EL HABER GANADO LA PRESIDENCIA DE LA REPÚBLICA. **PUES ELLOS COBRAN COMO SI ASÍ FUERA.** NO, COBRAN MÁS.[...] ES RESPONSABILIDAD PERSONALÍSIMA DEL PRESIDENTE FELIPE CALDERÓN. **"**

era la cuestión operativa. Me pedían 15 plurinominales para la maestra. Las 15 diputaciones de representación proporcional que decide el CEN, y que en el pasado han sido para los personajes del PAN. Que el presidente del PAN hiciera eso, era como invitar a que lo ahorcaran en público en el patio del Comité Ejecutivo Nacional. *¿Quién te pidió eso?* Me lo pedía Felipe, pero como si fuera mi propuesta. ¡Y pues claro que no! *Ellos te decían: "Nosotros vamos a negociar con ella y tú vas a pagar".* Sí.

Para este mismo libro, el ex presidente Miguel de la Madrid hizo declaraciones muy graves en contra de Carlos Salinas y su familia. ¿Qué representa que un ex presidente rompa la regla de oro de un sistema que no se ha ido, que sigue aquí vigente? Primero que nada, celebro que Miguel de la Madrid haya dicho lo que quiso decir, y que deliberadamente haya querido ir en contra de una regla de oro que es absurda. Me parece que ya es anacrónico el criterio de que los ex presidentes no puedan tener opinión, y no puedan participar en la configuración política de su país. Me parece muy

> **" Y A LAS POCAS SEMANAS ESTÁBAMOS METIDOS EN UNA GUERRA IMPRESIONANTE, UNA GUERRA SUCIA INICIADA, PROMOVIDA Y ALENTADA POR NOSOTROS. "**

valioso su testimonio y es muy preocupante que apenas se hace público ese dicho de Miguel de la Madrid, empiezan a moverse por debajo del agua fuerzas que intentan posicionar esa declaración como la consecuencia de una enfermedad, de un estado mental tal vez insuficiente, que lo llevan a una retractación por escrito. Que todavía operen esas presiones, esas fuerzas oscuras, me parece lamentable.

A Miguel de la Madrid le pregunté que si "la impunidad es condición necesaria para que el sistema funcione" y me dijo que sí. ¿Tú qué crees? ¿Eso es lo que define al México de nuestro tiempo? Híjole, es muy difícil la pregunta, o más bien la respuesta. Sobre todo como panista, en un país donde el PAN gobierna desde hace 10 años. Debo reconocer que hay impunidad y que es un factor clave del sistema político mexicano. Con el cambio de siglas en el poder, los mexicanos esperábamos un cambio de régimen y para ello hay que cambiar algunas de sus características más importantes: una es la impunidad. Creo que prevalece, pero además en prácticas de las que hemos sido víctimas desde una Secretaría de Gobernación que le dice a periodistas: "No suban estas notas a Los Pinos; súbanlas pero con este tono o con este enfoque".

Óscar Mario Beteta me invitó a ser comentarista semanal en su programa de radio. Me comentó: "El secretario de Gobernación me pidió que no te diera este espacio". Entonces le dije: "Mira, mejor me voy, para que no te busques un problema por mí". Y también por operación de Los Pinos dejé de escribir en *El Universal*. *¿Directamente por operación de Los Pinos?* Deja de Los Pinos, de la gente de Calderón. Son cosas que se usaban en el pasado y lamentablemente siguen ahí. *¿Por qué no te quiere Calderón?* Tal vez porque no he querido ser un incondicional a todo lo que él plantea.

DIEGO Fernández de Cevallos

ABOGADO Y POLÍTICO.
CIUDAD DE MÉXICO, 1941.
DIPUTADO FEDERAL, 1991-1994.
CANDIDATO DEL PAN A LA PRESIDENCIA
DE MÉXICO, 1994.
PRESIDENTE DEL SENADO DE LA REPÚBLICA
EN LA LVIII LEGISLATURA.

> DON LUIS FUE QUIEN LLEVÓ EL DIÁLOGO CON EL PRESIDENTE. NO SÉ SI TUVO EN TOTAL UNA O DOS DOCENAS DE ENCUENTROS DURANTE EL SEXENIO; YO POSIBLEMENTE 100 O 200, PORQUE ERA QUIEN OPERABA TODAS LAS CUESTIONES DE ORDEN PRÁCTICO. "

VEO AL MÉXICO de hoy en una situación verdaderamente de riesgo, de dolor, de desgracia, pero también de oportunidades. Parece un contra-sentido que, a pesar de todos los elementos nega-tivos que están a la vista, hayamos mexicanos que por fortuna creemos tener un mundo enorme de oportunidades como país. Ciertamente padecemos una subcultura educativa con un fenómeno alta-mente pernicioso: a niños y niñas, pobres y ricos, a todos se nos educa en la lógica de los derechos y no se toca —salvo excepcionalmente— el mundo de los deberes. Somos ciento y tantos millones de derecho-habientes en nuestra patria; los deudores de Méxi-co no existen, y un país sólo es próspero si cada uno de sus habitantes "de cualquier condición social" se ubica como deudor de su patria y no como acreedor de ella. En nuestro país sucede lo contrario; por eso se encuentra en quiebra permanente.

En materia democrática ¿México logró su tran-sición? Creo que sí hemos avanzado de manera sustantiva en el orden político; nadie puede ne-gar que hay aspectos altamente positivos des-de 1988. Sin embargo, cuando se democratizó —entre comillas— el poder, se democratizó —sin comillas— la corrupción. Esto es importante decirlo. La ley no es capaz por sí misma de cam-biar la realidad. Hemos considerado que la sola alternancia de grupos y de personas en el poder traería como consecuencia la democratización de México. Ciertamente, hemos avanzado pero falta mucho por caminar; más aún si como nos ense-ñaron los fundadores de Acción Nacional la tarea política es "brega de eternidad".

¿Carlos Salinas llegó a la Presidencia de México después de un fraude? Era imposible imaginarnos que llegara un presidente de México a través de un proceso democrático, equitativo y legal. Sin duda existió una distancia entre lo que marcan los principios democráticos y lo que se procesó en esa elección y en todas las de su tiempo, inclusive la de 1994. No tengo ningún elemento para suponer que el conteo de votos le hubiera dado el triunfo a Cuauhtémoc Cárdenas o al *Maquío*. **Después vino ese proceso de legitimación del gobierno de Salinas en que tuviste un papel protagónico. ¿Cómo lo describirías?** Se han hecho muchas afirmaciones respecto de lo que se llamó el proceso de legitimación del presidente Salinas. Recuerdo perfectamente que el jefe de Acción Nacional, don Luis Álvarez, asumió —junto con su Comité Ejecutivo Nacional— una actitud que no fue sólo absolutamente responsable, sino verdaderamente patriótica. ¿Por qué? Porque no podíamos reciclarnos durante seis años, y los 365 días de cada uno de ellos, alegando la ilegitimidad del presidente que entraba; porque ya lo habíamos hecho docenas de años atrás y ya traíamos una historia muy grande de competir en condiciones absolutamente inequitativas y antidemocráticas. Siempre que llegaba un presidente nos manteníamos en una lógica que ya parecía cómoda: los malos están en el gobierno; los buenos... los puros, estamos fuera y lo normal es que los siguiéramos cuestionando día con día, año con año y sexenio con sexenio para que todo siguiera igual. En aquel tiempo, don Luis Álvarez y el partido apostaron no a buscar si se legitimaba o no una elección absolutamente cuestionada, sino a trabajar con ese gobierno para abrir espacios de alternancia, de cambio, de modernidad y de democracia. Entonces la apuesta era muy clara: no nos interesaba darle una legitimidad al presidente Salinas, si bien nuestra interlocución de facto producía tal efecto, sino dar gobernabilidad al país. Buscábamos gobernabilidad y cambio, modernidad y alternancia, y desde luego, democracia. Y con toda la pena del mundo para muchos de nuestros detractores esto se logró por ese camino.

Dirigentes con la presencia de Porfirio Muñoz Ledo —y se dice de Cuauhtémoc Cárdenas, no me consta— entraban por la misma puerta de Los Pinos a dialogar con el presidente Salinas. Un día me encontré a Porfirio saliendo de la casa presi-

dencial; le pregunté los motivos de su visita y cuál era la crítica contra mí si la puerta por donde yo entraba era la misma por donde él salía; me respondió: "La gran diferencia —después lo dijo públicamente— es que nuestros encuentros son discretos y los de ustedes son secretos". Soltamos la carcajada, nos dimos un abrazo y nos fuimos. Ésa era la realidad: ellos también dialogaban con Salinas, pero su estrategia no les permitía hacerlo de manera transparente. Con toda franqueza te digo: si no hubiera habido esa transparencia don Luis no hubiera propuesto el diálogo ni yo lo hubiera aceptado, por eso siempre sostuve públicamente mi entrada y mi salida en las oficinas del gobierno federal. Creo que lo sucedido fue bueno para el país. Si volviera a nacer, lo volvería a hacer.

Algunos compañeros del partido le comentaban a don Luis Álvarez: "Oiga, que vaya Diego con alguien". Yo contestaba: "No, señor, no llevo a nadie, porque no me importa lo que digan los demás; me importa lo que diga mi conciencia. No sean imbéciles, si el interlocutor es un sinvergüenza de nada sirve que lo manden con cinco chaperones, pues primero haría la faramalla del diálogo y, después, en privado, haría la tracalada. Si no hay confianza en mi calidad como hombre, como ciudadano, como político, como panista, entonces búsquense a otro; a mí no me manden con chaperones para tenerme confianza, porque eso es una estupidez".

Un asunto que te marca en la percepción pública es la quema de las boletas de la elección de 1988. Eso no se hizo cuando llegó Salinas a la Presidencia, sino tres años después. Nos quedaba muy claro que si de la noche a la mañana el PRI alteraba los paquetes electorales en una elección, cómo no lo haría después de tenerlos guardados durante años en unas bodegas bajo su exclusivo control. Por otro lado, siempre se habían destruido los paquetes electorales. Lo único que pedimos fue que quedaran microfilmadas todas las actas de escrutinio. **Pero no los votos...** Pues si los votos los tuvieron los priístas durante tres años… A ver, ¿te encargo tres años los paquetes electorales y luego hacemos un conteo y te debo creer que no los alteraste? *¿Hubo alguna negociación con Salinas?* No. Fue una decisión de la fracción del PAN en el Congreso. Inclusive veíamos que convendría al propio gobierno contar los votos, porque habían tenido todo el tiempo para hacer lo que hubieran querido. Ésa es la verdadera historia y no estoy arrepentido. Ahora, si me preguntas si fue una imprudencia política, te diría que sí, pero no fue una deshonestidad. Me gané el sambenito de haber autorizado una quema de papeles, pero si hubiera sido mañoso, si hubiera estado del lado de Salinas, mi propuesta hubiera sido más sencilla: "¿Para qué los queman? Revísenlos ustedes y agréguenle los votos que les faltan, quítenles a unos y a otros. Legitímense". Eso era lo que pude haber hecho, pero no era mi actitud. Actué convencido de que no cometía un atraco a nadie.

Carlos Salinas asumió una parte muy importante de la agenda histórica del PAN. Agenda político-legislativa y concertacesiones. *En esos dos carriles, ¿cómo se dio la relación Salinas-PAN?* En primer lugar lo que llamaron los priístas "concertacesiones" no fue más que una expresión algo rencorosa y cínica frente a las rectificaciones que en materia electoral el gobierno se vio obligado a realizar. Creo que son dos carriles —la agenda política del gobierno y las rectificaciones— que fueron en paralelo pero que no tuvieron ninguna vinculación específica. *¿No fue moneda de cambio?* No. Por lo menos no fue una moneda de cambio en que se hubiera pactado algo indebido. Por supuesto que al tiempo de apoyar decisiones de gobierno exigíamos rectificaciones cuando se daban atropellos. Lo que sucedió fue que cuando íbamos a iniciar el diálogo con el gobierno entrante, asumimos que esto sólo se justificaba si servía para beneficio del país. Considerábamos que debían ampliarse los márgenes de libertad en

el ámbito educativo y que tenía que acabarse con una serie de demagogias en el ámbito agrarista, pues era necesario poner fin a la simulación del reparto eterno de un bien limitado como la tierra. Eso se trató desde la primera cita. *Cuéntanos más de esa primera cita.* No recuerdo los pormenores, pero es posible que en ella hayan estado don Luis H. Álvarez, Abel Vicencio, Bernardo Bátiz, Carlos Castillo Peraza y yo. Don Luis fue quien llevó el diálogo con el presidente. No sé si tuvo en total una o dos docenas de encuentros durante el sexenio; yo posiblemente 100 o 200, porque era quien operaba todas las cuestiones de orden práctico. *La palabra* concertacesión *era una manera de decir que el PAN y el gobierno negociaban resultados electorales…* Nosotros reclamábamos los triunfos que habíamos alcanzado en las urnas. Lo más repugnante es que el término lo acuñaron los priístas y la acusación venía de ellos. Era un *hara-kiri*: decían que su jefe máximo negociaba tramposamente con nosotros y dejaban a su grupo político en la estacada, sin ninguna honorabilidad. No les importaba autoflagelarse, si con ello desacreditaban la lucha democrática de Acción Nacional.

Un caso muy concreto que recuerdo es el de San Juan del Río, Querétaro, en el que protestamos porque nos estaban robando el triunfo de ese municipio. Lógicamente las protestas llegaron al presidente. Él era el último en definir todas las contiendas; no existían autoridades electorales y nuestra contraparte era la que decía la última palabra. ¿Con quién hablas? ¿Con quién te entiendes? ¿Con quién peleas? ¿A quién le mientas la madre? ¿A quién le exiges rectificación? Tenía que ser al gobierno de Salinas. Cuando me citó el presidente para ver el caso de San Juan del Río —una de las tierras de mis querencias—, iban saliendo tres de los más connotados políticos priístas del Estado. Salían de hablar con el presidente sobre el caso. ¡Esto parece que lo estoy viviendo! Me impresionó que cada uno de ellos llevaba un paquete grueso:

¡como seis kilos de papel! Desde luego pensé en lo que pudieron haber comentado estos señores ante el presidente: con tanta documentación me imagino que fueron muy convincentes de que el PRI había ganado San Juan del Río.

Por el contrario, yo llevaba un fólder que parecía que no llevaba nada; llevaba sólo dos pequeños documentos: una escritura pública —de una hoja— donde constaba que un notario en San Juan del Río había dado fe de que en una casilla el presidente de la misma —alcoholizado— estaba pidiendo que votaran por los candidatos del PRI. El segundo documento era una fotografía en la que aparecía un ranchero cruzando una boleta electoral por el PRI con el rostro muy cerquita de la boleta y en la nuca tenía el brazo de un tipo mirándolo con una sonrisa y cierto desdén. ¡Era clarísima! Se veía toda la mesa directiva y al ranchero —como para no fallar— con los ojos desorbitados hacia abajo para no equivocarse; el otro, recargado sobre su nuca, confianzudo, viendo cómo cruzaba la boleta.

Esos dos documentos decidieron una elección que supuestamente el PRI había ganado por una cantidad muy pequeña de votos. El entonces gobernador priísta del estado le dijo al secretario de Gobernación que el Colegio Electoral había dictaminado a favor del PRI y se escuchó una voz desde Gobernación que decía: "Se desdictamina, señor gobernador". Ésta era la "concertacesión": la forma de pelear en aquellos tiempos, sin Ifes ni Trifes, los triunfos del PAN.

¿Qué ocurrió con Manuel Clouthier? Que fue un gran hombre, un gran líder y un gran candidato. Después de su campaña presidencial siguió en la lucha por Acción Nacional y murió trágicamente en una carretera de Sinaloa. No hubo rompimiento con él. *¿No estuvo en las primeras citas?* No. Había sido el candidato, pero ya no tenía una función orgánica dentro del PAN. Ni él ni don Luis debieron haber

estimado procedente que se apersonara. Hubo una buena relación entre ellos dos y no hubo algún reclamo que yo conociera. *Algunos piensan que la muerte de* Maquío *no fue accidental.* En el terreno de las posibilidades siempre existe una de que haya sido un asesinato; en el de las probabilidades, para mí, ninguna. Inclusive esto ha lastimado a los hijos de *Maquío* y lo lamento, porque lo quise mucho y lo serví en lo que pude. Una de las más grandes alegrías que tuvo horas antes de morir la recibió por mi conducto; ahora la cuento. Antes concluyo con lo de la muerte. Traté a Calvo, que era el compañero del partido que iba manejando el carro del *Maquío*; era un excelente ser humano, pero tenía el defecto de manejar siempre a grandes velocidades; algunos amigos llegaron a decir: "Con Calvo ni a la esquina". Otro dato que para mí es relevante es que *Maquío* no había sido un hombre que generara odios ni miedos sino simplemente respeto y cariño. Era un hombre que había aportado a la campaña electoral un momento muy importante de su vida en beneficio del país, pero que no tenía una proyección que en ese momento fuera peligrosa para nadie. Entonces me parece ocioso que se le mandara matar. La forma como perdió la vida no hace verosímil un atentado. *¿Cuál fue la alegría que le diste?* Le habían invadido el Rancho Paralelo 38, en Sinaloa, y con maniobras del gobierno local habían generado amparos y defensas los invasores sin ningún derecho para quedarse dentro. Esto sí lo traía dolido. Me habló don Luis Álvarez aproximadamente un mes antes de la muerte de *Maquío* y me dijo que "a como diera lugar quería ver ese rancho liberado". Encontré una falla en uno de los amparos que no involucraba a otro tipo de autoridades y con esas autoridades los echamos fuera. *¿No hubo intervención del jefe máximo ahí?* Que yo sepa no, pero no es de descartarse. Pudo haberla tenido porque el caso de *Maquío* era relevante. En fin, dos o tres días antes de su muerte le llamé para darle la buena noticia; él estaba en un baile en Monterrey. Con una exclamación de alegría me dijo que iba a bailar toda la noche y que se iba a tomar, a mi salud, dos botellas de vodka. Todavía le hice la broma de que para él dos botellas no eran nada. Nos despedimos y adiós. Eso fue lo último que yo hablé con él. Su muerte me dolió mucho y después el trato de algunos de sus hijos que, de manera verdaderamente estúpida, me han acusado de haber traicionado la causa de su padre.

¿Cómo marcaron la historia de este país para efectos de la transición los hechos traumáticos de 1994?
En una entrevista en *Proceso*, de 1995, Salinas dice que en 1994 se dieron tres tragedias: el levantamiento zapatista, el asesinato de Luis Donaldo Colosio y el debate de los candidatos a la Presidencia. Sobre este último comentó que si la elección hubiera sido en los días siguientes al debate, yo hubiera arrasado y que por eso tuvieron que reorganizar al PRI, ponerle un cuerpo especial de asesores y arreglar lo de los medios de comunicación. Por esto he dicho siempre que a mí no me ganó la Presidencia el señor Ernesto Zedillo; me la ganaron Salinas y Televisa. Él mismo reconoció que fue todo un operativo del poder político y arrasaron a través de los medios de comunicación. Televisa en esos tiempos se manifestaba como un soldado del presidente. Jorge Castañeda, en un libro, ofreció tres hipótesis: que perdí por soberbia, pues yo creía haber ganado ya la Presidencia; otra, que me dio pánico escénico, y por último, que me vendí. Yo digo que lo de la soberbia sí se me da, pero no al grado de suponer que con ese debate yo hubiera ganado. La segunda, la del pánico escénico: quienes me conocen saben que en mí sería delito imposible. Y para la tercera, mi respuesta es muy sencilla: me deberían fusilar. Pero no por ladrón ni por corrupto, sino por imbécil: ¿en cuánto puede venderse una persona para entregar la Presidencia de la República? Dijeron que por 30 millones de dólares. ¡Imagínate! Sería acusarme de corrupto y, además, de retra-

sado mental. Un corrupto no entrega la Presidencia, se queda con ella para seguir siendo corrupto. La acusación fue idiota. Algún día me defendí diciendo que si querían acusarme de eso, que contaran la historia completa y que esos dineros que yo recibí por perder la Presidencia los gocé y me regocijé con ellos acompañado de la madre de mis acusadores.

El caso es que viene el debate, lo ganas sin la menor duda y entonces en algún punto desapareces de la escena. Hasta Vicente Fox, en su libro, te reclama esa desaparición. Sí, claro, por eso fue el pleito con él durante toda su campaña. Ciertamente jamás busqué ser candidato, pero algunos panistas me promovían para ese cargo. Castillo Peraza me dijo: "Estoy de acuerdo en que no seas el candidato, porque además serías pésimo. El candidato voy a ser yo —justo como sucede en Europa— pero necesito que te calles porque Fox no puede, Ruffo no puede, Barrio no quiere, tú tampoco y yo no voy a llegar de peor es nada". Le contesté: "Carlos, yo encantado de la vida, y te deseo todo el éxito del mundo, pero muévete porque a mí me están presionando". Todo su grupo, salvo Felipe Calderón, le dijo que él no debería ser. ***Entonces ¿sucedió sin querer?*** Pues no la busqué, no estaba en mi cultura como panista. Yo había nacido físicamente en el PAN; fui engendrado en 1941 cuando nació el partido; mi padre fue uno de los que firmaron el acta constitutiva. Entonces, toda mi vida era dar al PAN, pero no buscar cargos personales. La misma diputación sucedió porque me lo pidió don Luis y dije: "Bueno, diputado y hasta ahí". Nunca he buscado cargos públicos. ***¿Y luego qué pasó con Castillo Peraza?*** Cuando no se le dio la candidatura, surgió una fricción muy fuerte conmigo. A él todo mundo le dijo que no y empezaron los gritos de "Diego... Diego". Carlos quedó muy resentido. A partir de entonces nuestra relación fue una mezcla de afecto y rechazo, de reconocimientos y confrontaciones. Recuerdo que en varias ocasiones, al llegar a las oficinas del PAN, escuché voces de sus colaboradores que desde la planta alta decían: "Ya llegó este hijo de su tal por cual madre". ¡Ése era el escenario interno para el candidato del PAN!

Ya como candidato, una de las fricciones que recuerdo fue cuando comencé a decir que yo no dialogaba con encapuchados —refiriéndome a Marcos—: ... Que se quite el calcetín. Yo no hablo con cobardes que se tapan la cara y que mandan a los pobres por delante. Que no sea putarraco, porque yo no negocio con maricas..." Total, estando yo en un acto público en Toluca me llamó Carlos y me dijo: "Te hablo para decirte que acabamos de nombrar a Valdemar Rojas como interlocutor del PAN con Marcos". A lo que le contesté: "Oye, presidente, qué bueno que me lo dices para tomar nota y aprovecho para notificarte que Acción Nacional necesita un candidato a la Presidencia. Hasta aquí llegué". Carlos dijo: "No, no, no me puedes hacer esto". "Claro que te lo puedo hacer —le contesté—. Tan te lo puedo hacer que ya te lo hice. Búscate otro porque si voy por todo el país diciendo que no hablo con encapuchados, ¿tú como partido por qué dialogas con ese farsante y simulador?" Me dijo que daría marcha atrás con lo de Marcos.

Ya cercanos al día del debate designó a Felipe Calderón como negociador con los representantes de Cárdenas y Zedillo; le dije que no, que lo pusiera para su debate porque para el mío iba yo. Después de eso, me fui para arriba en las preferencias electorales y apareció el efecto de la televisión en el que hubo un trato distinto para el candidato del PRI. En algún lugar de la República, un militar se presentó —vestido con uniforme— diciéndome que él se debía al país y que era leal a las instituciones, pero que lo que estaba pasando no podía ser y me entregó un documento —sin firma— que les decía a los periodistas cómo tratar a "nuestro candidato" y cómo tratar al candidato del PAN. Para entrevistas al candidato del PRI se le diría: "Usted, que ha

tenido tanta experiencia en el ámbito educativo, ¿cómo resolvería el problema de la educación?" Y a Fernández de Cevallos: "Usted ha sido acusado de delitos y ha hecho tal y cual cosa". Y en el caso de las fotografías había que tomar al candidato del PRI cuando estuviera en contacto con el público; al otro, cuando fuera en retirada.

En una ocasión una reportera, en Durango, me dijo que me quería hacer una entrevista para Televisa y mi respuesta fue: "Señorita, ni usted ni yo estamos para perder el tiempo. Lo único que me gustaría es tener de frente a su patrón para mentarle la madre". Y entonces, como me venían espiando, pues lógicamente la queja llegó con Jorge Carpizo a Gobernación y con Carlos Castillo al PAN, pero afirmando que le había mentado la madre a Azcárraga. Y no fue así pues lo único que le dije es que quería tenerlo enfrente para mentarle la madre. Pasó un tiempo y me habló Fernando Alcalá, de Televisa, y entonces sí lo hice: "A ti sí te digo que de arriba para abajo, empezando por Azcárraga, vayan y chinguen a su puta madre". Y entonces me llamó Castillo para decirme que Carpizo se lo había comentado y que era inadmisible, que tenía que ofrecerle una disculpa al *Tigre*. "¡Ni vivo, ni muerto!", le contesté. ¡Ésa fue mi campaña presidencial! ¡Imagínate qué campaña política! Era de psicópatas, de locos... Era una guerra contra todos; incluso contra mi partido.

La impresión es que dijiste: "Ah, caray, gané el debate, puedo ganar la Presidencia", pero en el fondo ¡no la querías! No es que no la quisiera, porque hubiera sido traicionar mis ideales y a mi partido. Ciertamente no era mi obsesión llegar a la Presidencia, aunque sí luché por ella en función de mis ideales y de mi partido. Podría relatar cientos de anécdotas que comprueban lo que representó enfrentarse al sistema político de aquel tiempo. Después de las elecciones, cualquiera puede seguir en campaña permanente, como otros lo han hecho, loquitos y ambiciosos, pensando que son "presidentes legítimos" y asumiendo que sin la Presidencia no son nada. Ahora, al margen de errores en mi campaña, te puedo asegurar que nada me acobardó; pero el peso del sistema fue definitorio. Tomé en serio la campaña, pues era mi deber tratar de ganar y yo creía que podía hacer muchas cosas en la Presidencia, entre ellas no mentir. *¿Y no mientes cuando dices que después del debate no te escondiste?* No, porque nunca me he escondido en la vida. Obviamente hay muchos que dijeron que siguiera pueblo por pueblo, y pues no hubiera tenido ningún realce con eso, no había posibilidad; los medios estaban cerrados para la información y abiertos para mi descalificación.

Hay un dato duro que puede reflejar fielmente la realidad: mi campaña por la Presidencia costó al partido 22 millones de pesos y logramos 10 millones de votos. Compara cuánto han costado realmente las campañas presidenciales en México y la votación que obtuvieron los candidatos; esto te dirá algo sobre mi desempeño: cada voto costó dos pesos.

¿Qué significó el asesinato de Colosio para la transición en México? En primer lugar, una tragedia indescriptible para su familia y para todo México. Las imágenes de lo sucedido, a lo que se sumó el cáncer terminal de su esposa y los huérfanos que quedaron, dejaron un inmenso dolor... A Colosio lo respeté y le tuve aprecio. Me dolió doblemente su asesinato porque pasó a la memoria colectiva por su muerte, no por su vida. *¿Cómo entendiste ese asesinato? ¿Qué supiste?* Me quedo con el resultado de las investigaciones ministeriales y, desde luego, me niego a hacer imputaciones temerarias en agravio de persona alguna. No tengo ningún indicio que pudiera implicar al ahora ex presidente Salinas con ese crimen. *¿Y Córdoba Montoya?* Tampoco. No es su perfil. Te puedo decir que lo he tratado mucho y lo sigo tratando. Fácilmente ya hubiera descubierto algún perfil criminal de este hombre, pero no es así. Es toda una leyenda negra

en su contra. Es un tipo al que no le conozco torceduras y, ciertamente, es hábil y tranquilo. *Salinas dijo que había sido la nomenclatura, ¿tú qué piensas?* Si algún grupo dentro de esa nomenclatura —que quiere decir la camarilla— se sintió amenazado por Colosio, sí creo que alguien pudo haberlo decidido; pero no me atrevería a imputarlo. Por ejemplo, ¿cuántos acusaron a Manuel Camacho Solís de ser el asesino? Los que conocemos a Camacho sabemos que tiene muchos defectos, pero no es un asesino. Yo, que he tratado mucho a Córdoba, digo que no lo imagino urdiendo un crimen y hasta hoy nadie le ha hecho una imputación acompañada de pruebas. Por lo que toca a Salinas yo estoy convencido de que fue uno de los principales perjudicados políticamente con ese crimen.

Con la muerte de Colosio llega Zedillo. ¿Qué opinas de él? De su persona no me interesa hacer comentario alguno y de su llegada a la Presidencia reconozco el hecho, pero no el triunfo. No puede reconocerse que haya triunfado un hombre que ganó gracias al ex presidente Salinas y gracias a Televisa. Él mismo lo reconoció con su mensajito simplón de que no había sido equitativa la contienda; fue lo más que se atrevió a decir para no decir que fue tramposa. *Y luego siguió Fox, ¿qué representó para México el año 2000?* Indiscutiblemente alternancia y cambio; quizá no el que todos hubieran querido, pero hay un viejo refrán que dice: "No se ganó Zamora en una hora". Las estructuras no se sustituyen de un día para otro, mucho menos con los márgenes de corrupción que asfixian la vida social y política de México. Fox fue inmejorable como candidato pero no alcanzó la misma calificación como presidente, pues muchas estructuras quedaron operando. Se sobrepuso a su gobierno un juego de conveniencias para los grupos reales de poder.

Sabes que para este libro realicé una entrevista con Miguel de la Madrid. Ahí plantea y acepta frases sobre la corrupción, el abuso de poder, la comunicación de Raúl Salinas con el narcotráfico, la complicidad, su arrepentimiento al haber dejado a Salinas en el poder. ¿Qué balance haces tú? Por el trato que he tenido con el ex presidente De la Madrid, me queda claro que tiene una evidente demencia senil. Por otro lado, de lo que yo leí de la entrevista no hizo ninguna aportación novedosa y se concretó a repetir las mismas palabras que mucha gente ha dicho del gobierno del presidente Carlos Salinas. Me parece irrelevante cuestionar tu derecho a entrevistarlo y emitir un juicio de valor sobre tu actuación, porque creo que existe una ética en la que los periodistas conocen los márgenes a los que se puede llegar. *Más allá de esto, ¿tienes alguna opinión acerca de esa percepción de muchas personas sobre la gestión de Carlos Salinas?* Tuvo muchos aciertos como presidente de la República. Tan es así que ni siquiera sus peores adversarios han presentado iniciativas para revertir esos cambios. No tuve el trato ni la confianza con él para conocer los manejos internos de su grupo y de su partido. Jamás tuve algo que ver con él que hoy tenga que ocultar. Si el hermano del presidente manejó millones de dólares y se puede acreditar que no salieron de la partida secreta en virtud de transferencias de banqueros y empresarios prominentes que le hacían estas entregas, de todas maneras la sociedad no sabe a título de qué le entregaron los recursos. Como en este país ya se ha tomado a comidilla acusar a todo mundo de cualquier cosa con o sin pruebas, yo te digo que esto, finalmente, es una cuestión que corresponde determinar a la justicia mexicana.

Se dice que has aprovechado los espacios públicos para enriquecerte o para tener influencia en los juzgados y ganar litigios muy importantes. Créeme que si tú no tocabas este tema, yo lo hubiera hecho. Siempre he sostenido que si he tenido durante decenas de años un ejercicio profesional que me ha dejado un patrimonio consistente

> " [EN 1994] A MÍ NO ME GANÓ LA PRESIDENCIA EL SEÑOR ZEDILLO, ME LA GANARON SALINAS Y TELEVISA. "

desde antes de ser diputado y senador, ¿cuál es el problema si la mayor parte es previa y posterior a mi ejercicio público? El que acusa debe probar la acusación y todavía no conozco alguna en mi contra acompañada de pruebas.

La gran acusación es que Salinas me regaló un predio en Punta Diamante. La propiedad no está ubicada en ese lugar y la tengo desde antes de que él fuera presidente. El litigio se lo gané al despacho Noriega y Escobedo donde, por cierto, en un tiempo trabajó Santiago Creel. ¿Por qué no se acusa a Adolfo Christlieb, a Gómez Morin o a Bernardo Bátiz que fue litigante? ¿Por qué yo soy el corrupto? Díganme a qué juez o ministerio público le di un centavo, qué resolución tuve a la mala. ¿Dónde está la acusación de algún cliente o de algún contrario que me impute un acto ilegal o inmoral en mi desempeño profesional?

¿Y sobre el desafuero y el caso Ahumada? En el caso del desafuero se dieron manipulaciones de los dos lados. Nadie puede negar que Andrés Manuel López Obrador desafió al poder Judicial y les dijo que le hicieran como quisieran porque él cumpliría sólo con las resoluciones que fueran de su agrado. Generó una mezcolanza entre la violencia pública provocada por él contra el orden jurídico y el rol que siempre ha jugado y que le ha dado muy buenos dividendos: presentarse como víctima de los malvados, de la mafia. Y ¿quién es la mafia? Pues todo aquel que no piensa como él. Un sujeto que jamás quedará conforme a menos que él haga su capricho y todo mundo sea su *Juanito*. Pocas veces se ve algo tan oprobioso en la vida pública como lo que sucedió en Iztapalapa. No hay manera más humillante de tratar a un ser humano que como lo trató ese psicópata.

Por otro lado, la Corte dijo que el asunto no era político, sino judicial, y que seguiría adelante, pero a la hora que estaba la turbamulta dejaron ensartado a Fox, que ya había abierto la boca de más y había dado a entender que lo traía en la

mira. En esto del desafuero, como dice el refrán, "todos ellos la mataron y ella sola se murió".

Ahora, el caso de los videoescándalos. Lo que pasó es muy sencillo y lo describo una vez más: se presentó un día el señor Carlos Ahumada en mi casa, me mostró unos videos y me dijo: "Soy perseguido de López Obrador y de los gobiernos perredistas y tengo estas pruebas de su corrupción". Eran unos videos muy borrosos en los que prácticamente no se veía ni se escuchaba nada, por lo que le dije que no estaba yo para perder el tiempo y que saliera de ahí con sus porquerías. Regresó dos días después con los videos más limpios. *¿Iba contigo por recomendación de Salinas?* No tengo la más mínima información al respecto. *Eso es lo que cuentan...* Pero también cuentan muchas mentiras y te lo voy a demostrar. *¿No te consta que lo recomendó Salinas?* Por supuesto que no. *¿Ni Salinas a ti?* Nunca hablé de esto con Salinas. Si entre ellos tuvieron algo que ver, yo no lo sé y, en su caso, tuvieron el cuidado de no decírmelo. En algún momento comenté con alguien de mi partido que había un tipo que traía algo al parecer muy comprometedor contra *el Peje* y sus secuaces. Le dije que lo había corrido porque eran unos videos muy borrosos y me contestó que era una torpeza lo que hice porque esos videos fácilmente podían "limpiarse" para ser escuchados y vistos con claridad.

Dices que Ahumada miente. Cuéntame de las mentiras de Ahumada. Muchísimas. Dice, por ejemplo, que en casa de Salinas tuvimos un diálogo que él grabó. Y jamás tuve nada que ver en la casa del señor Salinas con él. Jamás nos vimos ni dialogamos y no puede tener nada. *¿Ni siquiera por teléfono?* No, absolutamente nada. Pero además, por elemental talento, ¿por qué me voy a involucrar con los demás, si tenía algo de la mayor importancia que yo no quería que se contaminara con nada? Es más, te puedo decir que un pleito fuerte con un personaje del PAN fue precisamente porque yo no puse primero en conocimiento del Comité Nacional el asunto. *¿Calderón?* Investígalo, tú tienes acceso al Comité. ¿Cómo voy a meter un asunto de éstos con el presidente Fox o con el secretario de Gobernación o con mi partido?

Los perredistas me han cuestionado por lo que hice. ¿Qué hubiera sucedido si *el Peje* hubiera tenido en sus manos un video en el que uno de sus opositores apareciera haciendo lo que hizo René Bejarano? ¿Algo distinto de lo que yo hice? En todo caso, él sí los hubiera publicado; yo ni siquiera pedí que los publicaran. Yo simplemente le pedí a Ahumada que los pusiera en manos de las autoridades. Sabía que la consecuencia era inmediata, directa. Era necesario que se conociera un acto de infinita corrupción. ¿Cómo era posible que me quedara callado? Este acto cumplió con el propósito de que se conociera la verdad y dio como resultado que *el Peje* bajara 20 puntos según algunas encuestas aunque luego se dice que los recuperó con la intervención de Fox en lo que terminó siendo la pelea absurda del desafuero.

A Marcelo Ebrard, con el que llevo buena relación, le podría preguntar: "¿Quién le escribió ese libro a Ahumada?" *Tú dijiste que fue el propio Ebrard.* No, lo que he dicho es que Ebrard y su gobierno no son ajenos a ese libelo. Que ellos negociaron. Hay una grabación donde le dicen a Ahumada, cuando estaba preso: "Oye, tú sabes que todo esto que estás diciendo es mentira", y él contesta: "Sí, pero es el precio de mi libertad". *¿Dónde está esa grabación?* Si la consigo, te la paso. *¿Ese libro lo hizo Ahumada a petición de Marcelo Ebrard?* A mí me queda claro que fue un libro negociado con él. *¿Para obtener su libertad, por eso Ebrard no sale a escena?* Es al único al que no toca. Al *Peje* lo hace mierda en doscientas hojas. *¿Pero sólo por eso lo afirmas, porque no sale en el libro?* No, no sólo por eso, sino porque hay una grabación que dice que es el precio de su libertad. *¿Tú ya oíste esa grabación en la Procuraduría General?*

Yo no he dicho que esté en la Procuraduría General, lo que he dicho es que la he oído.

La elección de 2006: con el 0.5 de diferencia, el Tribunal Electoral lleva a Felipe Calderón a la Presidencia de México. Según tú ¿qué pasó? Fue un triunfo incuestionable de Felipe Calderón y del PAN. Pero debo reconocer que es la consecuencia de los aciertos de unos y de los errores de otros. Los aciertos de Calderón fueron su combatividad sensata y capaz de enfrentar adentro un tramo nada fácil y afuera una competencia en la que al principio no parecía que fuera a pesar siquiera regularmente, porque estaba todo muy polarizado entre *el Peje* y Roberto Madrazo. Felipe no traía el arrastre de un líder cautivador y pareciera que Madrazo, con toda su habilidad y con todo el sistema operando, podría competir fuerte contra *el Peje*. El pleito de Madrazo con la profesora Elba Esther Gordillo, el incumplimiento del que se quejan muchos priístas a lo ofrecido por Roberto y muchas fallas más en su campaña generaron la debacle. Entonces la alternativa fue *el Peje* o Calderón. *El Peje* iba ganando de todas todas, por la habilidad en el manejo mediático, por el carisma que posee y por la capacidad de comunicación que tiene para ciertos grupos sociales que son verdaderamente importantes a la hora de votar. Se fue más allá, mandó al diablo a las instituciones, se peleó con empresarios, con la Iglesia, con su partido y empezó a atropellar a todo y a todos y a decir que el presidente era él, por sus propios designios. Su campaña incrementó un rechazo muy fuerte de muchos sectores, pobres y ricos, que finalmente le dieron el voto útil a Calderón; la profesora y su gente e inclusive muchos priístas apoyaron a Felipe Calderón; incluso gobernadores impidieron la llegada a la Presidencia de un psicópata, que más allá de decir con frecuencia muchas verdades incuestionables, miente cínicamente cuando le conviene, injuria a todo el que no se pliega a sus caprichos y violenta impunemente

el orden jurídico. Ese peligro lo captó la mayoría de los electores que tuvieron que darle su voto a un candidato que traía encuestas en arrastre inferior, pero un expediente limpio y un comportamiento democrático. *¿Acabó siendo una elección plebiscitaria, un sí o no por López Obrador?* En gran medida sí, claro. *Y Calderón fue el beneficiado.* No sólo eso, fue también una elección por partidos, por programas, por personas.

¿Qué opinas del fenómeno de Enrique Peña Nieto? Con frecuencia escucho que sus críticos lo señalan como un producto que inventó la televisión. Eso no es exacto. Yo creo que Peña Nieto puede estar aprovechando espléndidamente todos los apoyos mediáticos y su posición política de gobernador, pero es un hombre que tiene carisma propio y nadie lo puede negar. Paralelamente las televisoras le están dando un juego muy importante a Marcelo. *¿Como el plan B?* Ni siquiera lo veo como el plan B, porque creo que las televisoras saben que Marcelo, a la hora de la verdad, no le va a sostener ni la vista al *Peje*, a pesar de ser mucho más inteligente y preparado que él. Pero el psicópata le lleva toda la ventaja del mundo. Peña Nieto es señalado por sus críticos como "el carilindo" que produjo la televisión, pero yo lo veo como un político con capacidad incuestionable para comunicarse y que trabaja consistentemente. Trae un posicionamiento en el Estado de México y en el país que no es solamente producto de la televisión. *Parece tu candidato...* No, estoy diciendo la parte positiva, pero también creo que todo lo que fácilmente se eleva, fácilmente se cae. Por lo demás, si alguien considera que ya está definida la próxima elección presidencial con un candidato inalcanzable, se equivoca. Habrá quien piense que *el Peje* es gallo muerto, pero va a dar mucha camorra. Los rancheros sabemos que el carbón que ha sido lumbre, con facilidad se enciende.

¿Al Peje lo ves en 2012? Por supuesto que sí; si está con vida, estará en el 2012, y por supuesto que Peña puede ser candidato del PRI y ser ganador, como puede serlo Manlio Fabio Beltrones o cualquier otro de ellos. *Siempre se habla del regreso de Salinas...* ¡Pero si nunca se ha ido! En todas partes y a todas horas el señor está operando. No sé con quién, cómo y qué opere. No me meto en su vida ni mucho menos en su vida de priísta. Lo que sí te puedo asegurar es que el señor nunca está ausente. Eso lo sabe todo el mundo político. Puede vivir en la Patagonia, pero está en relación directa con todo lo que está pasando en México. Creo que está cerca de Peña Nieto, de Beltrones, de Beatriz Paredes y de todos los priístas y con muchos otros factores de poder, incluyendo gente del PRD. Está impulsando un proyecto.

Por lo que toca a Acción Nacional a mí me parece perfectamente justificado que no se muevan anticipadamente opciones que con toda seguridad aparecerán en su momento. No podemos ignorar que se trata del partido del presidente Calderón y que resultaría altamente dañino para el desempeño del actual gobierno que los panistas abrieran desde ahora sus cartas y se iniciara una competencia para la cual no ha llegado el momento. Lo cierto es que nada está escrito, que en política todo puede suceder y que el PAN tendrá un candidato con altas posibilidades de ganar. Y si no, al tiempo. *¿Y al final de todo esto, qué lecciones te ha dejado la política?* Principalmente dos: la primera, que trates a tus adversarios pensando que algún día pueden ser tus aliados, y a tus aliados pensando que algún día pueden ser tus adversarios. Así no fallarás. Y la segunda: que el bien más valioso que no se puede hacer en la política y en toda la vida no es aquel que se hace sin buscar recompensa, sino aquel que se lleva a cabo a sabiendas de que te van a pagar con puñaladas por la espalda.

VICENTE

POLÍTICO.

CIUDAD DE MÉXICO, 1942.

DIPUTADO FEDERAL, 1988-1991.

GOBERNADOR DE GUANAJUATO, 1995-1999.

PRESIDENTE DE MÉXICO, 2000-2006.

LAS ELECCIONES DE 1988*

EL 31 DE DICIEMBRE de 1987 tomé una decisión que iba a cambiar mi vida para siempre. Hasta entonces me había dedicado de lleno a las tareas relacionadas con las pequeñas empresas de mi familia: un rancho, una congeladora, una fábrica de quesos y una de botas, de zapatos y cinturones; también tenía una experiencia de 15 años enla empresa Coca-Cola, donde empecé en 1964 como repartidor de refrescos y renunciéen 1979como director general para toda la República. Aquel día resolví aceptar la invitación del Partido Acción Nacional a competir por la diputación federal en el tercer distrito electoral de León, Guanajuato.

Por ese entonces era todavía tan grande el poder del sistema político mexicano que casi nadie se animaba a oponerse al Partido Revolucionario Institucional, el PRI. Salvo unos pocos valientes, todos mostraban distintos tipos de temores ante un régimen de partido único que estaba por cumplir 60 años de ejercer un duro control sobre las instituciones, sobre las fuerzas productivas y sobre la vida en general de los mexicanos.

Aún me acuerdo de mi primera participación pública en política, aquel enero de 1988. Las piernas me temblaban y no me sentía capaz de hablar frente a un micrófono en un presunto mitin donde había tres perros y cuatro personas, entre ellas dos hermanas mías. Tuve la suerte de contar con un buen número de maestros en oratoria y política. Por ejemplo, aprendí mucho del gran Manuel Sanabria, el primero que en la entidad ganó una diputación viniendo de un partido opositor. Ade-

---

* Nota del editor: la colaboración del ex presidente Vicente Fox para este libro se dio a través de un texto enviado por él, mismo que tuvo que ser editado por razones de espacio. Las partes eliminadas no afectan en modo alguno la sustancia del texto original. Se trata del único caso en donde no se realizó una entrevista *ex profeso* con el personaje.

más, busqué asociarme con los otros dos candidatos de los distritos de León, y entonces armamos una estrategia común. A final de cuentas sumamos los presupuestos, sumamos la publicidad y sumamos la estrategia y ganamos los tres distritos en la ciudad de León, Guanajuato, cosa que jamás había sucedido. Fue una victoria contundente.

Ahora recuerdo que, al terminar y vencer de ese modo, quizá con el entusiasmo y con el fragor de la batalla electoral, desde entonces señalé que quería ser gobernador del estado y me preparé rápidamente como diputado federal para entrarle a la gubernatura un par de años después, en 1991.

Pero antes, en enero de 1988, aún estaba en puerta la primera campaña política de mi vida. Y aún antes estuvo la visita del precandidato presidencial, Manuel Clouthier, a León, a mediados de 1987.

Yo conocía bien a Clouthier de los tiempos en que él era presidente del Consejo Coordinador Empresarial; en septiembre de 1982 se había opuesto enérgicamente a la estatización de la banca mexicana por parte del presidente José López Portillo.

Me habló por teléfono y me invitó a desayunar en La Estancia, el mejor hotel de León.

Fui al desayuno. Se habían puesto mesas como para 50, pero sólo nos presentamos seis o siete. Y es que, en esos momentos, aquel que se acercara a Clouthier, o simplemente se tomara una foto con él, ya tenía tache tanto en la ciudad de Guanajuato como en el mismo León.

Quería que le entrara a la campaña con él, que me sumara para que así pudiéramos quitarnos tantos agravios que traíamos él y yo y mucha gente, para que abriéramos espacios democráticos en el país. A los pocos allí presentes nos desafió a que esa misma noche lo acompañáramos durante un mitin en la plaza principal de León.

Fui, por supuesto. Aparecí un poco escondido atrás de las columnas de la plaza, pero fui. Vi a Manuel en una de las esquinitas, rodeado de 30 o

40 personas, quizá 50, y fue allí cuando me llamó mucho la atención su físico y cuando se me ocurrió el apodo del *Toro* por su cuerpo, su volumen, su voz, su barba, su fuerza interior y su lenguaje muy aguerrido. Tal vez eso era precisamente lo que se necesitaba para soportar los golpes y para embestir contra las estructuras del sistema. Mi deseo de seguirlo llegó a tal extremo que me dejé crecer la barba como él, y más tarde aparecieron artículos míos sobre *el Toro Maquío*.

De su discurso de ese día y de aquella época recuerdo cosas como la frase que luego yo también utilicé:

"¡Ya sé que por aquí andan los 'orejas' de Gobernación y del gobierno estatal! ¡Pues esos 'orejas' vayan y díganles directamente a sus jefes lo que pienso de ellos: que son unos corruptos y que por eso nos estamos metiendo en política ciudadanos pacíficos que lo único que queremos es que nos dejen trabajar y producir!"

Yo ya traía la carga del desastre en el campo por la aplicación de una equivocada reforma agraria cuando me topé con Manuel Clouthier, primeramente como agricultor asimismo invadido y despojado y después como político.

Desde ese punto de vista, quiero insistir muy enfáticamente en que un aspecto relevante de la insurgencia democrática del México contemporáneo se inició en el campo con gente como Clouthier en su natal Sinaloa y luego por todos los puntos cardinales. El panista histórico, el panista de base y los democratizadores dentro y fuera de los partidos políticos fueron inspiración para hombres como Clouthier y como yo.

Clouthier, que se había afiliado al partido después de las crisis del fin del sexenio de López Portillo en el mencionado 1982, regresó a León ya como candidato presidencial en marzo de 1988. Para muchos de nosotros que nos habíamos iniciado en la política con su ejemplo e invitación, su decisión y su empuje resultaron fundamentales.

> "LOGRAMOS QUE MUCHA GENTE SE PREGUNTARA: ¿CUÁL ES LA UTILIDAD DE MI VOTO? ¿POR QUÉ NO MEJOR LO PONGO EN VICENTE FOX?"

Con él se abrieron nuevas batallas en la lucha por la democracia en el país. La sociedad todavía no reconoce en su justa dimensión el extraordinario aporte de Manuel.

Toda una corriente me llevó desde joven a autores y activistas como Manuel Gómez Morín, como Efraín González Luna, como José Vasconcelos; me acercó a lecturas sobre la historia del PAN y me permitió años después una confluencia con Clouthier. En esa unión de experiencias y lecturas de años anteriores con vivencias y reflexiones presentes me di cuenta de que allí se abriría el camino si quería desahogar inquietudes políticas, si quería desahogar la irritación por las vejaciones que habíamos sufrido buena parte de los mexicanos bajo los regímenes políticos autoritarios.

A todo lo anterior se une mi formación jesuítica, desde la niñez hasta la universidad, pues para el pensamiento jesuita expuesto en las obras de Ignacio de Loyola que leí mucho y de las que en clase oí mucho, el ser humano se concibe como un ser para los demás, y de allí se desprende la idea del servicio a los otros como forma de realización de uno mismo.

Ésas fueron las bases para que yo llegara a una especie de fórmula: "Clouthier-PAN, PAN-Clouthier", "pensamiento jesuita-PAN-Clouthier"; y así empecé a enterarme más a fondo de lo que es el PAN y qué significa, y confirmé la similitud con las ideas y las preocupaciones que yo traía de tiempo atrás. Pensé: "Si Clouthier me invita y es el PAN, vámonos para adelante".

En cuanto a mi propia campaña para diputado, entre enero y finales de junio, establecí tres rubros fundamentales para el éxito en una campaña: uno, el producto, que es el candidato; otro, la propuesta, que es la filosofía y la propuesta del partido y del candidato; y un tercero son los recursos, recursos y mercadotecnia, es decir, habilidad para recabar apoyos y para convertir estos apoyos en actividades de impacto real. Eso me convirtió en uno de los primeros en traer la mercadotecnia al PAN. Como venía de 15 años en Coca-Cola, la mercadotecnia me parecía un instrumento natural, y yo tenía suficiente conocimiento en esos temas.

Precisamente en eso tuve mis primeras diferencias con el partido, pues éste planteaba que la estrategia era la ideología del PAN; estos valores que yo llamo etéreos son formidables, pero no dan de comer a nadie.

Otro aspecto que no proviene automáticamente de la mercadotecnia, sino de la experiencia de la vida, de la reflexión y del trato con los demás, es que siempre he pensado que hay que usar un lenguaje llano, entendible. La gente estaba harta de la política y de los políticos, y lo que quería era darle carácter ciudadano a la política; quería hablar de sus temas y escuchar sobre ellos de manera sencilla y directa; quería sentir la democracia como una experiencia concreta permanente y no sólo como un rito electoral. La cercanía con la gente y el lenguaje llano, incluso ranchero, fueron parte primordial de una estrategia que funcionó muy bien: sonó fresco, frontal.

Mi equipo de campaña, en fin, era rupestre, era francamente de pura infantería, pero de infantería muy fuerte, muy convencida, muy luchona. En todo este proceso mi hermana Mercedes fue decisiva, como una presencia constante que me hizo recordar la importancia de la mujer en la vida política. Ella dejaba familia, hijos, casa, escuela, trabajo y venía a la campaña conmigo. Un joven, Miguel Ángel Vasallo, muy trabajador, igualmente nos ayudó; él aún anda circulando en la política en Guanajuato y tiene muchos recuerdos y anécdotas de esos tiempos.

Cuando terminó la campaña pensé de verdad que íbamos a ganar, por haber visto la plaza pletórica en el cierre de campaña, por haber visto la respuesta de la gente. Yo digo que fue una campaña con un ingrediente de muchísima confianza en el triunfo.

Alfredo Ling es otra de las personas de quienes aprendí sobre cuestiones de oratoria; él me enseñó a ponerme un granito de sal abajo de la lengua unos tres minutos antes de hablar para que se fueran esas flemas que tal vez son naturales o tal vez surgen de la tensión. Me enseñó que hay que apretar el estómago, sumirlo para que no se gaste la voz; reconozco que esto lo aprendí a medias, pues si algo me pasó siempre en el principio y después más fuerte en la campaña presidencial es que me quedaba sin voz por gritar, pues nunca pude superar la idea de que el micrófono te da la voz: yo siempre grité como si no tuviera micrófono, siempre con mucha fuerza, lo que también tiene sus ventajas porque muestra pasión en el candidato, muestra convicción, muestra fuerza y muestra justamente esa confianza en el éxito. Pero si tienes que dar seis discursos al día, la voz se apaga, y es peor si tienes que estar cambiando de clima.

Después de todo lo anterior resultó una bancada federal razonablemente grande, con más de 100 diputados.

Pero para lograr eso, y antes de que pudiera vivir uno de los mayores impactos de mi vida, que fue pisar el recinto del Congreso de la Unión en San Lázaro, tuvimos que luchar intensamente para vencer el histórico fraude electoral el domingo 6 de julio de 1988.

La estrategia del PAN aquel día de la elección consistió mayormente en la defensa del voto. En eso gastamos buena cantidad del presupuesto y del tiempo, convencidos de que todo lo que hacías durante la campaña te lo robaban el día de la elección.

El primer paso fue llegar temprano a las urnas, una hora antes de que abrieran. El segundo fue asegurarnos de ser los primeros en la fila: que los primeros votantes fueran panistas para que no se colaran los "mapaches", es decir, los responsables del fraude.

Hicimos un dispositivo para comunicarnos entre nosotros en caso de que percibiéramos casos de acarreo, de saqueo de urnas y de otras prácticas tan comunes entonces.

Todo esto sucedió hace relativamente poco tiempo, pero las cosas han cambiado tanto que ahora hay que recordar que las urnas no eran transparentes; eran de cartón, así que resultaba perfectamente posible que llegaran embarazadas, es decir, llenas de votos a favor del partido oficial. Por eso se requería de cierta osadía en los primeros dos o tres lugares de la fila, pues debían entrar y sacudir la urna para asegurarse de que no tuviera boletas.

Nuestra sorpresa, que nunca debió ser sorpresa, porque así lo estilaba el PRI, es que efectivamente había urnas llenas antes de empezar la votación. Lo que hicimos en ese momento fue dar una rápida instrucción a todos los ciudadanos que teníamos destacados en los primeros lugares de la fila para que sacaran las urnas, las abrieran, hicieran pilas con las boletas sembradas y las quemaran allí mismo. Hay testimonios de esta acción, pues toda la prensa sacó fotos de las pilas de boletas a la hora de abrir las casillas, cuando apenas eran las 8:30 de la mañana o poco antes.

Lo que conseguimos fue obligar al gobierno y al PRI a que, una vez sacada y vaciada la urna y quemadas esas boletas, se volviera a poner una urna limpia, sin carga, y se iniciara el proceso de la votación.

Fue de esas pilas de donde tomamos las miles de boletas que a partir de agosto nos llevamos al Congreso. Aquellas dos boletas que yo traía en las orejas cuando en septiembre se calificó la elección presidencial eran reales, eran del 6 de julio, eran de las que llenaban las urnas antes de las 8 de la mañana.

Ésa es otra gran experiencia para una persona que venía con ciertos valores de ética, de moralidad, de verdad, de transparencia, al irse uno encontrando con todas estas formas de hacer política. Lo único que todo eso provocó fue alimentar la flama de la libertad, de la democracia, de cambiar a México, de acabar con ese régimen. Y quizá por eso salió después tan natural aquel *slogan* de "Saquemos al PRI de Los Pinos".

Decía que mi llegada a la Cámara de Diputados fue uno de los máximos impactos que he experimentado y experimentaré en la vida. Esto pasó en dos sentidos: uno fue la majestuosidad del recinto, la grandeza de la tribuna, la inmensidad solemne de las banderas al fondo, la gravedad de las letras de oro con los nombres de los próceres, las dimensiones del conjunto, su seriedad, su sobriedad, su elegancia. Para un hombre que venía de un rancho y que nunca había hecho política, llegar allí obligaba a exclamar: "¡Ah, cañón! ¡Esto está perrón! ¡Esto está grande!"

El otro impacto consistió en que se presentaba un empresario a vivir la política mexicana tal y como ésta se hacía. Nada hay más decepcionante. En la empresa planeas, tienes reuniones, analizas, profundizas, discutes con seriedad, aprovechas el tiempo, llegas a conclusiones, tomas decisiones y pones en marcha acciones. Aquí entras literalmente en un herradero, entras y ves 300 individuos, 500 individuos en un herradero, todos hablando como en un mercado mientras que el dominante PRI controlaba la tribuna, las comisiones, los tiempos para hablar, los acuerdos.

En tales condiciones me resultó inevitable cuestionarme: "¿Es ésta la manera de construir la nación?, ¿es ésta la manera de ir buscando acuerdos y consensos?, ¿es ésta la manera de ir haciendo leyes?" No cabía en mi cabeza que así se hicieran las cosas en política, viniendo de una forma muy ordenada de plantear y resolver los problemas.

Francamente me dije: "En la Cámara de Diputados no pasa más que lo que el PRI ordena. ¿Dónde está mi aportación?, ¿dónde doy yo valor agregado aquí en la pelea? No tiene ningún incen-

tivo estar sentado entre 500 tipos, viendo cómo el PRI impone su maquinaria". Por suerte, también fue posible escuchar a legisladores vehementes y experimentados como Pablo Gómez.

Me salí de la Cámara, me fui a la calle, al campo, a las campañas de mis correligionarios; toda la semana andaba en Guanajuato y en todo el país.

Durante todo un día clave en aquellos años y tal vez en la historia de México (el día del Colegio Electoral, cuando me puse las boletas como enormes orejas), el debate giró alrededor del fraude. Por lo tanto, en algún momento se volvió obligatorio abrir los paquetes electorales, que estaban allí mismo en el sótano de la Cámara de Diputados.

Había llegado por fin el momento de pasar de la palabra a la acción.

Bajamos hasta el sótano y nos topamos con una fila de militares armados y con los paquetes electorales atrás de ellos.

Abel Vicencio se paró y arengó: "¡Venimos en nombre de la República a recoger esos paquetes electorales y a abrirlos para que podamos aclarar la realidad de esta elección!"

La fila entera de soldados cortó cartucho.

Abel lanzó otra arenga, pero ya no quisimos ir más allá.

Dijo: "Vámonos", y regresamos a nuestras curules en el pleno.

Acabábamos de vivir media hora de mucha tensión, pero sólo así fuimos capaces de orillar al poderoso aparato de partido único hasta la última de sus instancias, hasta un punto límite desde el cual ya no habría retorno.

GUANAJUATO, LA GUBERNATURA
(1995-1999)

El esfuerzo para por fin alcanzar la victoria el 28 de mayo de 1995 tuvo muchos altibajos; el camino a la gubernatura no fue una línea recta. Después del inicio del interinato de Carlos Medina en 1991 decidí retirarme a mis negocios familiares. Me dije y le dije a la gente más cercana: "Esto está muy canijo. Esto está muy duro y es muy frustrante. Es pura negociación allá arriba. Además, tengo los negocios muy abandonados, muy solos. Hay que darles una buena empujada".

Aparte, como la convocatoria a elecciones extraordinarias en el mismo 1991 o tal vez a más tardar en 1992 no se produjo en un plazo razonablemente corto, me sentí más seguro de mi nueva decisión: otra vez regresaba a San Cristóbal, otra vez era la vuelta cíclica a Tara, otra vez era la búsqueda del refugio que me era conocido, que me era familiar, que me era muy amado. Y la decisión era definitiva: la política se había acabado para mí.

Lo mismo dije y repetí a quienes vinieron a buscarme cuando por fin se lanzó la convocatoria para las elecciones que se llevarían a cabo el 28 de mayo de 1995.

Me acuerdo que venían grupos a San Cristóbal para ofrecerme la candidatura: "No, no y no", era mi respuesta.

Una de esas veces se repitió la escena:

—Señor, lo buscan unas personas.

—¿Para qué?

—Que le vienen a hablar de la candidatura.

—Diles que estoy muy ocupado y que la respuesta es la misma: no, no y no.

—Pero es que viene también su hermana.

—¿Qué hermana?

— Su hermana Mercedes.

Los hice pasar, advirtiéndoles que eran unos minutos nada más. Pero allí Mercedes habló y fue ella quien me dijo que más que el negocio familiar ahora lo que más importaba era poner todo el empeño y la experiencia en la lucha por la democracia y por las ideas que defendíamos desde hacía mucho.

Me convencieron. Reconozco que por mi parte el gusanito de la brega política no estaba muerto ni mucho menos. Allí me di cuenta de que sólo estaba dormido. Y despertó.

Hubo otros aspirantes a la candidatura del PAN, quienes, al igual que en 1991, declinaron ante el empuje que ya traía mi propuesta.

Mucho habíamos hecho entre todos apoyando al *Toro Maquío* en su campaña de 1987-1988, obteniendo en las urnas las tres diputaciones federales de León en 1988, reorganizando la estructura local del partido, respaldando a Medina Plascencia en su aplastante victoria para la alcaldía leonesa en 1989, evitando que se consumara un fraude gigantesco en 1991, logrando que un miembro del partido verdaderamente victorioso aquel agosto, el PAN, ocupara la gubernatura así fuera de manera interina. Podía sentirme satisfecho. Podíamos sentirnos satisfechos.

Para 1995 la realidad mexicana estaba cambiando tanto y tan rápido que el día en que tomé posesión como gobernador constitucional del estado libre y soberano de Guanajuato confirmé y disfruté una cosa principalísima: que ahora tenía un solo jefe, un solo patrón, un solo mandamás arriba de mí. Y que ese jefe, patrón y mandamás no era el señor de Los Pinos, no era el presidente de la República. Era el pueblo libre y soberano de Guanajuato. Muy pocos gobernadores dentro o fuera de Guanajuato, antes de 1995, podrían haber dicho con toda certeza y con todo valor de verdad esto que yo me decía la luminosa mañana de la toma de posesión: que era y es un placer inmenso rendirle cuentas a un soberano por conducto de la legislatura o bien de manera directa, cotidiana y constante: el caudillismo y el presidencialismo que habían regido la vida de México durante más de 70 años estaban agonizando.

Otro de los aspectos atractivos en ese momento histórico de profunda crisis económica por el desastroso final de sexenio en 1994 (con guerra, magnicidios y una terrible crisis económica) era que un cargo de gobernador se iba a volver

> " Y ASÍ PASARON
> LOS SEIS AÑOS... "

mucho más atractivo para el futuro político que uno de secretario de Estado: el nuevo presidente, Ernesto Zedillo, correspondía a un modelo en plena extinción, el del funcionario que asciende por el escalafón burocrático de oficinas financieras y administrativas federales en la capital del país, sin experiencia alguna en la realidad directa de la vida electoral y política en las distintas regiones de un país tan variado como el nuestro. Los priístas se quejaron todo aquel sexenio, el anterior al mío, de que Zedillo no los apoyaba; no se dieron cuenta de que el presidente no podía ayudarlos porque la nueva "correlación de fuerzas" y la gran suma de observadores no se lo permitirían tan fácilmente como antes y porque además él mismo no contaba con expediente partidista alguno; el candidato original del PRI para el sexenio 1994-2000, Luis Donaldo Colosio, sí que contaba con ese expediente y con ese conocimiento, pero Colosio había caído asesinado el 23 de marzo de 1994.

No quiero concluir este capítulo sin reconocer que tuve la gran suerte de contar con una oposición inteligente en la persona de Francisco Arroyo, líder priísta en el congreso local. Con un trabajo abierto, sano, sensato, desprejuiciado, desideologizado, tanto el Ejecutivo como el Legislativo estatales colaboramos de un modo que por desgracia no tuvo un equivalente en el sexenio presidencial 2000-2006, cuando más que nunca extrañé a gente como don Francisco Arroyo, hombre capaz de poner siempre en primer sitio el bien común, el bien de todos, el bien del estado y de la nación.

MARTA SAHAGÚN, MI COMPAÑERA

Volvamos a 1995. Una vez que inicié mi segunda campaña para gobernador de Guanajuato me tocó tratar más de cerca a una persona muy interesante, que años atrás también había dejado su vida y su trabajo en el sector privado para sumarse a la gran causa de la democracia en México.

Sólo la conocía antes porque me había organizado algunas reuniones con líderes de la ciudad de Celaya como apoyo a mi primera campaña para gobernador, la de 1991, cuando el aparato priísta me arrebató el triunfo obtenido en las urnas. En 1994, la señora Marta decidió participar como candidata a la presidencia municipal en Celaya, y en el mencionado 1995 me ayudó durante la segunda campaña para gobernador. A partir de estos tres momentos, pero sobre todo en el tercero, se dio una relación profesional y política, puesto que no sólo teníamos en mente las mismas metas, sino que al principio habíamos resuelto de manera independiente participar cada uno en la misión de irle ganando terreno a la "dictadura perfecta" del PRI, según había dicho Mario Vargas Llosa en 1990 durante un encuentro internacional de intelectuales en nuestro país, del que el novelista tuvo por cierto que salir precipitadamente tal vez porque, como señaló una parte significativa de la prensa y de la opinión pública, al poder presidencial y priísta de entonces no le gustó su famosa frase. Había en fin que irle arrebatando al PRI palmo a palmo pequeños espacios.

Andando el tiempo, ella se sumó a la campaña de 1995 por la gubernatura. Allí tuve la oportunidad de conocer su talento, su olfato político, su visión, su pasión y su compasión por la causa de servir a los demás de manera inteligente y efectiva.

En cuanto formalicé mi equipo para la lucha titánica de conquistar la Presidencia, ella participó en el equipo directivo de la campaña desarrollando estrategias y acciones para vencer al todopoderoso PRI. Marta con su carisma, con su profesionalismo, con su fe, también tuvo mucho que ver en esto.

Así finalmente llegó la Presidencia de la República. Llegó el 2 de julio. Llegó la noche en el Ángel de la Independencia. Por supuesto lloramos de alegría al saber que ahora se iniciaba un nuevo camino para nuestro país y para nosotros mismos.

Y así se fue acercando el 2 de julio de 2001, y a las 8 de la mañana cristalizamos nuestro encuentro y nuestra relación. Sellamos nuestro compromiso de por vida.

Por mi parte, mientras más quiero a Marta, más la defiendo. Y lo hago además, repito, porque la conozco a ella y conozco a sus hijos. Y también me siento muy afortunado porque mis hijos se mantuvieron fuera de la Presidencia de la República, fuera del poder. Se dedicaron a trabajar, a estudiar, a vivir su vida. No es fácil hacerlo ante tanta tentación.

LA CAMPAÑA A LA PRESIDENCIA (1997-2000)

El domingo 6 de julio de 1997 hice pública mi decisión de lanzarme por la candidatura del PAN a la Presidencia de la República. Aquel caluroso día festivo de verano electoral era propicio para transmitir una sensación de luz y algarabía como el sello distintivo tanto de mi personalidad como de mi campaña, pero desde ese mismo instante me cargaron sambenitos a diestra y siniestra: me acusaron de todo, me llamaron desde maricón hasta incapaz de administrar. Dijeron que mi familia estaba destrozada. Me llenaron de piedritas el camino con ayuda de periódicos locales y nacionales.

Tuve que recurrir a una gran fortaleza, porque competir en esas condiciones por la Presidencia de la República no es precisamente "enchílame otra". Tuve que cuidar cuatro frentes de batalla en mí mismo: el intelectual, el emocional, el espiritual, el corporal.

Desde antes de mi ratificación como candidato presidencial, se había hablado insistentemente de la posibilidad de una gran alianza de partidos para enfrentarse al PRI.

Los periódicos de aquellos meses de 1999 y 2000 dan cuenta del proceso de búsqueda de alianzas o de candidaturas alternativas. En el mismo marzo de 1999 yo le había pedido enérgicamente a Diego Fernández de Cevallos, nuestro candidato presidencial en 1994 y una de las figuras más carismáticas e influyentes en el partido y en la vida pública nacional, que no planteara la posibilidad de una candidatura externa: el PAN no necesitaba un candidato "de fuera" para sacar al PRI de Los Pinos. Lo que necesitaba era una contienda interna clara y tan democrática como siempre en nuestro partido y luego una alianza de todos allá adentro y alianzas hacia fuera con grupos ciudadanos y otros partidos, así que si él quería entrarle de nuevo a la lucha por la candidatura, que le entrara ya.

Comenté antes que en esos meses de tanto fragor siempre me inspiré en los personajes del PAN histórico y del nuevo PAN y en lo que cada uno representó. Por encima de todos seguía estando y estará siempre Manuel Clouthier, el amigo muerto, mi padre, mi padrino, de quien aprendí a ser agresivo, de quien aprendí a tener valor en política, de quien aprendí que al sistema le podíamos abrir un boquete, pues era vulnerable pese a todas las apariencias.

Mi idea era darle un "volteón" brusco a la tortilla. Era cambiar en 180 grados los últimos resultados electorales a nivel presidencial. Era echarle todas las ganas del mundo a la esperanza de victoria y de cambio.

Contaba con la simpatía de muchos compatriotas y con la debilidad creciente del PRI porque había fracasado al dirigir un país nuevo, un país muy distinto al de 70 años atrás, un país necesitado de libertades ciudadanas para crecer más y mejor.

Contaba yo precisamente con la gente y con la confianza en los instrumentos que utilizaríamos para avanzar, para convencer.

Así que ya estábamos en campaña. La campaña fue larga. Fue densa. Fue intensa.

Aprovechamos cada minuto.

Arrancamos en Dolores Hidalgo, Guanajuato, justo en el sitio donde el padre de la patria Miguel Hidalgo y Costilla, ilustre guanajuatense, dio el grito de libertad e independencia la madrugada del 16 de septiembre de 1810.

Grité "¡Democracia!" Grité que quedaban muchas alhóndigas que incendiar. Insistí en que era la hora de sacar al PRI de Los Pinos. Dije que México se había privado de lo mejor de su energía por culpa de un aparato y de un sistema paralizantes. Agregué que había muchos motivos para buscar un cambio, un cambio que estaba en la piel de cada mexicano y cada mexicana. Hablé de un México que madura y descubre que puede tomar el control y conducir su propio destino.

Mi propuesta fue una propuesta muy universal, muy liberal, fue ir abriendo puertas, fue ir atrayendo gente, fue ir haciendo sentir que nadie estaba excluido.

Y así logramos por ejemplo que Heberto Castillo hijo se sumara a la campaña, lo cual nos traía una muy interesante corriente de pensamiento de centro izquierda moderna, joven, ilustrada. Así logramos que Evaristo Pérez Arreola, viejo líder sindical universitario, expresara en mayo de 2000 su apoyo a mi campaña y prometiera un mínimo de 40 mil votos.

También fue cosa de echar las redes hacia un grupo de intelectuales. Y fue así como se sumaron Adolfo Aguilar Zínser y Jorge G. Castañeda.

Fue cosa de echar las redes hacia los maestros, todavía mayormente controlados por el PRI.

Y fue, en fin, cosa de hacer una campaña incluyente, "ecuménica".

Esta estrategia fue la que logró que el voto que se llamó útil y que iba perdiendo Cuauhtémoc Cárdenas, se fuera hacia el PAN.

Logramos que mucha gente se preguntara: "¿Cuál es la utilidad de mi voto? ¿Por qué no mejor lo pongo en Vicente Fox?"

El triunfo: 2 de julio de 2000

Aquel domingo me levanté, fui a misa en San Cristóbal, me despedí de mis familiares y volé al cuartel general de campaña en la ciudad de México.

Estábamos llegando al día de la elección con algunas encuestas a favor. Aun así, todavía en aquel momento había incertidumbre general de quién sería el ganador.

Hicimos un esfuerzo grande con los jóvenes, para que se animaran a ir a votar por primera vez en sus vidas.

Aquí hago otro alto para decir que México cambió porque en 2000 los jóvenes y las mujeres quisieron que cambiara.

Repito: México cambió porque así lo quisieron las mujeres y porque así lo quisieron los jóvenes. Por eso digo que las mujeres y los jóvenes son los que más mérito y a la vez más calidad moral y más visión de presente y futuro tienen: porque la mujer no sólo está pensando en ella; también está pensando en su casa, está pensando en sus hijos, está pensando en su comunidad.

Ella fue la que dijo mayoritariamente: "Ya basta de 72 años de falta de democracia. Ya basta de estar supeditadas al sistema. Ya basta de miedo al sistema y de dependencia frente al sistema: que si no votas por tal o cual no te llega tu leche Liconsa, no te llega tu despensa, no te llega tu suministro de esto y de lo de más allá".

Y por igual los jóvenes. El joven está pensando en su futuro dentro de un México que es su casa. El joven no es nostálgico en política.

Por el contrario, el voto del varón adulto fue y suele ser mucho más conservador, suele ser nostálgico.

Por eso va mi reconocimiento a las mujeres.

Va mi reconocimiento a los jóvenes de este país.

Al mediodía del 2 de julio aún había mucha incertidumbre.

Pero a las 3 de la tarde empezó el optimismo por los datos recogidos de las casas de campaña de Labastida, de Fox, de Cárdenas.

Íbamos adelante.

A las ocho de la noche el presidente Zedillo salió a decir en cadena nacional que la ventaja favorecía de manera irreversible al candidato del PAN.

A las 11 el candidato Labastida reconoció gallardamente su derrota.

Nosotros nos fuimos a celebrar al simbólico Ángel de la Independencia.

Ya era media noche, pero yo sentía un azul del cielo como el de horas antes, un azul sin nubes, tibio, con un poco de viento fresco. Celebramos en grande. Y a la mañana siguiente a trabajar.

Desde que estuve seguro del triunfo, mucho antes del 2 de julio, decidí que el plan de gobierno no se generaría en un escritorio de burócrata. Sería elaborado después de escuchar a millones de personas y después de procesar la información surgida de miles de conversaciones y de las peticiones escritas que recogía yo cuando pasaba entre la gente para subir al estrado en los actos de campaña. Sería un plan nacido después de provocar la discusión y el debate acerca de los miles de problemas concretos que aquejan a las personas y después de discutir las soluciones con los generadores de ideas en México y en el extranjero, todo esto bajo la coordinación de Eduardo Sojo.

Y así, por ejemplo, fuimos a todos los lugares donde hubiera historias de éxito en cada rubro.

Para el tema de los recursos naturales y la ecología dijimos: "Vámonos a Brasil", donde ya se discutía la posibilidad de tener combustibles con base en etanol y biodiesel y donde hay hermosas ciudades con un admirable equilibrio ecológico, como Curitiba.

Para el tema de la educación, dijimos: "Vámonos a España, a Irlanda".

Para los sistemas de salud, dijimos: "Vámonos a Cuba, a Chile".

Para las microempresas, dijimos: "Vámonos a Lombardía", donde miles de florecientes pequeñas empresas sostienen en buena medida la economía italiana.

Para la seguridad: "Vámonos a Colombia, vámonos a Londres, vámonos a Estados Unidos", pues la policía inglesa es buena, mientras que la inteligencia con Colombia y con Estados Unidos nos resulta fundamental.

Para el multilateralismo, fuimos a las Naciones Unidas. Para encontrar alternativas novedosas en el combate a la extrema pobreza, fuimos a Bangladesh, con el futuro premio Nobel de la Paz, Muhammad Yunus, el "banquero de los pobres", padre de los microcréditos. En fin, fuimos a los mejores lugares en éstos y en los demás aspectos.

Luego sometimos las propuestas a juicio público.

Llegamos al 1º de diciembre de 2000 con los pelos de la burra en la mano. Trabajamos tan duro en el periodo de candidato triunfante y de presidente electo, es decir, en los cinco meses entre julio y diciembre, que pudimos presentar el plan completo de gobierno conforme lo marca la ley: durante los primeros tres meses de la gestión presidencial.

Fue la primera vez que se acataba rigurosamente la ley en este punto.

Para cumplir mi instrucción precisa, cada secretaría, cada dependencia trabajó muy intensamente en la redacción de su parte respectiva del plan. No impuse ninguna restricción a quien quiso pensar y decir públicamente que, visto desde fuera, todo nuestro trabajo era un caos.

MARTA Y VICENTE DESPUÉS DE 2006

¡Qué simple y cierto es aquello de que todo lo que inicia acaba! También concluyó esta gran responsabilidad que sin duda fue el mayor honor de mi vida, fue el mayor reto y fue la gran oportunidad de conocerme a mí mismo y de conocer que el pueblo de México es el mejor pueblo del mundo. Digo esto porque siempre tuve acompañamiento, siempre tuve solidaridad, siempre tuve apoyo.

Tuve también la oportunidad de formar un gran equipo, un magnífico equipo de trabajo. Por eso no quiero escatimar elogios a todos aquellos que, a veces abandonando tareas más redituables, más fáciles, más cómodas, decidieron acompañarme en este tramo de la historia de México.

Y así pasaron los seis años. Y hoy Marta y yo estamos los dos de nuevo cabalgando juntos. Hoy tenemos nuevos propósitos. Hoy tenemos el Centro Académico, Documental, Educativo y Cultural Vicente Fox Quesada, que será la base para seguir en nuestra lucha, que será la plataforma para irradiar valores y políticas públicas sólidas a todo México y a toda América Latina. Hoy seguimos de la mano, más unidos y enamorados que nunca. Hoy seguimos luchando por México y por aportar nuestro granito de arena para mejorar y superar la realidad vergonzante que aún se padece día a día en distintas zonas de nuestro país y de América Latina. Hoy seguimos cabalgando juntos como el Quijote para alcanzar nuevas metas. Y es que yo tengo la convicción de que quien se detiene deja de crecer y comienza a morir, de que quien no se mantiene en movimiento es alcanzado por la resaca y por los oponentes, de que quien se detiene deja de tener franco el camino hacia el éxito.

CARLOS Fuentes

ESCRITOR.
CIUDAD DE PANAMÁ, 1928.

158

> ES UNA TRANSICIÓN CON MALA SUERTE, ES UNA TRANSICIÓN DEMOCRÁTICA QUE HA COINCIDIDO CON EL NARCOTRÁFICO, CON VIOLENCIA, CON CRIMEN. ES UNA TRANSICIÓN MALHADADA EN CIERTO MODO PORQUE TODO LO QUE TENÍA QUE SOSTENERLA SE DEPLOMÓ. "

EN 1988 HABÍA una gran fuerza del Estado nacional mexicano —aunque muy debilitado el partido desde 1968—. Ganó Cárdenas, aparentemente; se legitimó Salinas, aparentemente, y tomó el poder. Era un hombre muy fuerte; inmediatamente encarceló a *la Quina*, efectuó actos de autoridad que le daban autoridad al gobierno que terminó por aceptarse. Ernesto Zedillo se dio cuenta de que lo que había pasado en 1988 afectaba lo que pasaría en 2000 y que no era posible continuar; aunque hubiera ganado Labastida nadie lo hubiera creído. El país estaba en una tesitura que exigía un cambio democrático: si tú y yo nos presentamos de candidatos en 2000, Carmen, ¡ganamos! *Tú sí.* No, no, tú también; la gente necesitaba y quería un cambio. *O sea que hasta Vicente Fox ganaba, ¿o qué me quieres decir?* Eso quiero decir exactamente. Fue muy lamentable para la democracia mexicana que el primer gobierno de alternancia que sucedió al PRI dejara tan escasos resultados. Se me hizo un periodo de desencanto profundo con la partidocracia mexicana; ya se sabía que el PRI era corrupto; ahora sabemos que los otros partidos también tienen colita que pisarles. Ya en la época de Salinas el presidente de la República y el PRI no tenían el poder que habían tenido hasta 1968. Había que cogobernar con el PAN; un tema muy planteado en la época de Salinas y muy planteado hoy por la necesidad de Calderón de cogobernar con el PRI. El PAN podía encarnar a la Inmaculada Concepción mientras no llegara al poder; simplemente, el PAN de Gómez Morin estaba postulado ¡en la oposición para siempre! No se veía que el PAN llegara al poder; era una imposibilidad que alguien le arrebatara el poder al PRI. Entonces, en el momento en que el PAN tuvo que adquirir responsabilidades del gobierno, perdió la virginidad, ¡y qué bueno! Yo no quiero partidos vírgenes, ¡quiero partidos que follen todos con todos muy contentos! Digo, que haya una promiscuidad, en cierto modo, entre los partidos, porque así se hace la vida democrática. El PAN ya no es ese partido que encarna la pureza y la virginidad de la oposición, ya no; ha estado en el poder, sigue en el poder y tiene dos presidentes consecutivos. Hoy no creo que siga en el poder —ésa es ya una opinión personal—; se le han agotado sus cartuchos. Estamos ante la necesidad, en el tercer año de Felipe Calderón, de un cogobierno con el factor real de poder que significa el PRI.

Al final de cuentas dices que Salinas tomó una serie de decisiones y de medidas para dotarse de autoridad sin legitimidad. ¿Qué significaron para efectos de la transición? La razón de Salinas era la modernización. Se presentó como un presidente modernizador y lo fue hasta cierto punto. En algunas cosas no. Hizo un viaje a Europa y se dio cuenta de que la Comunidad Europea estaba cerrada para México y entonces cambió su discurso; tenía un discurso que buscaba desprenderse de Estados Unidos y aliarse con Europa. Se dio cuenta de que eso no era posible y entonces entró al mundo del TLC. Recuerdas que originalmente apoyaban a Salinas gente como Víctor Flores Olea, Enrique González Pedrero, en fin, un poco la vieja tradición revolucionaria de apoyo al partido aún no había muerto y mucha gente de la izquierda lo apoyaba. El presidente Salinas tuvo un gobierno en que no se le achacaron demasiados vicios graves, graves. La caída de Salinas es obra de Salinas. Cuando salió del gobierno cometió un error muy grave que ningún otro gobierno antes de él había cometido, que fue no asumir los vicios de su propio gobierno. Los errores finales que tiene todo gobierno cuando se hizo el balance los endosó a la administración siguiente. Y viene el error de diciembre y la ruptura con Zedillo y la decisión fraternal de Salinas que es la que afectó mucho su imagen. *El ejercicio crítico hacia el sali-*

nato vino después de forma brutal alentado por el propio Ernesto Zedillo Sí, estoy de acuerdo. Ahora tú sabes que Salinas, debido al asesinato de Colosio, se quedó sin candidato y ya no había más elección que entre Ernesto Zedillo y Fernando Ortiz Arana. No había más que dos, uno u otro tenía que ser, ambos muy débiles por la situación. Entonces Ernesto Zedillo llegó con bastante debilidad a la Presidencia y tenía la obligación de sentar su autoridad como presidente. Y yo creo que lo que hizo con Salinas tiene que ver con esa decisión de establecer una presencia fuerte habiendo sido candidato débil.

La coexistencia de un presidente que impulsó una serie de medidas modernizadoras y la otra parte del México corrupto, ¿qué nos da para evaluar ese sexenio? Nos da muchas cosas, sobre todo un contraste muy notable. Yo estaba comiendo con Miguel de la Madrid en el San Ángel Inn más o menos seis meses o un año después de la toma de posesión de Salinas y se hizo una cola de comensales que venían a ver a De la Madrid —no a mí— y a felicitarlo por su elección. Es decir, hay luces y sombras en todo gobierno mexicano. A partir de 1968 las luces van aumentando al mismo tiempo que las sombras y cada acto del gobierno ya es visto como un acto que no es tan revolucionario; el gobierno ya no es tan legítimo. ¿Y qué viene ahora? ¿Qué vamos a postular? ¿Qué vamos a defender? ¿Qué vamos a ofrecer en contra de lo que no nos gusta de este gobierno? Lo que pasó finalmente en México es que se acabó el prestigio y la autoridad revolucionaria. La legitimidad revolucionaria se perdió en 1968 y se fue manteniendo más o menos con pegotes. Un ejemplo es el gobierno de Salinas y otro el del propio Zedillo, en el que esa legitimidad revolucionaria se va acabando y se extingue por completo en la elección del 2000. La democracia es muy frágil en México.

En países como Estados Unidos, Francia o Inglaterra hay un grado de impunidad que va con el ejercicio del gobierno, pero hay un límite muy severo y quien impone el límite es el poder Judicial. Mientras no tengamos un poder Judicial fuerte, independiente, capaz de investigar los actos del gobierno para juzgarlos, y de absolver o condenar a los actores del gobierno, vamos a vivir en una especie de impunidad a partir de simpatías, diferencias o alianzas y realidades muy frágiles. Es decir que lo que está en juego es la separación de poderes en México. Vamos a tener una separación de poderes o a ser un monopoder, como lo fuimos durante la época priísta. Existe todavía un sistema corporativista muy extendido en México que es el que gobierna. Mientras no seamos capaces de ir más allá del corporativismo a una democracia de partidos efectiva, vamos a ver estas componendas, que no son de uno, dos o tres personajes; es el sistema mismo como está constituido lo que lleva a estas conclusiones que tú me dices. *¿Quién protagoniza ese corporativismo?* Mucha gente; odio dar nombres, pero lo implican muchos sindicatos, organizaciones empresariales, los partidos tal como están constituidos. En las comunicaciones es obvio que existen grandes corporaciones que son un poco como lo que había en Estados Unidos antes de las reformas de Teodoro Roosevelt. En el año cuatro acabó con eso mediante una ruptura de las grandes corporaciones, obligándolas a subdividirse o a entrar en competencia con otras; de manera que eso es lo que nos falta en México. Yo no veo tanto el problema en los individuos; lo veo en las corporaciones demasiado poderosas que impiden un desarrollo democrático real del país.

Uno de estos factores de poder son las televisoras. Es preocupación que más a flor de piel tengo. Las televisoras parecen haber reaccionado con la toma de poder orgánico a través de la telebancada (algunos que venían del jurídico de Televisa) y la construcción de la candidatura presidencial de Enrique Peña Nieto. ¿Qué es lo que se opone a ello, Carmen? *Pues no muchas cosas. Es indispensable que eso no proceda. El problema es que no se convierte en un tema de discusión muy amplio en los propios medios.* ¿Cómo se rompe eso? *Pues con lo que acabas de decir: dividiendo el asunto con una nueva reforma de medios, por ejemplo.* Se necesita que haya muchos participantes en los medios. Que haya muchas televisoras, que haya más periódicos, más opinión, como pasa en cualquier país democrático. *No parece que vaya a ser así, pronto.* Pues entonces va a haber problemas, porque si éstos no salen al aire y se le da cauce a las preocupaciones de la gente, lo que se está creando es un sistema en contra del propio poder tal como existe. Un poder inteligente es el que va cubriendo espacios y permite libertades porque sabe que es la única manera de conservar el poder. Uno que se cierra —lo hemos visto en la historia de México y del mundo— es un pueblo condenado. Entonces ellos quieren suicidarse y provocar una explosión. *¿Sabrán esto que tú dices?* No lo creo. Hay un elemento en la oligarquía mexicana de autosatisfacción muy extraordinario. Lo he tratado mucho en mis novelas; creo que es una cosa muy evidente: ¡se sienten los reyes del chícharo; ellos inventaron la pólvora y son muy ajenos e impermeables a la crítica! No hay espíritus lúcidos dentro del propio espectro político, capaces de entender los problemas y de irles dando solución; no pido una revolución, ni una transformación súbita, pero sí la apertura de espacios que le otorguen voz a la inconformidad, a la pluralidad. Estamos en un país que tiene una pluralidad real, social, política, económica, intelectual que no se refleja en la vida política. Ahí está el problema para mí. Las corporaciones tienen que entender esto e irse abriendo poco a poco hacia un régimen mucho más moderno. Ahora, ¿lo entienden? No sé, tú los conoces mejor que yo.

En este recuento de la historia 1994 es un año terrible que cimbró la vida pública por muchas razones. ¿Cómo lo entiende Carlos Fuentes? Mira, te voy a decir un secreto. En esta casa, el 19 de diciembre, más o menos, estaba con Jorge Castañeda y Carlos Salinas de Gortari —que era presidente—. Fue una comida muy intensa, de mucha discusión, interesante, inteligente —porque estoy hablando de dos hombres inteligentes— y que se prolongó hasta la una de la mañana. En el personaje presidencial de ese momento yo no veía sino un optimismo extraordinario, una sensación de "a mí me salió bien todo; dejo el gobierno sin ningún problema". El 1º de enero estalló todo ese asunto y vimos un país distinto que había sido un poco escondido por una serie de factores de modernización que propuso el gobierno de Carlos Salinas. De repente el México bronco, el México de allá, el México invisible, dijo: "No, no, no, aquí estoy haciendo ruido, dando de gritos". Esto que relato te demuestra que no era previsible que hubiera un levantamiento en Chiapas. ¿Quién lo iba a pensar en ese momento? Pero había un cierto triunfalismo que acabó por pagarse. De ahí entramos a una situación mucho más severa, de autocrítica, de un mayor margen de libertades —sin duda alguna, tú lo demuestras— que nos condujo a una elección democrática en el año 2000. Pero a finales de 1993 no era previsible lo que estás diciendo; no lo preveía el presidente, ni Jorge Castañeda, ni yo, ni nadie. *¿Qué significó la muerte de Colosio?* Es muy difícil saber por qué lo asesinaron. Yo tenía una muy buena relación con él y le tenía mucha confianza. Creo que él se daba cuenta de la situación del país, de la necesidad de algunos cambios;

no de todos, pero de muchos e importantes, por eso conversamos bastante. Él sentía que se había cumplido una etapa y que había que ir a una distinta. No sé qué pasó realmente en el asesinato; puede que sea obra de un individuo o de una conspiración. Yo no lo sé. Pero el hecho es que ahí se cortó una esperanza.

¿Qué papel jugó Ernesto Zedillo? Yo creo que es un hombre moderno. Hubo un censo de opinión en el que Cárdenas ganó como el mejor presidente y Zedillo quedó como el número dos. No trato de personalizar en esto porque creo que hay problemas que trascienden a cualquier presidente; pero Zedillo tuvo la inteligencia de saber que el periodo de predominio absoluto del PRI había terminado y que tratar de prolongarlo hubiera creado una situación muy difícil para el país. *La sana distancia que creó de su relación con el PRI ¿fue real efectivamente?* No sé. El PRI es un monstruo muy raro, es una hidra con 17 cabezas y de cada una salen mil. Ernesto Zedillo se dice miembro del PRI, defiende al PRI pero es de otro PRI que no es el priísmo que conocemos. *Pues uno de los temas es el reclamo de los priístas a Zedillo que dice que trabajó para que perdiera el PRI.* No lo creo; pienso que se manifestó la voluntad del país y creo que fue una elección limpia la que llevó a Fox al poder. Tú y yo somos ciudadanos, sabemos que el país estaba harto del dominio del PRI y Ernesto Zedillo se dio cuenta de esto. No creo que su Presidencia haya sido mala. Se dio cuenta de las cosas que pasaban y de los cambios que requería el país. De manera que estamos hablando de una larga transición y han pasado tantas cosas que resumirlas sin tomar en cuenta mil detalles no es posible.

Fox llegó con una legitimidad inmensa y muy pronto vino el desencanto. ¿Qué pasó con él, con Marta Sahagún que cogobernó? Yo no hablo de las señoras para nada, para nada. *¿Ni de esa señora?* No, de nadie, de ninguna mujer. **Un factor de poder importantísimo.** Las mujeres no entran en mis... **¡Qué macho, Carlos!** No, al contrario, muy respetuoso. No me refiero a la señora sino a la objetividad del gobierno, pues para su desgracia ese gobierno de Vicente Fox llegó con una ola de entusiasmo renovador que no se podía cumplir; no lo concebimos como un tránsito normal de un partido a otro. Oye, ¿tú puedes ver cambio más grande que el de George Bush a Barack Obama? Pues es un cambio brutal pero fundacional, fundamental y todos los *fundos* que quieras... ¡Fundillo! Pero es un cambio bárbaro y no se ha caído el mundo, ni se han caído los Estados Unidos. Aquí el cambió del PRI a la oposición era un cambio enorme, pero no se vio nunca como un cambio normal. Creo, a pesar de mis diferencias con Vicente Fox, que no fuimos capaces de juzgar con normalidad su gobierno; pusimos demasiadas esperanzas en la renovación foxista, que no se podían cumplir. Llegó y —no tiro a la basura todo lo que hizo el gobierno de Vicente Fox— simplemente creo que no se le puede exigir a un gobierno, porque es el primero de la oposición que llega al poder, que transforme el país de la noche a la mañana y que sea la fuente de todas las bondades y virtudes de México, porque cuando llegas al poder lo heredas, no sólo lo tomas. Yo no sé lo que le falló, porque no soy el psiquiatra de Vicente Fox. Pero evidentemente él tenía varias cosas de convicción personal que era su gran alianza con la Iglesia católica y luego su desprecio por la política exterior de México. En todos los aspectos de la política hay que hacer concesiones para obtener buenos resultados y creo que esto le falló a Fox: no ejerció la política, es decir, el gobierno de la *polis* lo dejó vagar; fue un gobierno holgazán. Dejó pasar el momento histórico. Eso es lo que se le puede achacar a Vicente Fox.

El PAN, que era el partido de oposición por naturaleza, una vez que se hizo gobierno reeditó las prácticas del régimen que parece que se fue, pero no del todo... ¡Es el régimen de Moctezuma! ¿Cómo esperas que se vaya? Está inscrito en el corazón del país. Un gobierno autoritario, imperial, de Moctezuma, la Colonia española, el virreinato y un siglo XIX de la chingada, en el que todo salió mal hasta que llegó Juárez y le dio lugar a Porfirio Díaz... Es decir, el autoritarismo es la transición del gobierno en México y la excepción democrática es muy escasa, es Juárez, Madero y luego Vicente Fox y Calderón; pero es una excepción. La regla no es ésa; la regla de México es el autoritarismo que va hasta el fondo, de raíz, con una tradición brutal. ¿Cómo convertir eso en un sistema político que ya no se refleje a sí mismo? Porque es un juego de espejos; el autoritarismo se refleja a sí mismo, se está viendo al espejo diciendo: "Ésta es la realidad". La diversidad actual del país —que conocemos tú y yo muy bien, que la practicamos, que la vivimos— no está reflejada en el sistema político ni en la vida de partidos. ¿Qué es lo que va a ganar: el espejo o el suelo, la realidad o la imagen? Es un debate enorme porque hay un divorcio entre lo que pasa en la vida política y lo que pasa en la vida social y económica del país, amenazada, además, terriblemente por el crimen, la inseguridad y todos los temas que hemos tratado. No es una situación fácil. Estamos hablando de un país descentralizado en el que el presidente de la República ya no es el que reparte las tortas como antes. Existe una pérdida de poder del Ejecutivo que se va a los ejecutivos locales. ¿Esto es lo que queríamos? ¿Qué es el federalismo mexicano? Ésa es la pregunta. Necesita contrapesos. Estamos hablando de un federalismo activo, de un *checks and balances*, que es lo que no tenemos en México. Aquí hay una tradición centralista muy fuerte que está siendo sustituida por los centralismos locales. Esto es terrible porque en vez de tener a Moctezuma en el trono del águila y la serpiente, tenemos *moctezumitas* regados por todo el país.

Ocurrió otra cosa terrible: la manera como enturbió el proceso Vicente Fox con el ataque a López Obrador. Eso llevaba un mensaje político muy claro: "Este hombre no debe ser presidente de México". Para mí perdió, por un mínimo, pero perdió como se pierden o se ganan las elecciones actuales. Espero que nadie vuelva a ganar en México por 80 por ciento. Lo que es un hecho es que Fox enturbió el proceso sucesorio mediante su ataque concertado contra Andrés Manuel López Obrador. Muchos protestamos contra eso, nos pareció indebido; incluso el propio Ejército se opuso a las medidas de Fox. Constituyó un error tremendo que marcó para mal al gobierno de Vicente Fox. De ahí en adelante ya no era creíble un gobierno que había actuado de esa manera.

¿Y en el ámbito internacional? Creo que el gobierno de Calderón, en ese sentido, está más cerca de los gobiernos de izquierda de América Latina que lo que estuvo el gobierno de Vicente Fox o quizá de lo que hubiera estado el gobierno de Zedillo o de Salinas. Mira, pasó esto: yo crecí con una América Latina dominada por las intervenciones de Estados Unidos —y pongo como ejemplo Guatemala, donde se acabó la democracia con un derramamiento de sangre brutal durante años y años—. A partir de la caída del gobierno democrático de Guatemala, lo que vimos fue el derrumbe de la democracia prácticamente en toda América Latina. Gobiernos dictatoriales, uno detrás de otro. A partir del final de la Guerra Fría han vuelto los gobiernos democráticos, gobiernos de coalición como los de Ricardo Lagos, Fernando Henrique Cardoso, Álvaro Uribe. Son gobiernos que han reinstaurado las instituciones democráticas, los procesos electorales, la libertad de prensa, la libertad de asociación, los sindicatos, toda una serie de cosas que son fundamentales para la democracia, pero con la mitad de la población viviendo en la pobreza. Ese 50 por ciento es el que está diciendo: "Qué buena es la democracia, pero a qué hora comemos". Y es eso lo que da pie a gobiernos de izquierda en América Latina. Ahora, no creo que un hombre como Hugo Chávez —fascista disfrazado, Mussolini tropical— vaya a resolver algo. Creo que hombres como Evo Morales o como Correa pueden resolver muchas cosas en la medida en que están abiertos a una cooperación con las otras fuerzas de la sociedad.

¿El 2012 lo va a ganar el PRI*?* Yo sospecho que sí; pero cuál de todos los PRI. *¿Cuál te gustaría que ganara?* Yo esperaría que ganara el de Beatriz Paredes, que parece el más pragmático y el más ajustado a una política democrática. Pero hay otros PRI que son personalistas, corruptos, de pura imagen, nostálgicos, retardatarios. Y esos PRI no me gustan. El PRI es capaz de asumir una posición moderna dentro de un régimen, el tripartidista, de respeto a los otros partidos y a las reglas de la democracia. Hoy en día creo que la sociedad no permitiría que un partido ejerza un monopolio político. Lo que espero —lo repito y me hinco y lo pido— es que este país llegue a un sistema partidista moderno; no este sistema anacrónico, inútil y complicado que tenemos en este momento. *¿Es posible la involución?* Es tan posible que puede llegar a la dictadura, al régimen militar. Yo no quiero eso pero todo es posible en un sistema tan confuso como el de México, pues puede haber un momento —no lo preveo y lo voy a decir muy a pesar mío— en que un régimen militar diga: "Se acabó este carnaval, vamos a poner orden".

Te pregunto: ¿el próximo presidente de México podría ser narco? No creo; para empezar la comunidad internacional no lo permitiría ni los americanos lo soportarían. Aquí entramos a un terreno mucho más importante que es el siguiente: ¿qué se está haciendo para que el país crezca? Ahí hay una especie de siesta, estamos durmiéndonos: se acabó el trabajo migratorio, el petróleo no nos va a dar, el turismo tampoco, y hay un país que está esperando que su mano de obra sea empleada de manera productiva. Necesitamos algo comparable a lo que fue el nuevo trato de Roosevelt, en Estados Unidos, capaz de movilizar la enorme mano de obra latente que hay México. Necesitamos reconstruir el sistema de comunicaciones, la educación, trabajar la renovación urbana, portuaria; 20 mil cosas que están esperando y que no han sido atendidas en los últimos 20 o 30 años. Las cosas se están cayendo; necesitamos una política de reconstrucción del país a partir de la mano de obra que en sí misma es una respuesta al problema de los narcos y de la droga. No hay una política encaminada a esto; se cree mucho que la iniciativa privada va a proporcionar empleo, pero no hay un programa ejecutivo desde el gobierno para movilizar al país, para hacerlo aprovechar sus enormes recursos. Es un país riquísimo. ¡Oye, es un país tres veces más grande que España! Tiene todo si queremos utilizarlo; pero no queremos porque somos comodinos, porque el bracero nos va a mandar dinero, porque va a venir el turista. ¡Chinguen a su madre, se acabó, eso se acabó! Tenemos que pensar en otras dimensiones, en cómo este país puede crecer a partir de su propio esfuerzo —desde abajo para arriba— y ése es el gran desafío que tenemos en este momento. *Ahora, ¿qué pasa con los otros participantes de este país?* Hay una gran esperanza en que la sociedad vuelva a ofrecer soluciones y

a oponer fuerzas; pero en la situación actual será difícil si no hay una decisión desde el gobierno de reconstruir el país. *Ahora, estamos con una crisis global que parece requerir un cambio civilizatorio.* En el fondo todo el mundo lo está requiriendo en este momento. Es un cambio fundamental. Es el cambio del siglo XXI: un siglo nuevo en el que los conceptos de Estado y sus obligaciones, del ciudadano y sus obligaciones, han cambiado radicalmente para convertirse en elementos mucho más activos. Vamos a ver una gran activación de elementos como la cultura, las organizaciones sociales, los sindicatos, pero a partir del fin del corporativismo que, en países como México, impiden la total socialización. La sociedad debe tomar más y más iniciativas. Lo que yo quiero ver es una figura comparable a Obama en el panorama mexicano; la sociedad está ahí, la figura no. Aunque tampoco veo a la sociedad organizada, no veo la coagulación de esa sociedad en torno a los partidos y en torno a figuras relevantes.

A ti te gusta Maquiavelo. No, no es que me guste, es que "es". *Utilízalo para analizar la transición mexicana.* Mira, para mí hay tres grandes figuras que curiosamente se dan en un periodo muy corto. En el curso de 15 años se publica *El príncipe* de Maquiavelo, *La utopía* de Tomás Moro y el *Elogio de la locura* de Erasmo de Rotterdam. Creo que la verdad está dividida entre los tres: Maquiavelo dice lo que "es"; Tomás Moro dice lo que "debe ser" y Erasmo dice lo que "puede ser". Yo creo que entre los tres hay que pensar, no sólo en lo que "es", sino en lo que "quisiéramos que fuera" y finalmente en lo que "puede ser". El *erasmismo* finalmente tiene una figura y una obra máxima en Cervantes. El *Don Quijote* —una obra *erasmista*— nunca se relaciona con Erasmo porque la Inquisición no lo hubiese permitido. Es la teoría de lo que "podría ser" dadas las circunstancias reales y eso es lo que debemos buscar en México: no tanto conformarnos con lo que "debe ser", tampoco contentarnos con lo que "puede ser", sino trabajar en ello. Por eso hemos estado hablando todo este tiempo de lo que "puede ser" y no más, porque no tenemos la bola de cristal absoluta.

¿Dónde pudo haber tenido un punto de arranque la transición? Yo creo que empezó en 1968 porque se quebró la autoridad revolucionaria del PRI. El hecho de que haya encarnado la legitimidad de una Revolución, ser el heredero legítimo resulta sumamente importante porque le da una autoridad extraordinaria. Los partidos de la Revolución cumplieron en gran medida con toda una serie de factores que le dieron estabilidad al país y le perdonaron muchos vicios al gobierno en nombre de las virtudes del mismo gobierno. Pero en 1968 el gobierno de Gustavo Díaz Ordaz se suicidó; ya no fue posible creer más en un gobierno revolucionario después de la matanza de Tlaltelolco —la gran herida de la Revolución mexicana—. En 1968 el pasado concluyó y se inició una nueva etapa en la que los gobiernos que siguieron a Díaz Ordaz trataban de legitimarse y legitimar a la Revolución como una concesión y ya no se les creía. Hasta el momento en que Ernesto Zedillo decidió abrir esto con elecciones libres para que la oposición llegara al poder. Primero es un proceso de legitimación y de deslegitimación paulatina entre 1968 y la elección de Vicente Fox. *¿La transición continúa, se terminó, se fracturó, falló? ¿Cuál es tu mirada?* De entrada ésa es una pregunta inmensa pero sin duda es una transición porque terminaron 70 años de gobierno de un partido único; entonces, en sí mismo, eso implica un cambio. Es una transición con mala suerte, es una transición democrática que ha coincidido con narcotráfico, con violencia, con crimen, con descenso del turis-

> "ESTAMOS EN UN PAÍS QUE TIENE UNA PLURALIDAD REAL, SOCIAL, POLÍTICA, ECONÓMICA, INTELECTUAL QUE NO SE REFLEJA EN LA VIDA POLÍTICA."

mo, descenso del precio del petróleo; todo lo que podía haber sostenido una transición en términos sociales y económicos ha sufrido un embate espantoso. Es una transición malhadada en cierto modo porque todo lo que tenía que sostenerla se desplomó. Entonces lo que entra en cuestión es si va a seguir la transición o si se va a detener; y si se va a detener, a dónde vamos a ir: ¿vamos a regresar a un nuevo PRI, a un PRI renovado? ¿El PRI se puede renovar? ¿El PRI vuelve a ser el partido más fuerte (ya lo es)? Después de esta elección de 2009 es indudable que el partido fuerte de México se llama Partido Revolucionario Institucional, pero ¿qué es hoy el Partido Revolucionario Institucional? ¿Qué promete para el futuro? ¿Quiénes son sus figuras? Aquí tenemos un partido que ha servido como sombrilla a todas las tendencias políticas del país. ¿Quiénes son los líderes de la izquierda de hoy? Antiguos priístas. Pero ahí también hay gente muy derechista. Entonces, ¿qué significa el PRI? ¿Qué ofrece el PRI para el futuro de México, aparte de una cierta nostalgia? Como los demás partidos ya estuvieron en el poder y no nos dieron lo que pensábamos que nos iba a dar la democracia, entonces vamos a regresar con papá PRI, que es el que por lo menos nos cobijaba y nos dio seguridad durante 70 años. Me parece un pensamiento falso, no estoy de acuerdo con él para nada; creo que el país tiene que evolucionar —quizá no lo vea yo, quizá no lo veas tú— hacia un sistema partidista moderno con un lado social, demócrata y de izquierda, y del otro, democracia cristiana, derecha, y los extremos a los extremos. Que los extremos no ocupen el centro como está ocurriendo hoy, lo que significa una terrible desventaja para el país. ¿Somos capaces de construir un sistema partidista, democrático, moderno, basado en socialdemocracia y democracia cristiana?

Creo que éste es el desafío que tenemos, pero con todo en contra. *¿Un sistema bipartidista es el futuro que tú ves?* Sin excluir a nadie; un sistema bipartidista fundamental pero con los extremos abiertos, alentados. Necesitamos los extremos para que nos adviertan, nos critiquen, nos mienten la madre, todo; pero necesitamos una organización partidista moderna, fuerte, seria, que tenga credibilidad. ¡Dios mío, Carmen, ya no creo en nada de lo que dicen los partidos; están contando papas todo el tiempo! Quisiera tener un sistema que me permita valorar la realidad política y tomar opciones electorales.

Creo que en este momento la izquierda vive uno de los peores momentos que yo recuerde en México; no existe. No creo que haya una sola figura que pueda unir a una izquierda democrática, socialdemócrata en México. Una izquierda como la que representó Felipe González, Ricardo Lagos o Lula da Silva no la veo en México todavía. Corresponde a la propia izquierda hacerse cargo de sí misma y decir: "Vamos a dejarnos de vaciladas y de discutir estas tonterías, dejemos de ser una izquierda confeti y vamos a tratar de presentar una propuesta socialdemócrata moderna, válida, en la que crea la ciudadanía de este país". No han sido capaces de hacerlo. De la izquierda actual, ¿quién quiere ser parte? Es una izquierda de mariachis, rarísima, pulverizada totalmente. Me parece muy triste porque no ofrece por el momento una opción de gobierno y la demostración de esto es el triunfo del PRI en las elecciones de 2009. Con todo esto, queda el PRI como esperanza del país. Eso me parece lamentable. Creo que no hay una buena opción política en este momento, pero hay que crearla y en gran medida es responsabilidad de la izquierda hacerlo. Existen los líderes pero voluntad no la veo por el momento.

MIGUEL ÁNGEL Granados Chapa

PERIODISTA.

HIDALGO, 1941.

CONSEJERO CIUDADANO DEL IFE, 1994-1996.

MEDALLA BELISARIO DOMÍNGUEZ, 2008.

MÉXICO VIVE HOY en una situación muy frágil porque se han juntado varias crisis. No se han superpuesto, sino que se han entrelazado, y la estructura institucional podría ser insuficiente para encarar particularmente dos de ellas: la de seguridad y la económica. Hasta la primera mitad de 2008 el riesgo era la conjunción de la crisis política, la polarización y la crisis de seguridad. Ahora más velozmente la crisis económica se puede convertir en el centro de la situación, que potenciará las otras crisis. Sin embargo no parece haber una actitud clara del gobierno para encararla. Si no aparecen esa actitud y un programa anticrisis acorde con la magnitud del problema, podemos salir muy maltrechos. La crisis va a ser muy severa, ya se está acentuando.

A estas crisis entrelazadas, hay que agregar el narcotráfico y el crimen organizado en las estructuras políticas. Hoy efectivamente el problema es peor que nunca. No sólo porque se le dejó crecer, sino porque su propia dinámica convirtió a México en un país de consumo y no sólo de paso. La guerra entre narcotraficantes y las miles de muertes no derivan sólo de la incompetencia de la autoridad para impedirlo. Se trata de situaciones propias del narconegocio. Ahora se disputan las rutas y el mercado, de modo que los espacios bélicos han aumentado, independientemente de la capacidad o la incapacidad de enfrentarlo. El crecimiento y la diversificación de las actividades del narcotráfico se agregan a la incompetencia y a la complicidad. Se ve muy cercano el momento en que el Estado falle, que sea incapaz de ofrecer la mínima seguridad.

¿La transición a la democracia concluyó en algún punto? No, nos hemos quedado a medio camino. *Pepe Woldenberg dice que terminó en 1997, como*

transición democrática y de régimen. No, ahí empezó. Yo diría que la transición empezó en 1997. *¿O son dos transiciones?* Son dos momentos de una transición. *Para aclarar el tema, ¿dónde empieza, dónde acaba, hacia dónde va?* La transición implica una redistribución de poder, de un régimen de partido dominante casi único a uno de competencia de partidos. *¿Ésa es la transición?* Sí. La competencia de partidos frente a la omnipotencia de un solo partido. Eso comenzó en 1989 en Baja California, pero en términos más estructurales comenzó en 1997, con la pérdida del control del Congreso por el PRI. Eso significó un incremento de poder de los partidos y el asunto se quedó a medias, porque ahora los partidos son los que determinan la situación actual; se atoraron en el beneficio de sí mismos y no ampliaron la expectativa del horizonte para el país, para la gente. Por eso la transición se quedó a medias y contrahecha.

Pensando en lo que hoy estamos viviendo, ¿qué se ha logrado y en qué se ha fracasado? El sistema político tenía dos pilares: el presidente omnipotente y su instrumento de partido omnipotente. En 1997 entró en crisis el PRI, en 2000 el presidente. Ambos fueron sustituidos por poderes oligárquicos, no por la democracia, sino por poderes políticos y fácticos. La televisión dependía del presidente; ahora el presidente depende de la televisión. Porque no se dio el paso al pluralismo de partidos, sino a las oligarquías de los partidos. No está representada la gente, el público, la ciudadanía, la sociedad, sino los grupos que la controlan. *¿Es una transición fallida?* Es una transición interrumpida, no necesariamente fallida, porque están sentadas las bases para que se pueda recuperar el paso.

¿Qué piensas del fenómeno Peña Nieto, ejemplo de cómo se está construyendo una candidatura desde la televisión? Puede no consumarse, no es un acontecimiento inexorable. Hay circunstancias institucionales y políticas que pueden impedirlo. *No parece prestarse mucha atención a lo que significa la sobreexposición de Peña Nieto en la televisión.* Yo creo que sí, por eso Marcelo Ebrard está haciendo homeopatía. Lo semejante se cura con lo semejante; está haciendo lo mismo que Peña Nieto porque percibe el riesgo de que se construya la candidatura desde la televisión. Supongo que el razonamiento de Ebrard es: "Si la televisión va a construir al presidente, yo también voy". La movilización de Andrés Manuel López Obrador tiene un sentido de mediano plazo que no alcanzamos a percibir bien, porque estamos acostumbrados a una política de cuadros, de cúpulas, y nos parecen ingenuas e inútiles las movilizaciones, pero puede llegar un momento en el que sea más importante que haya una movilización real de la gente. *¿No necesariamente con López Obrador, o no únicamente?* No únicamente con López Obrador. No quiero decir que él esté construyendo las bases para ser el presidente de la República en 2012, pero está gestando un modo de hacer política sin precedente. Entre que lo ignoramos y lo desdeñamos, porque no corresponde a nuestros cartabones de percibir a los políticos. Esa nueva manera de hacer política ya fue eficaz, porque cualquiera que sea la apreciación que se haga sobre la reforma petrolera, lo que resultó tiene el sello de la política de masas de López Obrador. El proceso legislativo, el proceso de discusión, fue distinto a cualquier otro, por ese sello.

En 1988, Cuauhtémoc Cárdenas casi no apareció en la televisión. Y apareció para mal incluso. *Veinte*

SE VE MUY CERCANO EL MOMENTO EN QUE EL ESTADO FALLE, QUE SEA INCAPAZ DE OFRECER LA MÍNIMA SEGURIDAD.

> " TELEVISA TIENE SU PROPIO PROGRAMA; CUANDO COINCIDE CON LOS PARTIDOS PODEROSOS, LOS PARTIDOS EN EL PODER, SANTO Y BUENO, PERO SI NO, VA ADELANTE CON SU PROPIO ALIENTO, CON SU PROPIO PASO. EN 2012, LA TELEVISIÓN VA A DETERMINAR QUIÉN SEA EL PRESIDENTE DE LA REPÚBLICA. "

años después, ¿podría repetirse la historia? No, porque la televisión, Televisa particularmente, pero ahora también Salinas, aprendieron la lección. Televisa ha venido haciendo política de distintas maneras: adosada al PRI, adosada al gobierno, o por su cuenta. Es más eficaz haciéndola por su cuenta. En 1988 dependía del gobierno del PRI, pero en los últimos 10 años ha hecho su propia política, a veces coincidiendo con el PRI o con el PAN, pero sin estar determinada por la asociación con uno u otro. Televisa tiene su propio programa; cuando coincide con los partidos poderosos, los partidos en el poder, santo y bueno, pero si no, va adelante con su propio aliento, con su propio paso. En 2012 la televisión va a determinar quién sea el presidente de la República, con el PRI o con el PAN o con el PRD. *Si fuera necesario.* Si fuera necesario. Creo que ése es el sentido de la actitud de Ebrard ante la televisión.

La portada de la revista **Proceso** *en la que Bernardo Gómez besa la mano de Marta Sahagún es una estampa magnífica para describir un momento clave: por una cosa tan frívola se descarrila una reforma fundamental, por un enamoramiento —digámoslo metafóricamente o no— entre ese poderosísimo joven funcionario de la televisión y la esposa del presidente. ¿Qué dirías al respecto de este poder que está por encima de los poderes formales de la representación social?* Corresponde a una conversión de Televisa. Televisa sirvió al Estado durante los dos primeros Emilio Azcárraga [Vidaurreta y Milmo]; a partir de Emilio Azcárraga Jean —no necesariamente por su personalidad, sino porque supo entender la nueva etapa— la televisión le ordena al Estado. Ahora el Estado se sujeta a la televisión. Hubo un giro copernicano a partir de la asunción del poder de Emilio Azcárraga Jean y su grupo de cuatro amigos. *¿Por qué se descarrila la reforma de medios?*

Porque Televisa ya es un poder en sí mismo. *¿Identificas el giro copernicano a partir del "decretazo"?* * No, antes. La capacidad de Televisa para presionar y hacerse cómplice de Marta Sahagún viene de un fortalecimiento político de Televisa, con Joaquín López-Dóriga en la pantalla, con Héctor Aguilar Camín en *Zona Abierta*... Hay un conjunto de factores visibles y otros interiores que denotan un nuevo proyecto político de Televisa.

¿Hasta qué punto podría llegarse para reconstruir un régimen autoritario a la medida de la televisión? No habría una involución general sino en puntos determinantes. No le quitarían la autonomía al IFE, no se llegaría a ese extremo; como en otro terreno no le quitarían la autonomía al Banco de México, y hasta podría ser posible elegir a un *ombudsman* mejor que José Luis Soberanes. La voluntad popular seguirá vigente de manera formal, pero la construcción de esa voluntad va a estar regida por la televisión, de modo que, por ejemplo, el PRI puede ganar la Presidencia en 2012 a la buena, lo cual nunca ocurrió.

¿Qué tipo de democracia se vive en México? México tiene una democracia arreglada, escenográfica, que asigna papeles, como una puesta en escena. *¿Una democracia irreal?* Es real, pero insuficiente. No es un mero fingimiento, pero no hay una conexión suficiente entre las decisiones de la oligarquía y las necesidades generales. Lo que puede ocurrir —por eso digo que la Presidencia de Peña Nieto no es inexorable— es que un movimiento como el de López Obrador genere

la necesidad en el poder oligárquico de atenderlo, en vez de empeñarse en marginarlo. Y a partir de la porción de atención que se le preste, ese poder popular o social será capaz de impedir la consumación del propósito de convertir a Peña Nieto en presidente de la República. Si el poder decisorio comete el error de marginar enteramente a la movilización popular, ahí podría haber incluso un conflicto violento.

Ya se había construido cierta confianza ciudadana frente a las elecciones. ¿Dónde estamos ahora? Retrocedimos. El Consejo del IFE vigente entre 1996 y 2003 inició la adquisición —ni siquiera recuperación, porque nunca la había habido— de la confianza en el órgano electoral. En 2006 dimos un paso atrás y como el IFE no quiere reconocer que se perdió la confianza, no se da a la tarea de recuperarla. El dato fundamental para la transición, desde el punto de vista electoral, es la autonomía del IFE, que el gobierno ya no tenga que ver ahí. En la etapa en la que yo participé, el gobierno todavía decidía. Era absurdo. Éramos 11 miembros con derecho a voto, pero si no estaba el presidente del Consejo no había quórum. Podíamos estar 10, pero si no estaba Emilio Chuayffet, Jorge Carpizo o Esteban Moctezuma —que fueron los tres presidentes de esa época— no había quórum. Explícitamente ésa era la regla, era la mayoría de humo.

¿Qué ha pasado con el Estado mexicano en los últimos 20 años? Es un Estado que se ha debilitado, por buenas y malas razones. El Estado se identificaba con el presidente y en la medida en que el presidente se acotó a sí mismo o lo acotaron y fue perdiendo funciones, su debilitamiento significó el debilitamiento del Estado, porque las instancias surgidas para reemplazar el poder

---

* Se llamó "decretazo" al decreto de Vicente Fox para eliminar 12.5 por ciento del tiempo aire al que tenía derecho el Estado en los medios electrónicos de comunicación desde tiempos del presidente Gustavo Díaz Ordaz.

presidencial no necesariamente adquirieron poder. Lo están adquiriendo lentamente, o lo están adquiriendo de manera torcida. Pongo el ejemplo de los gobernadores, quienes no tenían poder; tenían un poder vicario, el que el presidente quería darles. Ahora tienen poder y no lo ejercen, ya no digamos atinadamente, ni siquiera legalmente. Ése es un debilitamiento del Estado —por el debilitamiento de la Presidencia— que resulta para mal. No se tradujo automáticamente en un fortalecimiento del Congreso, donde se han creado zonas vagas en las que a veces se impone el poder presidencial y a veces el Legislativo, pero sin una regla, según la coyuntura.

¿Qué dirías sobre el poder Judicial como soporte o impulsor de la transición democrática? Ahí hay un claroscuro. El Tribunal Electoral Federal sirvió notablemente a la transición electoral entre 1996 y 2006. Centenares de conflictos electorales que de antaño se hubieran resuelto en la calle, ocasionalmente a trancazos, fueron resueltos tersamente por la justicia electoral. Hasta que *chafeó* en 2006, porque, como decía don Paco Martínez de la Vega: "Los principios son como los zapatos, duran hasta que se rompen". *¿Y se rompió irremediablemente el Tribunal?* No irremediablemente, pero repararlo será difícil. Porque en la elección de los consejeros y de los magistrados están tendidas las líneas de conducta de las que difícilmente pueden escaparse.

Para ti ¿qué es Ernesto Zedillo en materia de transición? Zedillo resultó un héroe contra su voluntad. *¿No le das ningún mérito?* Ninguno. *¿Y "la sana distancia" que se planteó respecto del PRI?* No, "la sana distancia" era fobia a lo desconocido. Fue héroe sin proponérselo. Tan no iba a ser un héroe que le dio mil quinientos millones de pesos al sindicato

de Pemex para que una parte, o todo, se lo dieran a Labastida. Eso de que promovió la transición y respetó el resultado de las urnas no es cierto.

¿Y Carlos Salinas? Un poco como Zedillo, pero más inteligentemente, convirtió la necesidad en virtud. El levantamiento zapatista modificó radicalmente el cuadro de opciones que tenía Salinas y el esquema de organización del país que el Tratado de Libre Comercio favorecía. Quedó en una situación muy frágil y la encaró con reformas más o menos cosméticas.

Ante la rebelión zapatista y el asesinato de Luis Donaldo Colosio, la oposición hubiera podido declararse en huelga y decir: "No hay condiciones para la elección". Salinas reaccionó rápidamente para evitarlo y propició que la oposición se sintiera, si no segura, por lo menos no marginada. La incorporó en la toma de decisiones. Fue un demócrata por conveniencia. Emprendió una reforma electoral, comenzando por la creación del IFE, pero fue una reforma cosmética porque él siguió siendo el factor determinante, y luego menos cosmética cuando los consejeros ciudadanos —a cuya etapa yo correspondo— ya no fueron propuestos por el presidente sino elegidos directamente por los diputados.

Salinas dijo que la nomenclatura asesinó a Colosio. No se sostiene la invención de la nomenclatura. Nunca hubo orgánicamente algo que mereciera ese nombre o que pudiera compararse con la nomenclatura soviética. *¿Si acaso los dinosaurios?* Sí había clubes de viejos políticos, pero siempre recibían satisfacción. Nunca se arrojó fuera del paraíso a nadie. No había sustento para creer que había dos PRI o dos facciones en el gobierno. Siempre se entrelazaban, se conciliaban. A lo mejor no se hacían buenas caras, pero siempre estuvieron estrechamente vinculados.

¿Qué dices de Vicente Fox? Fue un buen candidato y un pésimo presidente. Se benefició del hartazgo de la sociedad frente al PRI. Eso lo hizo ganar. En otras condiciones, Fox no hubiera triunfado, no tenía prendas con qué hacerlo. Ganó por el fastidio. *¿Generalizado?* Ni tan generalizado. El PRI todavía tuvo una votación altísima, no al grado de empatar con Fox, pero no se desmanteló y menos se desmanteló después. Quienes creyeron que al haber perdido la Presidencia el PRI había muerto, se equivocaron radicalmente. Fox era un no político, un hombre ignorante de la vida pública, que tuvo en su favor ese hartazgo y una personalidad apetecible para el mexicano medio, un ranchero franco, sin los dobleces de los políticos del altiplano, sin la retórica tradicional, que había trabajado para la Coca Cola, que se decía que había sido muy exitoso; pero no lo era, no había sido un empresario exitoso. Era un demócrata de pacotilla, porque no entendía, no era un hombre con preparación política y sin embargo fue buen candidato porque representaba algo distinto a lo usual, sobre todo enfrentado a Francisco Labastida. Labastida era un híbrido de tecnócrata y político a la vieja usanza. Por Fox votaron los que votaron por Cuauhtémoc Cárdenas en 1988, no sólo los del voto útil sino gente que ni siquiera se enteró de que había esa noción del voto útil.

¿Cuál es tu reflexión sobre el gobierno de Fox en relación con la democracia? Bueno, desde luego perdió su oportunidad de ser el constructor de esa nueva etapa. La tenía plena. *¿Qué le ocurrió a Fox?* No era un hombre con capacidad de construir, con capacidad de tomar decisiones que lo excedieran en el tiempo histórico, que fueran más allá de su paso por la Presidencia. Presentó la iniciativa de reforma constitucional en materia indí-

> **EN 1997 ENTRÓ EN CRISIS EL PRI, EN 2000 EL PRESIDENTE. AMBOS FUERON SUSTITUIDOS POR PODERES OLIGÁRQUICOS, NO POR LA DEMOCRACIA, SINO POR PODERES POLÍTICOS Y FÁCTICOS.**

gena y luego contribuyó a la derrota de su propia iniciativa, por insincero o por ignorante. Si esa reforma hubiera avanzado, Fox hubiera sido el demócrata por excelencia en México; se hubiera reforzado su base social. Se hubiera convertido en el presidente de la nueva etapa mexicana, pero no supo lo que hizo. Un hombre profundamente ignorante, muy frívolo, no estaba preparado para ser presidente.

¿Cómo te ves a ti mismo en estos últimos años? Como un periodista que contribuyó al cambio político, que desde la década de 1970 percibió que era necesario el desmantelamiento del PRI o su reducción a ser un partido como los demás. Posición que coincidió con una corriente histórica que se fue ampliando con el paso de los años, y cuando fue suficientemente poderosa propició el cambio junto con otros factores. Yo estaba de parte de esa corriente; creo haber contribuido a que se fortaleciera porque tuve la fortuna de participar en los órganos periodísticos que resultaron influyentes en ese proceso: *Excélsior*, *unomásuno*, *Proceso*, *La Jornada*. Así me percibo, y no dejo de pensar que haber puesto el énfasis en el cambio político hizo que no se empujara con fuerza semejante el cambio más profundo que es necesario, el cambio social, el cambio contra la inequidad. Es una autocrítica. Nosotros, la clase media ilustrada que tiene acceso a la voz pública, esperábamos que con la democracia viniera lo demás: "Dadnos democracia y lo demás vendrá por añadidura". *¿Tenía que haber sido simultáneo?* Sí, y además si se nos hubiera preguntado expresamente: "¿Es cierto que vendrá la democracia?", habríamos dicho que no, que era un fenómeno poliédrico, múltiple, pero actuamos como si hubiera sido cierto. Intento justificarme

diciendo que estábamos tan atrás en eso, que era preciso remozar el aparato formal, pero convertimos —y en eso también hay autocrítica— en un espejismo a la democracia, y cuando llegó —por lo menos en la forma de relevo en la Presidencia de la República— las cosas siguieron igual a partir del 2 de diciembre de 2000. No se produjeron los cambios mágicos que esperaba buena parte de la sociedad. Sufrimos la gravedad del error. *¿Ahora qué hay que hacer?* Hay que impulsar el cambio político que todavía hace falta y el cambio social que es el verdaderamente necesario. Si no se resuelve puede romper al país.

> " CONVERTIMOS EN UN ESPEJISMO A LA DEMOCRACIA, Y CUANDO LLEGÓ LAS COSAS SIGUIERON IGUAL A PARTIR DEL 2 DE DICIEMBRE DE 2000. NO SE PRODUJERON LOS CAMBIOS MÁGICOS QUE BUENA PARTE DE LA SOCIEDAD ESPERABA. SUFRIMOS LA GRAVEDAD DEL ERROR. "

ROSARIO Abarra

ACTIVISTA.

COAHUILA, 1927.

CANDIDATA A LA PRESIDENCIA DE LA REPÚBLICA, 1982 Y 1988.

SENADORA POR EL PARTIDO DEL TRABAJO, 2006-2012.

¿*EL AÑO 1988* es un parteaguas? Sí. Me sentí esperanzada. Yo era candidata, sabía que lo mío era utilizar la candidatura para dar a conocer el asunto de los desaparecidos, pero tanto Cuauhtémoc Cárdenas como Manuel Clouthier me inspiraban confianza. Clouthier, aunque como él mismo decía: "Estábamos a mil años luz en nuestros pensamientos, nuestras ideas", era un hombre sensible. Me di cuenta de eso por cómo hablaba con las madres de los desaparecidos de Sinaloa; él se arrimaba y les decía: "Si llego al poder, verán todo lo que hago por sus hijos. Esto no se va a repetir". Tenía sensibilidad. **¿*Tú le creías?*** Sí le creía, porque conocía a su familia, a sus hijas, a su hijo —que era el director de un periódico—, a su esposa doña Leticia —bien linda—; me hablaban, me platicaban, me invitaban. Sí le tenía confianza. Claro que yo estaba con el ingeniero Cárdenas. Era muy honrado Clouthier, porque la noche que dijeron que habían ganado, a mí me hablaron para decirme que el que había ganado había sido Cárdenas y éste me invitó a ir a su casa, a la casa de doña Amalia. Le hablé al ingeniero Clouthier y le dije: "¿Cómo ve, ingeniero? Dicen que ganó el ingeniero Cárdenas". "Pues mis compañeros dicen que gané yo, pero yo creo que ganó el colega", me contestó.

¿*Qué pasó, Rosario, qué cosas ocurrieron en 1988?* Yo creo que fue un fraude gigantesco, llevado a cabo por quienes sabían hacer los fraudes. Ahora el señor Manuel Bartlett dice qué él no dijo que se cayó el sistema, que no sé qué tantas historias. Pero la noche del 6 de julio estuvimos los tres en Gobernación, Cárdenas, Clouthier y yo. El comunicado lo hicieron entre todos y Cárdenas preguntó quién lo iba a leer. Intervino Clouthier y dijo: "Pues doña Rosario", como diciendo que yo era el comodín, así que yo fui quien lo leyó. Ahí vi las cosas muy feas; me sentí muy incómoda. **¿*Cómo fue la escena con Manuel Bartlett y ustedes como candidatos?*** Entramos nada más nosotros. **¿*No había cita de por medio?*** No, llegamos y nos

recibieron. **¿*A qué hora llegaron?*** Eran como las nueve de la noche. **¿*Y tocaron el timbre de Gobernación?*** No nos querían abrir, estaba lleno de guaruras. Ahí Clouthier jugó un papel muy importante. Creo que se acordó de sus tiempos de tacleador en el Tecnológico de Monterrey, porque se aventó hacia la puerta y entramos. ¡Maravilloso! Por ahí alguien dijo —no me acuerdo si Gilberto Rincón Gallardo—: "Bueno, ya entraron los candidatos, qué bien..." Todos los candidatos y moles, para dentro todo mundo. Subimos la escalera de Gobernación donde está el domo, para que ahí se leyera y ahí lo leí. **¿*Pasaron y ya nadie los detuvo?*** Ya nadie nos detuvo. **¿*Y Bartlett dijo: "Ya que pasen"?*** Pues que pasen; leímos el comunicado arriba, nos subimos a una banca. Luego entramos, nos pasaron, se sentó Bartlett en la cabecera y yo a su mano derecha. Junto a mí, Cárdenas y enfrente Clouthier. Cárdenas, como es él, muy apacible, muy tranquilo, así, casi sin ver en sus pensamientos; yo viéndolo a él y a Clouthier. Éste último no le quitaba la vista de encima a Bartlett, le clavaba unos ojos, una mirada dura y él, con esa parsimonia, su quijada dura, pero con tranquilidad, habló ahí sobre la falta de resultados. Nos salimos, Cárdenas y Clouthier se fueron por su lado y yo me fui con unos que me siguieron a Televisa. Allá afuera, pues no nos hicieron ni caso, nada. Después Cárdenas me invitó a la defensa del voto. Acepté gustosísima, pensé que se trataba de defender el voto, ganara quien ganara, y nos fuimos a defender el voto por todo el país. En el Zócalo la gente le gritaba a Cárdenas: "¡Comandante Cárdenas, entréguenos las armas!" Era la inconformidad, la frustración, lo terrible de que no ganara su candidato.

¿*Qué piensas de lo que Cárdenas ha dicho, que evitó un baño de sangre?* Yo creo que sí lo pensó él así. **¿*Se equivocó Cárdenas?*** Pues a lo mejor si lo hubiera hecho como lo está haciendo Andrés Manuel López Obrador se habría ganado mucho tiempo, porque fueron más de ocho años. Pero quién sabe, con la malignidad de un Salinas de Gortari y de todo su aparato. *¿La prudencia de Cuauhtémoc Cárdenas fue la adecuada o crees que debió haber hecho otra cosa?* Pues no sé, yo hubiera defendido el voto. *¿Pero había riesgo de sangre?* Pensé que él conocía más el aparato. Yo lo conocía indirectamente por lo que le hicieron a mi esposo, a mi hijo, por todos los desaparecidos. Pero una cosa era ese actuar por debajo del agua en las cosas clandestinas de secuestrar o desaparecer, y otra era enfrentar al pueblo. Es muy distinto que agarren a un compañero en la calle, lo secuestren y se lo lleven a un campo militar, a una base naval o adonde ellos quieran, y otra cosa es dispararle al pueblo, ¡como lo hicieron en Tlatelolco! *¿Lo hubieran hecho en 1988?* Quién sabe, eso queda. A ver quién investiga, escrudiñando en todas partes, hablando con los protagonistas. Está difícil saberlo, pero quién sabe si se hubieran atrevido porque se trataba de enfrentar a una enorme cantidad de pueblo inconforme. Yo sí me sentí mal, triste de que no se hubiera defendido el voto hasta las últimas consecuencias.

¿Qué piensas de lo que acaba de declarar Cuauhtémoc Cárdenas sobre 1988, donde reconoce lo que ya se ha dicho sobre su encuentro con Carlos Salinas de Gortari? Ahora nos cuenta que llegaron a conversar específicamente sobre alguna modalidad para limpiar la elección. Yo no lo hubiera aceptado. Si él se salió del PRI y le conocía la entraña al monstruo, ¿qué fue a hacer con un hígado putrefacto como Salinas? ¿Qué fue a hablar con él? No tenía nada de qué hablar. Simplemente por principio, por dignidad, qué le va a ver a un tipo fraudulento, que luego lo siguió demostrando. ¡Criminal! Va a verlo y después le mata a 600 o más de los militantes de su partido. Oye, ¿de qué se trata?

Finalmente gobierna Carlos Salinas y empieza a modificarse la estructura de competencia. El PAN juega un papel muy importante, viene una legitimación hacia el gobierno de Carlos Salinas y empieza

"YO ERA CANDIDATA, SABÍA QUE LO MÍO ERA UTILIZAR LA CANDIDATURA PARA DAR A CONOCER EL ASUNTO DE LOS DESAPARECIDOS. "

a darse un régimen de partidos distintos. Bueno, creo que ahí perdió mucho el PAN. *Ganó y perdió. Ganó espacios, ¿qué perdió?* Perdió dignidad. Cuando fui diputada en 1985, la gente del PAN era una verdadera oposición al PRI. Se oponían a lo que hacía el régimen, tenían buenas participaciones; sus diputados eran oposición real y era gente que tenía hasta otra manera de hablar, de ser, de comportarse, gente con la que podríamos estar —como dijo Clouthier— "a mil años luz", pero a quienes yo respetaba.

¿Cómo marcó esta historia el asesinato de Luis Donaldo Colosio? Para mí fue terrible. Conocí a Colosio en la Cámara de Diputados; era un joven muy sencillo, muy tranquilo, un muchacho amable, bondadoso, hablaba muy bien —se expresaba fácilmente— y tenía ideas distintas a las de Salinas. Yo creo que ahí estuvo el quiebre, pero fue una crueldad extrema: matar a un pobre chavo que tenía un futuro dentro de la política, distinto quizá de lo que pensaban Salinas y todos ellos.

¿Qué papel jugó el movimiento zapatista en el proceso de transformación? Bueno, cuando inició, para mí fue una aurora; el nacimiento de un nuevo día con una aurora esplendorosa el 1º de enero de 1994. Yo no pude ir inmediatamente a la selva, porque acababa de morir mi esposo; nada más veía las noticias y me emocionaba porque los antecedentes del EZLN los conocía de años, por las Fuerzas de Liberación Nacional. Todos eran de Monterrey: los Yáñez, Elisirina Sáenz, Carlos Vives Chapa, todos los que se fueron a la selva desde 1972, pues eran de allá y los conocí de niños; vivían a tres cuadras de mi casa. Entonces el movimiento era una cosa que se me hizo de una honradez y de una pureza profundas, por tratarse de los jóvenes que conocí; eran puros, limpios todos, con una vocación de lucha por el pueblo. ¿Y adónde se fueron? A la selva, a lo más marginado, a lo más triste. Para mí era una cosa maravillosa, era el anuncio de una nueva era, de que algo iba a cambiar. *¿Y qué pasó con ellos?* Bueno, no sé. Hace tiempo que no sé, ya no tengo relación con las comunidades. *Lo cual es increíble, porque me vas a perdonar, pero eres una especie de mamá de Marcos.* Algo así, yo así lo sentí, lo sentí como un hijo; él así me trataba. *¿Y qué pasó con la mamá de Marcos?* Pues te voy a decir algo, pero eso no lo he desparramado; Marcos me mandó decir que ya no quería que fuera. Así. *¿Que no fueras a Chiapas o que no fueras más su mamá?* Que ya no fuera, que no quería verme. *¿Por qué?* Que no quería platicar conmigo, que no quería que le mandara guisos —yo le hacía guisos muy ricos, le hacía muchas cosas y le mandaba todo—, pero lo más importante, que no quería más cartitas mías; entonces ¡ya ni escribirle! Parece que lo mismo le hizo a Elena Poniatowska. *¿Y por qué?* Una amiga chilena, que también es zapatista, me dijo: "¿Pues cómo querías que no se enojara contigo y con Elena, hombre, si se le fueron sus dos viejonas?" *¿Cómo que se le fueron?* Nos fuimos con Andrés Manuel. Hazme el favor... Pero no nos fuimos, era la libertad de elegir quién te va a gobernar. Él decía que no le interesa el poder, fíjate qué contrasentido; montones de veces le dijeron que si él se venía de candidato, ganaba porque ganaba. Cuando fue la "Marcha por el color de la tierra", si se hubiera quedado aquí, hubiera sido el presidente; lo hubiera sido. Pero no le interesaba el poder. Entonces entra el otro al palenque, al pleito, Andrés Manuel, pues es el mejor: es el hombre más bueno del ámbito político que he conocido: es bondadoso, carismático, honradote.

Fueron a mi casa Elena Poniatowska y la *compa* de Jesusa Rodríguez, Elena casi llorando. "¿Qué vamos a hacer con Marcos? Pues ustedes, no sé, pero yo no le vuelvo a hablar y sanseacabó, es contra nuestra dignidad, no la amuelen". Si ya por la edad, simplemente por la edad, que me diga otra cosita, pero no así de plano. Ahora, en el libro de Laura Castellanos [*Corte de caja*] dice una cosa muy curiosa. Laura le pregunta sobre su distanciamiento conmigo: "Ah, pues es que hay diferencias, porque ella cree en las instituciones y nosotros no". ¡Que yo creo en las instituciones, con todo lo que le hago a las malditas instituciones! ¡Por favor, me da risa!

¿Cuál es el momento más significativo del año 2000 para ti? Ocurrió cuando estaba la efervescencia en la mayoría de los mexicanos, de tener un presidente de verdad nuestro. Vicente Fox fue un siamés del sistema priísta. Con su desparpajo habitual, su manera tan distante de ver la vida, como que no le importaban muchas cosas. Sí ganó la elección, por el pueblo mexicano que tenía esperanza. Mucha gente me preguntaba: "¿Por qué no votas por él, Rosario? Es un hombre bueno, tiene dinero, no va a querer enriquecerse porque ya es muy rico..." Una sarta de tonterías. Los varones veían en él al macho: un hombre alto, grande, fortachón, ranchero, bravo; y las mujeres veían al tipo guapo: "Mira, se parece a los bárbaros del norte", y no sé bien qué tantas historias. Pues sí es un bárbaro. No sé si será tan del norte, pero de que es bárbaro, es bárbaro. ***¿Y qué pasó con Fox?*** Se casó con la mujer ésa y se convirtió en su asesora principal, su consejera. La ambición los movió a los dos. Se acomodaron a las formas del PRI. Además es corto de entendederas, inculto, no tenía ni siquiera lo que a veces te da una cultura, porque aprendes de lo que lees, de lo que platicas, de lo que ves en los libros de historia; pero él ni siquiera eso. Y ella tampoco. Pero sí tenían un gran hervor interior de ambición y se asimilaron a la terrible cultura del poder del PRI.

¿Dónde empieza a desmontarse el viejo régimen autoritario de los 70 años priístas? No se acabó nunca, no se desmoronó; fue terrible. Ernesto Zedillo tuvo una actitud espantosa: hubo desaparecidos, presos... Fue una cosa horrible. Hay varias anécdotas, como cuando una pareja de hermanos que recibieron un reconocimiento porque alfabetizaban en la Sierra Norte de Puebla, se aprovechan de la oportunidad para hablar con Zedillo y le dicen: "Ay, señor presidente, nuestro padre está desaparecido", y con un cinismo inaudito el presidente les dice: "Hablen a Locatel". Fue una cosa espantosa. Lo mismo cuando le dijo: "No traigo *cash*" a la pobre mujer que le pidió una limosna. Un cínico redomado, ése era el ambiente que prevalecía. Cuando Cárdenas fue el candidato vislumbré una lucecita de esperanza, porque él era otra cosa, era distinto, y aparte de eso traía tras él la herencia maravillosa de su padre, el general querido y amado por su pueblo de siempre; todo mundo lo recordaba con afecto, con cariño, con veneración, con respeto, por la expropiación petrolera, por todo lo que hizo, por la tierra para los campesinos, por las escuelas normales rurales, el Politécnico, todo lo que hizo el general Cárdenas. Por él, muchísima gente quería que Cuauhtémoc llegara a la Presidencia. Y a lo mejor hubiera hecho bien, quizá por méritos propios, pero sobre todo por cuidar la memoria de su padre maravilloso.

En 2006, ¿qué pasó Rosario? Pues nada, creo que lo de Andrés Manuel fue un golpe artero por la espalda. Hubo muchas cosas terribles, gente que dijo que estaba con Andrés Manuel, y sí debe de haber estado, pero le apostaron al triunfo seguro. Pensaron que él iba a ganar y no había que preocuparse. Descuidaron casillas, descuidaron muchas cosas; pero de todas maneras, con todo ese descuido, con todo y eso, Andrés ganó, pero le hizo el fraude terrible la gente del PAN, la gente de Felipe Calderón. ¿Crees que el país estaría igual con Andrés Manuel? Él no hubiera soportado la corrupción. Un ejemplo es el de los secuestros que en realidad no son secuestros, como lo que ha pasado en Pemex, que dicen que secuestran a una gente y es mentira. Piden 10 millones de pesos por la persona secuestrada y entonces se organiza una colecta con todo el mundo. ¿Y a dónde van esos 10 millones de pesos? A lo mejor es algo pactado, ve tú a saber. Esto todavía no lo digo en público, porque me lo acaba de comentar gente opositora a Carlos Romero Deschamps. Por otro lado, está lo que dijo el hijo de Vega Zamarripa acerca de que a su padre le tocaba ya ser el secretario general del sindicato de Pemex y está desaparecido.

En fin, para mí, Andrés Manuel era la luz de esperanza, lo más hermoso que podría suceder, un cambio verdadero, con votación abrumadora. *La primera elección después de la alternancia...* Nada más. A Andrés Manuel no lo iban a aceptar por nada del mundo. Querían que estuviera en el poder la gente que les va a cuidar los intereses. Yo creo que ya tenían hasta pactos hechos desde antes, con el petróleo, con todos los energéticos; ya tenían muchísimas cosas. Lo que están haciendo es una regresión brutal.

¿Qué expresión usarías para definir el año 2006 en relación con la democracia? Fue una puñalada trapera a la patria. *¿Qué viene para la democracia?* Con todo el optimismo que me ha caracterizado siempre y la fe que tengo en el pueblo mexicano, junto con la esperanza de que la gente deje de ser sectaria y aprenda sus derechos a la perfección, sinceramente creo que se le debe poner un verdadero alto a los medios masivos de comunicación que no cumplen con su deber constitucional. Lo que hacen las dos cadenas de televisión con el pueblo es tremendo. Como solía decir mi padre, es un pueblo que al paso de los años va a ser un pueblo sucio y desinformado,

porque ningún pobre se va a comprar un jabón para bañarse, ni un periódico para informarse, si no tiene ni para comer. *¿Qué pasó con la transición mexicana?* Para mí siempre hay una traición por parte del gobierno. Todo lo que hacen ellos es traicionar al pueblo de México. No ha habido uno solo, con excepción de Lázaro Cárdenas. Juraron cumplir y hacer cumplir la Constitución, prometieron muchísimas cosas en las campañas electorales, y no cumplieron.

¿No hay condiciones propicias para una contienda democrática? No, no está dado nada. Yo no lo veo. Sinceramente me da mucha tristeza decirlo, porque estoy muy vieja, tengo hijos y nietos y quisiera dejarles un país donde pudieran respirar con tranquilidad. Me duele que no se vea. A menos que el pueblo se unifique, que haya un cambio, como lo está haciendo Andrés Manuel con la resistencia civil pacífica, que lo dice y lo repite hasta el cansancio: ni un vidrio roto, ni una pinta indebida. Sólo de esa manera.

¿Compartes la idea de quienes dicen que en el umbral de 2010 hay riesgo de violencia política civil por lo que ha pasado? Bueno, yo creo que el riesgo lo genera la miseria, el hambre. Hay un hambre terrible. Mira, tengo un cúmulo enorme de currícula de gente de clase media que no tiene trabajo, ni lo va a tener. No hay. Vas por la calle y te encuentras en las esquinas a los franeleros. Son un montón de jóvenes fuertes que podrían realizar otra actividad. Lo que más me da tristeza es ver a un hombre con un muchacho aquí y otro arriba, el abuelo, el padre y el nieto. Tres generaciones sin presente y sin futuro. ¿Qué van a hacer ésos y los que vengan? ¿Qué más van a hacer? En la Comisión de Derechos Humanos que presiden las senadoras del PAN me dicen que no me meta en esas cosas, que nada más me dedique a legislar. ¿A legislar sobre qué?, les pregunto.

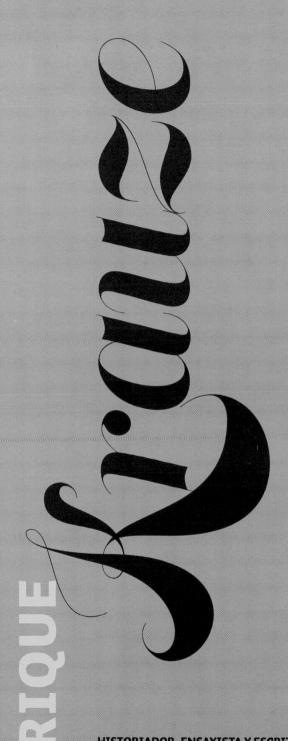

ENRIQUE

HISTORIADOR, ENSAYISTA Y ESCRITOR.
CIUDAD DE MÉXICO, 1947.

¿QUÉ DEJÓ *el año 2006?* Necesitamos encontrar puentes de comunicación, de respeto y de concordia, porque lo que se rompió en 2006 es muy grave. Ni unos ni otros tienen toda la razón. Es muy desafortunado el divorcio e incluso la animosidad que hoy existe entre la izquierda y el pensamiento liberal. En contra mía, por ejemplo, yo diría que ha sido brutal.

En lo personal, no me arrepiento de haber escrito "El Mesías tropical", pero sí quiero decir que lo que ocurrió a partir de entonces fue un cisma: el encono, el odio, que se vive, aun ahora, en la prensa, en la academia, en los blogs, es severo. Ese odio nubla toda posibilidad de comprender los procesos. Lo que ahora hay es descalificación, agresión. La vida pública mexicana se ha empobrecido, degradado, y ha perdido calidad. Es muy grave que el pensamiento liberal y el pensamiento social demócrata estén tan alejados, tan divorciados y tan peleados con zonas de la izquierda más radical. Es una desgracia porque fuimos muy fuertes cuando había esa especie de ámbito común que se dio en los ochenta.

Es importante vindicar lo ocurrido en 1988, pero también importa hablar del aporte de *Vuelta* y exponer la difícil situación de la revista en esos años. Hay que recordar el artículo de Octavio Paz, "PRI: hora cumplida", escrito en 1985, y el de Gabriel Zaid, "Escenarios sobre el fin del PRI", de julio de ese mismo año, donde Zaid dice que una de las cosas que le puede pasar al PRI es que entre en crisis por un terremoto. Y sucedió. Zaid fue el primero que habló de democracia electoral en un texto que tituló "Cómo hacer la reforma política sin hacer nada", escrito en 1979.

Antes de que arrancara el proceso democrático en México ya existía la idea de la democracia. Y esa idea partió de *Vuelta*. Por supuesto que es una idea muy antigua, que viene de la época maderista y que tuvo otro momento importante en la época vasconcelista, pero después hibernó durante muchos años. La idea de la democracia —como libertad de expresión, partidos políticos competitivos, elecciones limpias, respeto al voto— compitió desde los años veinte o treinta con la idea de la revolución, y la izquierda mexicana se fue mucho más por la vía de la revolución que por la de la democracia. Por el influjo de la Revolución rusa y luego de la Revolución cubana (y como el PRI, por su propia esencia y estructura, era antidemocrático), la idea de la democracia quedó restringida a algunos círculos del PAN. Digamos que el *mainstream*, la corriente central del pensamiento y la política mexicanos, no era democrático. Varias generaciones no fueron democráticas ni consideraron que atender el tema de la competencia electoral tenía gran importancia; incluso en el caso de Daniel Cosío Villegas y Octavio Paz.

Cosío Villegas fue un gran liberal, y también lo fue Paz. Pero Cosío Villegas no fue un demócrata: habló muy poco de las elecciones. Tampoco Paz lo era en los años sesenta y setenta. Fue más bien un liberal que pensaba que el cambio en México vendría desde dentro, que el PRI se reformaría en sus usos de corrupción, en los abusos de poder, y se abriría a la libertad de expresión. Ninguno de los dos escribió en los años sesenta o setenta sobre el tema electoral. Pablo González Casanova escribió un libro importante, *La democracia en México*, para demostrar que la democracia en México era una farsa; pero él, dentro de la corriente de la izquierda en los sesenta, muy centrado en el paradigma de la Revolución cubana, consideraba que la alternativa revolucionaria era la deseable para nuestros países. Esto nos conduce, si no me equivoco, a que la "democracia sin adjetivos" era una idea que había quedado flotando desde el maderismo y el vasconcelismo. En la izquierda sólo personajes muy atípicos —como Narciso Bassols— la defendieron.

La idea de que hay que formar partidos políticos y competir políticamente es algo que la izquierda no entendía bien. El PRI sólo empezó a considerarla un poco con Jesús Reyes Heroles, pero todavía con una concepción muy controladora, es decir: "Vamos a conceder la apertura por la vía de la izquierda como válvula de escape".

En lo personal, la anécdota es ésta: cuando el sistema se desploma económicamente en 1982, el 1º de septiembre José López Portillo anuncia la nacionalización de los bancos. La prensa y las revistas intelectuales de esos días —salvo *Vuelta*— reciben la noticia con inmenso entusiasmo. "¡Ahí está de nuevo la Revolución mexicana! —decía Adolfo Gilly—: ¡Todavía late!" El viejo sueño de la revolución es una cosa fuertísima en América Latina. En septiembre de ese mismo año fui a platicar con Luis González —mi maestro, un hombre de inmensa sabiduría— y me dijo: "Bueno, creo que no nos queda de otra más que la democracia. No nos queda de otra más que preguntarle al pueblo qué quiere. Por primera vez —me decía— el PRI falló, se derrumbó el proyecto petrolero, el presidente llora, se desploma todo el gran sueño que teníamos del PRI para la eternidad". ***¿Y tú qué haces?*** En ese momento entendí que había que pensar fuera de los paradigmas de la Revolución mexicana y volver al maderismo. Era una vía natural para *Vuelta*. Creíamos en las libertades y detestábamos todos los autoritarismos. Éramos críticos de la guerrilla, de las dictaduras y del PRI. Entonces me encierro ese mismo mes de septiembre a escribir el ensayo "El timón y la tormenta", una dura crítica al PRI, a la gestión de López Portillo, a todo ese proyecto. Y en la última frase hago una defensa de la democracia. Meses más tarde, en octubre de 1983, me fui con mi familia a Inglaterra durante unos meses y allí escribí el ensayo "Por una democracia sin adjetivos". ***¿Qué generó este artículo?*** Generó una polémica tremenda con la izquierda y

> "LO QUE AHORA HAY ES DESCALIFICACIÓN, AGRESIÓN. LA VIDA PÚBLICA MEXICANA SE HA EMPOBRECIDO, DEGRADADO, Y HA PERDIDO CALIDAD."

con el gobierno, polémica que se publicó en la propia revista a principios de 1984. En esos años, curiosamente, Manuel Camacho —que polemizó conmigo en *Vuelta*— me presentó a Luis H. Álvarez, quien había ganado las elecciones locales en Chihuahua. Tiempo después escribí otros varios textos sobre el tema democrático, entre ellos "Chihuahua, ida y vuelta", donde advierto que viene un cambio importante. En 1986 me llamó Miguel de la Madrid para preguntarme cómo veía Chihuahua, a lo que contesté que ahí y en todas partes había que echar a andar una reforma política de verdad. De la Madrid me dijo: "Es usted muy joven, esas cosas no se pueden hacer". El gobierno se resistía. Chihuahua en 1986 fue, en suma, un laboratorio de la transición, un presagio, un "ya estuvo suave". *Resistencia civil...* La resistencia, las mujeres, los periodistas, la Iglesia; aquello provocó una emoción extraordinaria. Vino la huelga de hambre de Luis H. Álvarez y una carta que escribimos repudiando el fraude y que le dio la vuelta al mundo. El gobierno no anuló las elecciones —como pedíamos— y fuimos a ver a Manuel Bartlett. Ahí sí ya estábamos todos: Héctor Aguilar Camín, Carlos Monsiváis, José Luis Cuevas, Hugo Hiriart. Firmaron Zaid y Octavio. ¿Te das cuenta de quiénes estaban? La idea de la democracia terminó por unirnos. Con Bartlett nos reunimos en un restaurante, La Calesa de Londres, y fue muy claro: "Para que se entienda, aquí no se va a hacer nada, porque no se va a entregar el poder ni a la Iglesia, ni al PAN, ni a los empresarios, ni a Estados Unidos, ¿está claro?" Le dije: "Bueno, pues hazle como quieras y nosotros seguimos". *¿Después de lo que les dijo Bartlett ustedes dijeron "no se pudo"?* Ahí quedó, sí, pero en ese momento la izquierda política ya se había "puesto las pilas" y habían aparecido un par de señores llamados Cuauhtémoc Cárdenas y Porfirio Muñoz Ledo. Estuve cerca de Porfirio; me invitó a su casa pues estaba feliz con el libro *Por una democra-*

cia sin adjetivos. Él estaba a punto de desprenderse del PRI y ya se estaba formando la corriente crítica. Entonces Cuauhtémoc (quien, me consta, estaba por irse al Wilson Center) se decidió por la escisión. Claramente Porfirio, Cuauhtémoc y su generación comenzaron a decir que no podían irse por la vía neoliberal. No había una buena relación con De la Madrid, quien tuvo una actitud displicente con ellos, diciendo que si se querían ir que se fueran, pero realmente nunca calibró lo que vendría. Lo que quiero subrayar es que para entonces ya existía un proyecto intelectual democrático que pudo tomar la izquierda. Gente como Heberto Castillo —figura fundamental en todo esto— entendió el concepto porque había sido discípulo de Bassols y tenía respeto por la democracia sin adjetivos. En ese momento había una gran convergencia. La izquierda intelectual y la izquierda partidaria —ésa que se me lanzó a la yugular cuando escribí el artículo sobre Andrés Manuel López Obrador— comenzaron a ver que había un valor intrínseco en la democracia. Y había aparecido un líder, Cuauhtémoc Cárdenas. Se necesitaba un líder, con ese apellido, con ese nombre, y que viniera desde dentro, desde el fundador mismo del régimen, para poder entender la fuerza de la democracia. Es entonces cuando Heberto hace el acto inolvidable de declinar para que entre Cuauhtémoc. Es un acto extraordinariamente importante. *Se cristaliza la posibilidad con Cuauhtémoc y ¿ahí empieza la transición?* Indudablemente.

¿Qué representa 1988 para la transición democrática? Confirma que una vez que la izquierda toma en serio la democracia, el país verdaderamente cambia. Si la izquierda no lo hubiera hecho, el PAN hubiera seguido insistiendo sólo en su "brega de eternidades" y el PRI seguiría en el poder. Pero entonces la izquierda se desprende del PRI y luego se suma a toda la izquierda (es la contribución de Heberto) y

ocurre la gran sorpresa de Cuauhtémoc. En *Vuelta* hubo diversas posturas. Octavio pensó que Salinas había ganado; Gabriel Zaid sostuvo públicamente que había perdido; y yo pensé que no sabía. Para efectos prácticos decidí tomar toda la distancia posible. *¿Con Salinas?* Y del consenso a su derredor. Nunca nos peleamos ni nada, pero yo empecé a publicar en *La Jornada* y Zaid en *Contenido*, de modo que los artículos críticos con respecto a la época de Salinas los publiqué en *La Jornada*, no en *Vuelta*. Uno de ellos tenía que ver con lo sucedido en San Luis Potosí, donde estuve cerca de Heberto. Fue un acto muy conmovedor para mí porque don Salvador Nava me recibió con Heberto y entonces me dijo: "Tú guarda todos los documentos". Le escribí el discurso de la Plaza de los Héroes, que fue una cosa valiente que hizo él. *¿Tú lo escribiste cien por ciento?* Sí. *¿Y leyó completas tus palabras?* Sí. Tuve una gran relación con el doctor Nava. Tengo una carta suya que dice: "A punto de dejar este mundo, te dejo este saludo, te abrazo y te pido que sigas con la antorcha". Ésos eran apóstoles de la democracia en serio y eso nos unió a todos. Es por eso que me da tanta tristeza lo que ocurre ahora que la izquierda ha perdido el rumbo. En fin, Salvador Nava emprende esa lucha, y la gana. Luego viene Guanajuato y yo publico, en el *Wall Street Journal*, un artículo diciendo: "Fraude en Guanajuato y también en México". Todo esto apareció en *La Jornada* y, más adelante, en *Reforma*. *¿No podías escribir esto en* **Vuelta** *porque no podías o porque lo decidiste?* Octavio era el director y había cierta tensión a raíz de mi artículo sobre Carlos Fuentes. Teníamos una relación maravillosa, que se conservó hasta el fin, pero también teníamos algunas diferencias. Yo tenía una tribuna, que era *La Jornada* (y, si hubiera querido, también *Proceso*). Ahora, ¿cuál era mi crítica? Que se estaba emprendiendo una reforma económica —con la que yo estaba parcialmente de acuerdo— pero no una refor-

ma política. El año 1988 es un parteaguas y en ese momento Cuauhtémoc Cárdenas hace lo que para mí fue uno de los actos políticos más importantes de la historia moderna de México: optar por fundar un partido en lugar de encabezar cualquier otra cosa. *Lo que quisiera...* No estaba en su talante, en su trayectoria, ninguna vía no institucional. Hace algo extraordinario: unifica y consolida a la izquierda. Yo le tengo una inmensa admiración desde entonces y le escribí una carta diciéndole que ojalá que el partido que nacía con esas dos palabras (revolución y democracia) fuera cada vez más cercano a la democracia y no a la revolución. Con lo cual no quise decir que dejara de ser un partido de izquierda sino que todo fuera conseguido a través de métodos democráticos. Porque la revolución realmente sacrificó a varias generaciones de izquierda en México. Piénsese en Revueltas o en Marcos, el hijo pródigo de esa idea. Entonces renunciar a la idea de la revolución, a cambio de una reforma por la vía democrática, era una transformación muy importante de la izquierda y se consolida por primera vez, a fondo, gracias a Cuauhtémoc Cárdenas.

¿Y luego qué pasó con Salinas? Casi todos en esa época estábamos de acuerdo en que, una vez que ya estaba Salinas allí, el gobierno tenía la obligación de hacer reformas. Mi posición era que, aun cuando la reforma fuera correcta, era incorrecto imponerla desde arriba. Es decir, si una reforma política no proviene de un consenso desde abajo y de un debate político, sin duda será frágil. Creo que todo el diseño corporativo y los intereses creados y acumulados por decenios en el sistema político mexicano tenían que empezar a desmontarse. (Por cierto, el entramado sigue aquí y necesitamos desmontarlo, y ese ejercicio se llama liberalización. Es el gran pendiente y es un tema muy impopular. Para la izquierda tomar esa bandera

es difícil pero debería hacerlo.) En fin, yo estaba de acuerdo en que tenían que liberalizarse algunas de esas estructuras, pero no estaba de acuerdo en el modo; me disgustaron, por ejemplo, las súbitas privatizaciones. Mi postura era que si no se instauraba la democracia, con elecciones libres y limpias, de nada servirían esas reformas porque la corrupción continuaría. Estaba en contra de la verticalidad total y parcial. Quería una plaza pública, no una pirámide. Salinas se negó. *¿Cómo quedó para la historia Salinas?* Básicamente falló, porque no entendió la importancia histórica de la transición política, aunque tenía la inteligencia y la fuerza para hacerlo. Es más, se pensó a sí mismo —estoy seguro de eso y tengo pruebas— como el Plutarco Elías Calles moderno. *¿Qué pruebas tienes?* En 1992, cuando empezó a hablarse de reelección, yo fui a un programa con Gutiérrez Vivó para hablar del asunto, y don Fernando Gutiérrez Barrios habló con el presidente de Radio Red para decirle que mejor cambiáramos el tema. *¿Al aire?* Fue antes de entrar y hablamos de otro tema. *La anécdota es muy importante por mil razones. Estabas a punto de entrar al programa, iban a hablar de la reelección y Gutiérrez Barrios pidió que no lo hicieran.* Habló a la estación, y de eso me enteré después. Otra prueba es una conversación que tuve con José Córdoba Montoya en la que me dijo: "Salinas es muy joven: en el año 2000 va a tener 51 años y tiene que elegir si quiere ser Calles o si quiere ser Cárdenas". Me dio a entender que, si seguía con tal éxito, nada impediría que volviera en el 2000 en el papel de Calles. De eso sí estoy seguro: él quería. Pienso que la elección de Luis Donaldo Colosio tuvo que ver con eso, porque no creo que Manuel Camacho —a quien yo apoyaba— hubiera retrasado hacer un cambio en la política. Cosa que, por cierto, Ernesto Zedillo tampoco hizo. *Llegamos a 1994: ¿tú*

escribiste el discurso de Colosio? Yo conocí el discurso de Colosio. Me lo dio la noche anterior, en una visita que me hizo un día antes de pronunciarlo. *¿Lo escribió él en el origen?* Lo escribió su equipo y yo le propuse cambios en la redacción... *¿Con aires de Luther King?* No exactamente... *¿Tú pusiste el tono de Luther King?* Eso te lo va a poder decir Zedillo, porque él supo perfectamente cuáles fueron mis aportaciones, como la idea de cortar con el régimen anterior. *¿Qué le cortaste?* Todas las menciones de Salinas, los elogios. *¿Muy elogioso?* Elogioso. *¿Quería romper pero no quería romper o sí quería o no quería?* Pues ahí estaba la ambigüedad. *O sea, ¿tú creías que sí quería romper pero tenía miedo de hacerlo?* Yo creo que no sabía bien lo que quería, y para esas épocas estaba lleno de miedo —eso te lo dice Julio Scherer también–, al grado de que una vez lo vi salir de la oficina de su casa con los ojos nublados. Le dije: "Oye, Luis Donaldo, la Presidencia de México es muy importante, pero tus hijos son más importantes, ¿no?" *¿Supiste por qué tenía los ojos nublados?* Estaba sometido a corrientes durísimas. Yo creo que en ese momento sentía que estaba alejado de Los Pinos. Sentía que el mundo se le venía encima; tenía temores y había razón. El 15 de marzo de 1994 cenamos en casa de Colosio los Rossi, los Paz, Isabel Turrent y yo. Había un arpa tocando música triste y entonces Colosio dijo: "¡Felicidades, Octavio!" —faltaban 16 días para su cumpleaños—. Le preguntamos por qué lo decía y contestó: "Bueno, porque no sabemos cuándo nos vamos a volver a ver". Todos salimos desconcertados, sin saber por qué había dicho eso. Flotaba en el aire una cosa muy particular; no soy el único que lo sintió. Sinceramente vi con muy malos ojos que fuera él el candidato, no porque no me cayera bien —me caía magníficamente— sino porque lo veía como un hombre débil, rodeado de un signo de tragedia. Verdaderamente no quería el poder. Para gobernar a México y para hacer una transición política se necesitaba un político de mucha fuerza, que resultó ser Zedillo. *Un hombre de fuerza para romper...* Para romper, y con una fuerza interior que no le veía a Colosio. *¿Ese discurso era la manera en que Colosio quería hacerse fuerte?* Estoy seguro de eso, ya tenía tras de sí una historia larguísima y en diciembre ya estaba deprimidísimo. *¿Por qué estaba deprimido?, ¿porque vio la frialdad de Salinas?* Yo creo que tenía ciertas noticias de Chiapas; vagamente recuerdo que hablábamos un poco de eso. *¿Tú hablaste con él de Chiapas en diciembre?* No, después, pero me dijo que tenía conocimiento de lo que iba a ocurrir. *Él quería empezar su campaña en Chiapas y lo mandaron a Hidalgo.* Ahí está. Por cierto, hay una entrevista con *Newsweek* donde dije que sentía que el asunto podía terminar en una tragedia shakespeariana. *¿Desde cuándo lo supiste?* Yo sentía eso desde antes de noviembre, antes de que lo nombraran. Cuando lo nombraron, lo vi en la televisión (estábamos en España recibiendo, con Octavio, el Premio Príncipe de Asturias que le otrogaron a *Vuelta*) y me dio mucha tristeza porque siempre pensé —con todo el afecto que le tenía— que había una fractura en él, que era un hombre débil. *¿Fractura de personalidad?* De personalidad. *¿Era manipulable?* Sobre todo yo atestiguaba el tremendo poder que tenía Salinas sobre él. Salinas pensaba que era manipulable, eso es seguro. En esas primeras palabras, que yo vi en la televisión, Colosio dijo: "Quiero ser candidato a la Presidencia por el Partido de la Revolución Demo..., perdón, por el Partido Revolucionario Institucional". ¡Eso fue lo que dijo! Fue el primer lapsus que te indicaba que no quería ser candidato. Creo que para ser político en México necesitas quererlo de verdad y Colosio lo vivía como cosa del destino; adentro,

en sus entrañas, no era un animal político puro. *Salinas veía en Colosio a un candidato débil a través del cual podría seguir gobernando de facto y luego establecer las condiciones legales para una reelección posterior?* Eso es lo que yo creo, y hay elementos suficientes para pensar que él quería pastorear a toda una generación; quería ser una especie de Putin mexicano *avant la lettre.*

¿Qué piensas de la idea de que ese discurso en el que participaste pudo ser un factor para lo que ocurrió después, el asesinato? Yo he terminado por creer en la hipótesis de que lo mató un asesino solitario. Pero hay gente que respeto mucho, como Gabriel Zaid, que piensa que fue un asesinato de Estado. *¿Y tú no?* No. *¿No llegaría Salinas a esos extremos?* Creo que no, pero a lo mejor me equivoco. *¿Y qué opinas?* No sé. Me da mucha tristeza recordar esas cosas y pensar que quizá inadvertidamente fui un factor en todo eso. Estoy seguro que de cualquier manera el consejo a Colosio era bueno. *¿Tú le dijiste a Colosio que rompiera abiertamente con Salinas en ese discurso?* Le dije que ningún candidato a estas alturas dejaba de romper con el presidente y puse el ejemplo de Luis Echeverría con Gustavo Díaz Ordaz. Le dije que debía romper. Era una excelente persona, pero no tenía la fortaleza interior. El 5 de marzo de 1994 llegó a mi casa, solo, en su camioneta, y el chofer de mi casa me dice: "Ni se ve presidente, ¿cómo llega así?" *¿No traía ni guaruras?* No. Y eso lo puedes interpretar como un acto de irresponsabilidad o como una especie de deseo suicida. ¿Cómo era posible que saliera sin seguridad? Mi hipótesis es que estaba perturbadísimo por la ambigüedad de su relación con Salinas. *¿Por qué la ambigüedad de Salinas con Colosio?* Salinas estaba pensando en sí mismo y en la trascendencia de su proyecto modernizador. Quería asegurarlo. *¿Pero qué estaba pasando en la campaña o con Colosio para que Salinas lo tratara así?* Creo que le empezó a ver

grietas. **¿Dónde estaba la grieta?** Grietas de personalidad. Es decir, resultó que era más débil de lo que se creía. Y debieron de pensar: "¿Qué vamos a hacer ahora con lo de Chiapas?" Jugaron con la idea de reprimir Chiapas. Fidel Velázquez quería eso; dijo: "Extermínenlos y se acaba en ocho días". Pero entonces volvió a surgir Camacho —que nunca se resignó a perder la grande— y Salinas empezó a ver en él la posibilidad de un enroque. **¿Salinas coqueteó con la idea de una candidatura sustituta?** No tengo pruebas de eso. Supongo que sí.

Para efectos del proceso histórico, político y social, ¿qué significó el asesinato de Colosio y todo lo que pasó en 1994? El sistema político mexicano nació con un magnicidio y murió con un magnicidio. Creo que la rebelión zapatista tuvo una enorme importancia al catalizar el cambio democrático, así como una nueva conciencia sobre el problema social, no solamente el indígena. Pero tenemos que encontrar el modo de procesar esas necesidades dentro de la democracia, no con revueltas ni rebeliones. **¿Qué significó Marcos?** Creo que Marcos cometió un gran error. Cuando en 1995 más de un millón de personas le propusieron que encontrara una forma imaginativa de incorporarse a la vida política, le estaban sugiriendo más o menos lo siguiente: como un mito ya lograste en vida lo que el Che Guevara había logrado con su muerte; pero ahora reconviértete, inventa el funeral de Marcos o desaparece por tres años y luego aparece sin máscara diciendo: "Marcos murió en la selva, pero aquí está Rafael Sebastián Guillén Vicente y voy a actuar para cambiar este país por la vía de una izquierda democrática". Ése, creo, era el mandato, pero Marcos prefirió seguir construyendo el personaje mítico-literario, con el único inconveniente de que para ser eterno tenía que morirse o reinventarse —que lo intentó—. En resumen, ya no le queda muy bien la figura icónica; es un guerrillero de 54 años. Hasta en la guerrilla la edad cuenta. **Ya con panza.** Tendría que haber dejado el mito o inventar un nuevo capítulo literario. **¿Crees que realmente eso pudo haber pasado?** Sí. La prueba de que pudo haber pasado es el ascenso de Andrés Manuel López Obrador. Marcos pudo haber encabezado la izquierda mexicana; tan es así que el propio López Obrador fue en peregrinación a Chiapas y alguna vez me dijo: "Es uno de los hombres más inteligentes que he conocido en mi vida". **Andrés Manuel nunca ha tomado ese guante y nunca se ha peleado con él.** Y hace muy bien. **Pero Marcos sí e incluso la izquierda le recrimina que fue un factor para el 2006.** Yo creo que Marcos se quedó con el mito; López Obrador no es un mito, es un líder social y un político muy importante con tintes mesiánicos. Él está en la política todo el día a todas horas. Marcos no. Un poco como León Trotsky o como el Che, Marcos decidió que él es superior a todo eso, que él es suprahistórico, mítico... Pero yo le diría: "Perdón, pero si eres mítico, pues tienes que desaparecer como tal. Ahora, ¿quieres ser mítico y vivir en la realidad al mismo tiempo? Pues tienes que hacer una reconversión literaria; necesitas a Gabriel García Márquez como asesor para que te diga cómo convertir un mito en un factor transformador de la realidad". Con todo, creo que Marcos hizo mucho bien, aunque otros dirán que los indígenas en Chiapas están peor. Pienso que ese movimiento daba para más y que él se quedó anclado en una época. Cuando llegó a la ciudad de México en 2001 —uno de los poquísimos movimientos sagaces de Vicente Fox, o casi el único—, creo que Marcos esperaba que, 20 años después de su partida a la sierra, los jóvenes universitarios lo recibieran apoteósicamente en la ciudad de México. Nada más que eran 20 años menores y la pasión revolucionaria de los años setenta ya no estaba ahí.

¿Qué papel jugó Zedillo en la transición? Zedillo enfrentó la crisis del "error de diciembre", que en cierta medida es imputable a su propio gobierno. Él era y es un liberal y no quería al PRI y al sistema político. Pensé que era un tecnócrata y hasta lo critiqué públicamente por ello, cosa que lo ofendió a finales de diciembre. *¿Un resentido social, diría Salinas?* No creo. Fue un hombre que se hizo a sí mismo, sumamente inteligente. Incluso a Salinas en algún momento le escuché decir: "Es inteligentísimo y aprende muy rápido". *¿Cuándo te dijo eso Salinas?, ¿ya siendo presidente?* Cuando Zedillo era candidato. Entonces, Zedillo, a principios de 1995 —una de las pocas veces que lo vi—, me dijo: "Ahora vas a ver lo que significa tomar en serio la democracia sin adjetivos". Y esa misma tarde hubo un acto en Los Pinos en el que realmente se echó a andar un proceso de apertura democrática a fondo. Creo que él estaba absolutamente convencido de que debía ganar el que tuviera más votos. Estaba claro para él que, después del desastre económico, lo que quedaba era la reforma democrática, y la realizó. *¿Y Diego?* Se marginó, como era obvio. *¿Era obvio?* Para mí, sí. Nunca quiso el poder. Quería el relumbrón, no la Presidencia. La regla número uno del poder es que hay que quererlo de verdad. Zedillo no lo quería propiamente, pero es un hombre de una solidez interna muy fuerte y lo tomó como una misión que llevó a buen puerto. Era "el mariscal Zedillo", como le decía Colosio. *¿Y ahí qué se logró para la transición?* Muchísimo. Fue el momento en que México se inauguró como una democracia electoral, con el triunfo de Cuauhtémoc Cárdenas en el Distrito Federal y con un Congreso de oposición. Todos recibimos esa noticia de 1997 y la llegada de Cárdenas al poder con entusiasmo. *Eso marca sin la menor duda y viene 2000.* Creo que hay que darle crédito a Zedillo por esto. Pero la izquierda empujaba con madurez y determina-

ción. *Dijiste que Gabriel Zaid escribió en 1979 un artículo titulado "Cómo hacer la reforma política sin hacer nada". ¿Hizo eso Zedillo?* Sí, eso hizo, y afianzó al IFE. *¿Te gusta la comparación?* Sí, me gusta mucho. Básicamente lo que hizo fue dejar que los votos contaran. *Ahora, ¿dónde dejas el Pemexgate?* Yo no sé si Zedillo supo. *¿Entonces cómo operaba y qué pasaba en el ejercicio de poder para que fuera posible el Pemexgate?* Creo que nunca hay que subestimar las zonas de ambigüedad, de ambivalencia, en la vida política, ni a los personajes. Creo que el sistema quería que siguiera el PRI por un sexenio más, cuando menos, y creo que hasta la personalidad de Fox no les daba mucha tranquilidad. Y tenían toda la razón, porque nos dimos cuenta a qué grado de frivolidad llegaría ese asunto. *Y que eventualmente no supo.* Creo sinceramente que Zedillo es un hombre honesto. Hay que juzgar a los hombres también por lo que pasa después en sus vidas. En su caso no opera ni una pensión. Se gana la vida en la academia fuera del país y con mucho mérito y reconocimiento. Francamente creo que él propició la transición política en la que estamos ahora.

¿Tú crees que Zedillo le cobró a Salinas los agravios? Existe una enemistad brutal. *¿Por qué odiaba a Salinas?* Déjame contestarte de este modo: Salinas sólo es comparable con Echeverría; quiero decir: con una voluntad de poder semejante a la de un tlatoani. De ese tamaño ha sido su proyecto: ni De la Madrid, ni López Portillo, ni siquiera Díaz Ordaz tuvieron ese deseo. Al estar convencido de que el país tenía que democratizarse, Zedillo tenía que romper con Salinas. *¿Por un afán democratizador?* Por un afán de que había que romper y por una realidad política. *¿Es mucho caudal a Zedillo?* A lo mejor Zedillo pensó que, quizá por haber sido ambiguo, a Colosio se lo llevó el tren.

Uno tiene que romper. Hay algo mítico, muy fuerte en esto: debes romper y sentarte de verdad en la silla. **Matar al padre.** Hay algo casi griego en ello. Hoy ya no es así: estamos en un momento en que el poder ha cambiado, es centrífugo. Pero pienso que Zedillo sintió la necesidad de romper con Salinas, porque si no ponía límites no iba a poder gobernar.

Ahora, ¿Salinas vuelve a incorporarse de otra manera con el foxismo y con mayor claridad? No quiero incurrir en la teoría conspiratoria, que siempre he criticado. Salinas es un personaje muy inteligente, muy fuerte y relativamente joven que siente que introdujo a México reformas muy importantes —y tiene razón— y que guarda el supremo agravio de sentirse incomprendido por la historia. También cree que la vía modernizadora que él propuso, junto con el liberalismo social, es la vía para México, y que debido al drama que le ocurrió en 1994 perdió el aprecio y la comprensión públicos, y tiene que reivindicarse. Creo que eso es lo que ha estado haciendo. No obstante, no estoy de acuerdo con quienes creen que está manejándolo todo. Sin embargo, creo que vamos a escuchar mucho sobre él, pues sin ser el Calles, sigue siendo un factor de poder muy importante y esto confirma el punto de vista de Zedillo.

¿Hoy cabe aún alguna utopía? Yo hago votos por algo, y no quiero llamarle utopía: que, vapuleada y dividida como está, la izquierda mexicana recapacite y se modernice. **No le da tiempo de aquí al 2012.** Sí le da tiempo, porque el cambio tiene que ver con los liderazgos. Ahí están Marcelo Ebrard y Juan Ramón de la Fuente. Tú me dices que no hay tiempo; yo te digo una frase genial que me dijo Alejandro Rossi: "La política es el teatro más rápido del mundo". Yo quisiera que la izquierda llegue al poder, pero una izquierda como la brasileña o la chilena, o como la que representó Felipe González. No la izquierda cavernaria, fidelista o chavista. *¿Así sea del PRI?* ¿Dónde está la izquierda democrática del PRI? Yo no la veo. El PRI es el PRI. El PAN tuvo ya dos oportunidades: el gran desperdicio ocurrió en el tiempo de Fox; Felipe Calderón ha ejercido una presidencia con un acotamiento muy difícil y muy cuestionada —injustamente, a mi juicio— desde el origen. Con todo, ha tomado medidas sagaces y necesarias. La izquierda debería "rebasarlo" volviéndose más liberal. Pero empiezo a sentir que sí, que tal vez se trata de una utopía. *¿Terminó la transición?* Hay un abuso de la palabra. Para efectos prácticos, la democracia mexicana es una obra imperfecta y en construcción. La transición mexicana empezó en 1997, cuando la izquierda tomó en serio la democracia. Pero déjame postular en definitiva mi utopía: creo que la democracia mexicana puede florecer de nuevo, de manera definitiva, y que el país puede cambiar sólo si la izquierda mexicana se moderniza. Si la izquierda mexicana revisa todos sus dogmas, ejerce la autocrítica y se refunda, tendríamos esperanza. Voy más lejos: imagínate a AMLO diciendo: "Yo ya no soy mesías. Vamos a hacer un movimiento de reforma sensato y me voy a moderar". Para eso tendría que dejar el discurso apocalíptico. Es una utopía pero hay que formularla. La izquierda tendría que dejar atrás el encono y la intolerancia. *¿Puede ocurrir en un camino totalmente empedrado?* El azar, la imaginación y la sorpresa son parte de la historia, sobre todo la imaginación. Ojalá que la crisis ayudara no a abonar las profecías apocalípticas sino a que, de pronto, hubiera propuestas concretas y un proyecto de izquierda rumbo a 2012. Insisto en esto porque creo que, después de 70 años del PRI y 12 años del PAN, corresponde a la izquierda llegar al poder. Pero no a esta izquierda intolerante que ha olvidado por entero el legado liberal.

FRANCISCO *Labastida*

POLÍTICO.

SINALOA, 1942.

SECRETARIO DE ENERGÍA, 1982-1986.

GOBERNADOR DE SINALOA, 1987-1992.

SECRETARIO DE GOBERNACIÓN, 1998-1999.

CANDIDATO DEL PRI A LA PRESIDENCIA

DE LA REPÚBLICA, 2000.

> **" ¿NO PASÓ NADA CON LA ALTERNANCIA? NO, NO PASÓ NADA. LOS PROBLEMAS SE AGRAVARON INCLUSO. "**

MÉXICO NECESITA definir urgentemente su proyecto de nación y las vías por las cuales lo vamos a conseguir. Si tú le preguntas a la gente y a los partidos por cuál camino conseguir más crecimiento económico y más empleo vas a obtener respuestas diferentes. Lo debemos hacer entre todos los mexicanos. No puede ser una decisión autoritaria de una sola persona. *¿Por dónde empezar?* Por definir qué quieres y cómo lo haces. Es el gran reto del país. Se necesita una interacción de las mejores corrientes de pensamiento a partir de las universidades, de los pensadores, los politécnicos... Está pendiente un gran debate nacional. Pero para ello debemos tener la película completa de cómo arrancaron los problemas del país. Las dificultades económicas, políticas, sociales y de seguridad pública están relacionadas; no se dan en el éter. Durante más de 30 años el país tuvo un crecimiento económico superior a seis por ciento, una generación de empleo superior al crecimiento demográfico y una política sana de financiamiento de la obra pública. Este mismo periodo tuvo rezagos notables en algunos sectores sociales y en educación, y esto se trató de cubrir de manera acelerada en dos gobiernos: el de Luis Echeverría y el de José López Portillo. Éstos quebraron totalmente las finanzas públicas de México. Contábamos con una deuda externa de tres mil millones de dólares que en ese periodo pasó a 68 mil millones; un déficit equivalente a 16 por ciento del PIB que provocó una inflación acelerada y la ruptura del crecimiento económico. Influido por la expropiación de la banca, el sector de los hombres con dinero cambió de posición política. *Se va al PAN...* Sí, lo pasa a apoyar directamente. A mí me tocó presenciar desencuentros muy fuertes entre miembros del sector privado y el presidente De la Madrid. Estos grupos económicos comenzaron a impulsar las universidades privadas como un proyecto educativo con un trasfondo ideológico-político. En 1982 me desempeñaba como subsecretario de Programación y Presupuesto —año de la expropiación de la banca— y me tocó elaborarle un programa al presidente electo para salir de la crisis. El escenario menos pesimista indicaba una pérdida de 700 mil a un millón de empleos en el primer año, la inflación estaría rondando 60 por ciento y habría un retroceso en el nivel de vida de 15 a 30 por ciento. El Banco de México tenía sólo 230 millones de dólares y no 1800 millones, como se afirmaba. Entonces le dije: "Presidente, posiblemente todo su mandato sea sólo para paliar los problemas", a lo que él respondió: "Quizá se necesiten dos gobiernos". En esos momentos fue cuando acuñó la frase de que no permitiría que el país se le deshiciera entre las manos, pues le quedó muy claro que existía el riesgo de un estallido social.

Hoy en día, el desempleo y el subempleo en México explican por qué penetra con tanta facilidad el narcotráfico. Somos entre 105 y 107 millones de habitantes. La población económicamente activa es de 48 millones de personas, de las cuales 14 o 15 millones cotizan en el Seguro Social y tienen sus beneficios y sus créditos para vivienda. En el ISSSTE hay otros dos millones y medio o tres millones de personas. Si haces la suma no llegas a los 20 millones. ¿Dónde están los 28 millones faltantes? Son la señora que vende quesadillas en un anafre, el que vende refrescos en el Periférico, el que limpia los cristales en los semáforos. Es un caldo de cultivo que permite que cualquier señor llegue a ofrecerles dinero para meterse en la criminalidad. *Dices que todo está interrelacionado. Está el tema del narcotrá-*

fico. Tú vienes de Sinaloa, un estado marcado por la delincuencia organizada... Estoy convencido de que no puede intentarse una lucha efectiva contra la criminalidad si no depuras los cuerpos policiales. Mi primer decreto como gobernador, del 1º de enero de 1987, fue la depuración de la policía judicial. Nos encontramos con que cerca de 40 por ciento de la policía tenía orden de aprehensión vigente en otros estados. Los trabajadores sociales encontraron que 30 por ciento de los policías vivían con niveles de vida muy superiores a lo que su sueldo les permitía. Le dijimos adiós a 70 por ciento de la policía. Una parte la metimos a la cárcel. El presidente De la Madrid me ayudó mandándome 1500 policías militares, pues el gobierno del estado no está facultado para destruir plantíos de marihuana o investigar temas de lavado de dinero. Pero si hay un homicidio, sí se tiene que perseguir a los delincuentes y cuando lo hicimos nos encontramos con que estaban protegidos por la Policía Judicial Federal. Derivado de ello comenzó a haber problemas y roces que terminaron con el homicidio de mi procurador, Francisco Álvarez Fárber, por dos miembros de la corporación. La Policía Judicial Federal mató a 40 por ciento de mi gente, entre ellos a mi jefe de guardaespaldas y al director de la PJF en el estado. Metimos a la cárcel a varios elementos y a varios grupos. A la fecha me tienen amenazado de muerte. *Hay una versión que dice que Carlos Salinas te envió por sorpresa un operativo al estado cuando no estabas.* Sí, posiblemente fue en el año 1990. Fue un operativo absolutamente armado: me fui un sábado por la mañana a La Paz a pescar y a bucear, y en esos momentos, en Guadalajara, detuvieron a un narcotraficante que vivía a 200 metros de la casa de gobierno de Sinaloa. Las autoridades dijeron que lo estaba protegiendo la po-

> **FOX SUPO VENDER IMÁGENES E ILUSIONES. LAMENTABLEMENTE NO FUE CONSISTENTE CON ELLAS.**

licía preventiva de Culiacán, lo cual fue absolutamente falso. La Policía Judicial Federal detuvo a dos personas de la policía municipal y las soltó enseguida. ***¿Te disgustó la situación?*** Por supuesto. ***Porque no te avisó el presidente...*** No sólo por eso, sino porque durante mi gobierno me dediqué mañana, tarde y noche a combatir al crimen organizado. No había fundamento para el operativo; la prueba está en que cambié a seis o siete jefes de la policía municipal y a varios mandos en todos los niveles.

¿El PRI coexistió durante décadas con el narcotráfico, como dice el PAN? No, yo no lo acepto. En varias regiones se ha corrompido a gente de todos los partidos. ***¿Conoces a alguien?*** Sí, pero no voy a dar nombres. ***¿Qué piensas de la estrategia de Felipe Calderón contra la delincuencia organizada?*** La emprendió con bastante vigor y con valentía, pero antes debió depurar a los mandos policiales y coordinar las acciones. Ahora, con la Ley General de Seguridad Pública, los presidentes municipales y los gobernadores tendrán que capacitar y depurar a sus policías. Si no lo hacen serán objeto de una amonestación. Ya estamos envueltos en una espiral de violencia. ***¿Hacia dónde nos dirigimos?*** Espero que toquemos fondo este año. Cuando hice la Ley Nacional de Seguridad consulté a los países más avanzados en esta materia. Todos me dijeron que si en cinco años se comienzan a revertir las cosas, es que actuamos bien. ***¿El próximo presidente puede ser un narco?*** No. Me parece subestimar a la sociedad mexicana y a las instituciones. De ninguna manera lo creo. ***¿Estamos en un Estado fallido?*** No, no compro la idea. Eso significa cosas mucho más serias y graves que las que estamos viviendo en México, y eso que ya estamos sufriendo cosas terribles.

¿Qué le ha sucedido al PRI *en los últimos años? Una de las críticas al* PRI, *por parte de la izquierda, es que comenzó a haber una simbiosis con el* PAN. *¿Qué reflexión haces de estas variaciones en un país con ánimo democratizador?* El país se entusiasmó, con razón, por la democracia, pero pensaron que con ella se obtenía todo. La democracia es necesaria pero no suficiente. Me parece que no quedó claro hacia dónde íbamos. Séneca decía que "no hay viento propicio cuando se carece de puerto de destino". *¿Y lo tiene México?* Yo estoy convencido de que no lo tiene todavía. *¿No íbamos a la democracia?* Vamos. Lo que tenemos ahora es incipiente, está en proceso de construcción y perfeccionamiento. *¿La transición se acabó, fracasó, sigue en curso, dónde está?* Tiene varias divisiones. Inicia quizá desde que Jesús Reyes Heroles hace las modificaciones a las leyes electorales en 1977. Y culmina, por así decirlo, en 2000, como un simple cambio de poder. *¿No es un cambio de régimen?* No. Es un cambio de poder. Un partido tuvo la conducción en lugar de otro partido, pero nada más. ¿Qué hizo el gobierno de Fox para cambiar? Afortunadamente no logró lo que deseaba. *¿Y qué deseaba?* Vender Pemex y la CFE a los empresarios norteamericanos y el Seguro Social y el ISSSTE a los industriales mexicanos. Ésa es la síntesis de lo quería hacer. *¿No pasó nada con la alternancia?* No, no pasó nada. Los problemas se agravaron incluso. Tuvo una enorme cantidad de recursos por los altos precios del petróleo y todo se fue en gasto corriente. *Más allá de que el gobierno de Vicente Fox haya sido ineficiente, hubo un capítulo histórico que te tocó vivir de manera política y personal. La alternancia en un país que tuvo 70 años de un gobierno...* Retrocedimos. *¿La alternancia fue un retroceso?* En este caso concreto, sí. En esos seis años, por supuesto. Los panistas

dicen que los gobiernos del PRI fueron ineficientes y se hicieron de la vista gorda con el tema del narcotráfico. Las cifras de la DEA indican que en 2000 pasaba por México 40 o 50 por ciento de la cocaína consumida en Estados Unidos. Hoy, según la misma fuente, es 90 por ciento. Lo que a un partido en el gobierno le costó 70 años, a ellos les tomó seis. Se duplicó; fuimos hacia atrás como cangrejos. *¿México se equivocó al votar por Fox?* La gente no se equivoca al votar, la gente elige a quien cree que va a atender las necesidades. Fox supo vender imágenes e ilusiones. Lamentablemente no fue consistente con ellas. *¿Traicionó el mandato que le dieron?* Sí, por supuesto. Manejó irresponsablemente la seguridad, el gasto, la hacienda pública... *¿Se descarriló allí la transición?* No, se descarriló desde el momento en que pretendió hacer cosas que eran inadmisibles para muchos mexicanos.

Para ti y para el país, el año 2000 es una fecha clave. ¿Cómo entiendes ese momento histórico? Los resultados de 2000 se construyeron 15 años antes. Comenzamos a perder gubernaturas y en 1997 perdimos la mayoría legislativa en las elecciones intermedias. Las encuestas de 1999 y 2000 arrojaban que 60 por ciento de la gente quería un cambio. *¿Y qué recuerdas de esas fechas?* En 1999 identifiqué que era relativamente fácil ganar la interna y que iba a ser difícil ganar la constitucional. El grupo de asesores que me ayudaba me dijo que mi perfil era el más adecuado a lo que la gente necesitaba, pero estaba ese 60 por ciento que quería un cambio. En todo eso influyó una serie de conflictos que estaban en ebullición: las crisis económicas, el crecimiento de la delincuencia, el autoritarismo político y la cerrazón. Ese año pensé que existía el riesgo de perder. Confieso que lo platiqué con mi mujer y un amigo. *¿Te acuerdas cómo lo conversaste?* En las noches reflexionaba y analizaba con mi mujer si debía o no lanzarme. Nos preocupaba el daño que hacia nuestros hijos pudiera provocar el ganar. Eso era lo que más nos inquietaba, además de que veía la posibilidad, un pequeño riesgo, de que perdiéramos. *¿Cuál fue tu peor momento?* Cuando supe que había perdido fue un momento duro. Quien te diga que no se siente hasta la médula de los huesos, te miente. *¿Tú lo sentiste así?* Sí, pero también tienes que mostrar temple y carácter para esos momentos. Yo creo que un momento difícil fue cuando me enteré de que el partido tenía enormes deudas. En 1999 el PRI comenzó a hacer la campaña del Nuevo PRI y la hizo con base en deudas. Le debía muchísimo dinero a las radiodifusoras, a las estaciones de televisión, a los periódicos, a todo el mundo. *¿Eso se paga con dinero o se paga después?* En este caso se pagó con dinero. Eso implicó pedirle a la gente que te apoyó que lo volviera a hacer. Fue un error, porque quebró financieramente al partido, además de dividirnos. En diciembre, enero y febrero no tuvimos *spots* ni en radio ni en tele. *Es inevitable preguntarte sobre el Pemexgate: ¿en qué momento se decide transferir esos 500 mil millones de pesos de Petróleos Mexicanos a tu campaña? ¿Fueron esos recursos para pagar las deudas del partido?* Recordemos que todas las personas que han estado imputadas por ese caso han resultado inocentes. *Sí, pero el IFE multó a tu partido con mil millones de pesos, el doble del monto que presuntamente fue transferido.* Fueron recursos que le prestaron al sindicato. Y el sindicato pagó. *¿Estuviste involucrado en la toma de esas decisiones?* Absolutamente no. *¿Quién lo decidió?* No voy a hacer ningún juicio sobre las personas a las cuales se les acusa. *¿Pero estuviste enterado?* No. Y lo digo mirándote a los ojos. *¿Cuándo te enteraste de lo que ocurrió?* Cuando se hizo público. *¿Te pasó de noche? ¿Me lo juras?* Te lo juro. *¿Qué hubieras hecho de haber sido electo presidente?* La población se hubiera sorprendido por la cantidad de cambios que habría impulsado. *Por ejemplo.* Los privilegios que existen en algunos sectores. Hubiera metido mano en la política económica para impulsar el crecimiento y el empleo. Pero primero hubiera emprendido cambios en el sistema de seguridad pública y en el régimen de derecho. El país ha retrocedido terriblemente en esta materia. Las leyes se han convertido sólo en un referente.

¿Qué significaron para ti las últimas elecciones presidenciales? El año 2006 implicó una ruptura de las fuerzas políticas y la incapacidad de diálogo de un grupo con el resto. *¿A quién te refieres?* A la parte más radical del PRD, hoy trasladada hacia el PT y Convergencia. Andrés Manuel López Obrador desconoció los resultados de la elección. Pero no sólo eso: se negó a construir cualquier acuerdo para ir en el camino que él deseaba. Me parece que no es congruente. Si quiere que las cosas vayan hacia tal lugar, tendría que influir para que sea así. Creo que apenas estamos iniciando un proceso de debate y reflexión sobre el proyecto de país. Espero que se acelere en los años próximos. *¿Y eso es factible o la fractura de 2006 lo impide?* No, no lo impedirá, aunque los años por venir serán difíciles en la inseguridad y en lo económico. En momentos como los actuales se debe hacer uso de un activo como el político, que permita llegar a acuerdos para poder salir de donde estamos.

ANDRÉS MANUEL *López Obrador*

POLÍTICO.
TABASCO, 1953.
JEFE DE GOBIERNO DEL DISTRITO
FEDERAL, 2000-2006 .
CANDIDATO DEL PRD A LA PRESIDENCIA
DE LA REPÚBLICA, 2006.

¿QUÉ VIVE MÉXICO? *¿Una democracia, un Estado fallido, una democracia imperfecta... qué?* Yo te diría que vivimos en una dictadura encubierta, dominada por una oligarquía. El concepto del Estado fallido es muy simplista porque el Estado no es fallido, lo que sucede es que está secuestrado por los oligarcas. *¿Dónde queda entonces el proceso que México ha vivido en 1968, 1971, 1988, que construyó la idea de que podemos ser democráticos?* En 1988 se avanzó, independientemente del fraude. Fue un despertar ciudadano importante, aunque luego el grupo dominante quiso crear una especie de bipartidismo. Siempre han apostado a eso. *¿Casi lo logran?* No, nunca lo han logrado. En 1988 querían ese sistema y fracasaron. Ahora están apostando a lo mismo. Están diciendo: "Nada más hay dos fuerzas, PRI-PAN, pero el PRD no cuenta por sus cochineros, sus pleitos internos. El ala izquierda no existe", porque mediáticamente es lo que ellos quisieran; o sea, que se aceptara. Nada más que no es así, porque hay millones de mexicanos, y ésta es la parte buena que ha habido en este proceso de 1988 a la fecha. Algo que no han querido ver muchos politólogos y comunicadores, porque nada más analizan estructuras, aparatos, partidos, sociedad política. No analizan el comportamiento de la gente. Lo más importante de 1988 a la fecha ha sido el cambio de mentalidad. Hay millones de mexicanos conscientes y decididos a luchar por una verdadera transformación. Eso no lo quieren ver nuestros adversarios; ojalá nunca lo vean. Hay mucho desprecio de la derecha hacia el pueblo. Nunca van a aceptarte que la gente cuenta, que es capaz de entender lo que está sucediendo y de luchar por algo verdaderamente nuevo.

¿El año 1988 fue clave para esa construcción social? Sí, sí empezó ahí un cambio de mentalidad. *¿Comenzó ahí la transición?* Desde el punto de vista de la participación ciudadana sí. Es como lo que sucedió con el terremoto. Son esos momentos en que la gente toma el control. ¿Dónde están las estructuras? No había partidos políticos, no había nada. En el caso del Frente Democrático Nacional, pues no tenían estructuras ni nada, era una iniciativa de la gente. En los últimos tiempos se ha venido consolidando ese movimiento ciudadano.

La derecha puede usar el discurso de la democracia, pero cuando se trata de intereses la democracia se va por un tubo. Eso fue lo que pasó en 2006. Los que tenían ese discurso —los comunicadores, los intelectuales— no fueron capaces de pronunciarse en contra del fraude. No olvides que en 1986, cuando el PRI comete un fraude en Chihuahua, se acuña la frase "fraude patriótico". Es lo mismo. ¿Dónde está Enrique Krauze, el liberal? Callado, porque más allá de la democracia están sus intereses. Sus intereses sin adjetivos. ¿Quiénes fueron capaces de pedir el recuento de los votos, quiénes se atrevieron? ¿Era mucho pedir? El caso es que ha habido mucha simulación alrededor del concepto de democracia, ahora es más claro. Yo te diría, como corolario, que nosotros tenemos el propósito de derrotar a la oligarquía en el terreno político para devolver el poder al pueblo. *A ti que te gusta la historia, ¿en qué periodo se tuvo el poder político desde el pueblo?* En el siglo XX lo más representativo de una democracia popular fue lo que significó el gobierno del general Cárdenas. Después ya fue una democracia simulada, de cúpulas; ahora sin duda no existe democracia, no existe, no hay democracia en el país. Hay una gran simulación.

¿En los últimos 20 años sentiste que México podría entrar en una fase real de democratización? Sí,

a partir de 1988, y te quiero decir que sigo pensando igual, que sí se puede. Vamos a enfrentar a la oligarquía y la vamos a derrotar, no porque nos caigan mal estos personajes sino porque se han convertido en un obstáculo para el desarrollo del país. Son responsables de las crisis económicas, de la crisis del bienestar y hasta de la violencia en México. *¿También?* Sí, ¿o acaso la violencia y la inseguridad son producto de un estilo de vida del mexicano? ¿Somos malos por naturaleza? Hemos llegado a estos extremos porque llevan 26 años acaparándolo todo, dejando sin oportunidad a los jóvenes, cerrándoles las puertas para trabajar o estudiar. Ellos fueron los que causaron esto.

Incorpora otros ingredientes a tu análisis: además de la oligarquía están fenómenos como el narcotráfico, la delincuencia organizada. Son otros factores que hacen que México hoy esté como está. Sí pero el fundamento que permitió el desarrollo de la delincuencia en México a los niveles que estamos es por dos cosas fundamentalmente: con la desatención al pueblo y con la corrupción y la impunidad. Entonces, en conclusión, ¿cuál es el problema de México? ¿Por qué la crisis de México? Por el mal gobierno. Al momento de que hay un grupo que se queda con todo, que se apropia de todo, genera un desequilibrio. No hay ya un gobierno del pueblo para el pueblo, sino uno que está condenando, sí, a la mayoría de los mexicanos, a la supervivencia, al destierro. Es lo que ha venido sucediendo. ¿De dónde viene la inseguridad, o de qué se nutre? Está demostrado aquí o en China que si no hay una sociedad mejor, crece, prolifera la delincuencia.

¿Qué sigue? Yo no veo otra opción, no le veo otro camino que la transformación del país, enfrentar a la oligarquía, te decía, en el terreno político, es decir, en el terreno democrático. Con elec-

"VIVIMOS EN UNA DICTADURA ENCUBIERTA, DOMINADA POR UNA OLIGARQUÍA."

ciones, aunque sabemos lo difícil que es, lo vivimos en carne propia, no tenemos otra opción más que esa, no vamos a tomar las armas, no vamos a llevar a la gente a la confrontación, a la violencia, porque eso no es solución; es más, eso le ayudaría a la oligarquía desde mi particular punto de vista. Estoy convencido de que no es por la vía de la violencia.

¿En algún punto has tenido esa tentación? No, nunca. *¿Ni en 2006?* No, nunca lo he considerado. Siempre he pensado en la vía pacífica. En los últimos tiempos te puedo decir que ha habido gente que nunca había participado en la política, que nunca había estado inscrita a un partido político y que a raíz del desafuero se convirtieron en militantes ciudadanos. *¿Adscritos a...?* Al movimiento en general. Te estoy hablando de 15 millones, de hombres y mujeres. *¿Todos en torno tuyo?* No, yo no quisiera personalizar. Soy parte de un movimiento y me toca a mí la conducción. Si no, me van a etiquetar de caudillo; o peor, de cacique. *¿Cómo te defines tú?* Soy un humanista de izquierda. Puede ser un pleonasmo, porque el humanista que no es de izquierda no es humanista.

¿Qué tanto contó la aprobación de la Ley Televisa en el descarrilamiento del proceso de 2006? Fue un elemento favorable al fraude electoral porque Televisa abrió los espacios a Felipe Calderón y le permitieron llevar a cabo la guerra sucia en contra de nosotros. Te voy a contar algo. En vísperas de las elecciones de 2006 llegué a saber que casi a diario iban a ver a Emilio Azcárraga tres personajes mandados por Roberto Hernández: Claudio X. González, del Consejo Coordinador Empresarial; Gastón Azcárraga, del Consejo Mexicano de Hombres de Negocios, y José Luis Barraza, de la Confederación Patronal de la República Mexi-

cana. Ellos iban a decirle a Azcárraga que ya se abriera en mi contra. Televisa ya le estaba dando todo el tiempo al PAN; de hecho el IFE nunca ha señalado cuánto tiempo le dieron a Acción Nacional. Al mismo tiempo a nosotros nos cerraban los espacios. Te puedo demostrar que una semana, como no se les pagó por adelantado, nos dejaron sin mensajes. Estos tres personajes insistían en que se quitaran la máscara y se lanzaran en mi contra, pero Azcárraga se resistía. Les decía que la televisora iba a perder credibilidad. Fox hablaba personalmente a Televisa, hablaba personalmente con el director de *El Universal*, hablaba personalmente con todos. Ya tenían la estrategia del fraude, querían aparentar el empate técnico. Entonces salía en las encuestas y siempre buscaba que nos dieran empate, para poder justificar lo que al final hicieron. Al final lo doblaron y Roberto Hernández, a finales de 2006, se convirtió en socio de la televisora. A partir de ahí Televisa se convierte de manera abierta en vocera de la oligarquía que manda y decide en el país. Este grupo impone a Calderón. No hay ningún cambio; al contrario, profundizan en lo mismo. Si hacemos un repaso hoy mismo del endeudamiento de 77 mil millones de dólares del país, éste tiene que ver con el pago de facturas de 2006. Es una especie de Fobaproa II, ese dinero se va a utilizar para el rescate de empresas como Cemex.

¿Tú dejaste pasar la Ley Televisa, le diste tu anuencia? No, ése es un asunto de los hipócritas del PAN, de Javier Corral y otros, que quieren ocultar la negociación que tuvieron con Televisa en 2006 diciendo que todos estábamos de acuerdo. Me quieren meter en el mismo costal, pero yo no tuve absolutamente nada que ver, y no sólo eso, yo me opuse. *¿En qué momento?* Siempre. En la campaña, en voz alta, públicamente. *¿Diciendo*

qué? Que era un acuerdo de Calderón, como fue, para que Televisa les ayudara. Lo declaré en la campaña. Hay constancia de eso, pero Corral y otros panistas no quieren decir la verdad: fue un acuerdo Calderón-Televisa. Viene de los supuestos críticos que no tocan al intocable; o sea, nunca se van a sincerar y a decir realmente qué fue lo que sucedió.

La ley fue aprobada en siete minutos por unanimidad. Uno no se puede imaginar que hubiese sido votada de esa forma sin la anuencia del candidato del PAN Felipe Calderón, el candidato del PRI Roberto Madrazo y el candidato del PRD Andrés Manuel López Obrador. Pues yo no di mi anuencia. Tan sencillo como eso. *¿Es posible que la bancada del PRD haya ido a esa votación sin tu consentimiento?* Así es, es posible porque son libres. *No, Andrés Manuel, estarás de acuerdo que esa unanimidad no fue cuestión de libertades.* No confundas, ni me quieras comparar con los políticos marrulleros. Ellos tomaron la decisión. Sí, desde luego fue un error. Y sí, se equivocaron, pero yo no tuve nada que ver. Además, por lo general a mí no me consultan. No es como el PRI, no es como el PAN.

¿Cuál fue el papel del PRI en el capítulo de 2006? Finalmente ellos reconocieron el triunfo de Felipe Calderón a partir del fallo del Tribunal. No hay diferencias entre el PRI y el PAN. Hablando de las cúpulas no hay diferencias entre Vicente Fox y Carlos Salinas, entre Felipe Calderón y Manlio Fabio Beltrones, entre Elba Esther Gordillo y Fernando Gómez Mont. Representan lo mismo. Se pueden pelear cuando no se trata de cosas fundamentales. Hay diferencias, se pelean para ver quién atiende con más servilismo a los banqueros. *Dices que el PRI y el PAN son la misma cosa. ¿Qué hace diferente a ese PRI de aquel al que perteneciste cuando eras más joven?* Yo creo que el PRI

"¿QUIÉNES FUERON CAPACES DE PEDIR EL RECUENTO DE LOS VOTOS, QUIÉNES SE ATREVIERON? ¿ERA MUCHO PEDIR?"

nunca representó nada como opción democrática. *¿Nunca?* Quizá en la época del general Lázaro Cárdenas, pero no era PRI en esa época. Allí había más correspondencia entre el sentir de la gente y lo que hacía la clase política. A la gente que no me conoce se le hace fácil simplificar y decir que vengo del PRI; lo que no saben es en qué condiciones estuve allí. *¿Hiciste el himno del partido?* No, hombre. Es pura mentira. En ese entonces el himno lo hizo un compositor de nombre Centella. *¿No era tu seudónimo?* No. Mi comportamiento le molesta mucho a la derecha. *Al final es un rasgo biográfico tuyo haber estado en el PRI. ¿Qué significa? ¿Que cuándo alguien tenía inclinación política no tenía de otra más que ir a ese partido, como fue tu caso?* Sí. *¿Era inevitable?* Sí, hasta cierto punto. Yo los entiendo, también me divierto mucho, me río, porque tratan de encajonarme para buscar su justificación. Todo mundo, dice un amigo con el que cené anoche, hace su mundito. A mí me invitó al partido Enrique González Pedrero, yo me planteo la democratización del PRI y la llevo a la práctica. Fui presidente del PRI en Tabasco y renuncié precisamente porque no hubo esa apertura. *¿No fue una gran ingenuidad de tu parte?* Llegué a pensar que se podían cambiar las cosas, pero obviamente saqué la conclusión de que un partido de Estado no puede ser democrático. *¿Cuánto duraste en el partido?* Nueve meses. El proceso chocó con los caciques y los que no querían la democracia. Y me ofrecieron pasar a la Oficialía Mayor; recibí el cargo en la mañana y en la tarde hice una renuncia pública. Estamos hablando de 1983. *¿Qué te dijo González Pedrero? ¿Cómo fue ese quiebre?* Él consideraba que no había posibilidad de llevar a cabo un proceso como el que yo estaba encabezando. En aquel tiempo esa circunstancia me ofrece ser oficial mayor de Gobierno, enton-

ces, recibo la oficina en la mañana y en la tarde hago una renuncia pública. Te puedo decir qué le puse a la renuncia, palabras más palabras menos: "Agradezco a usted la oportunidad que me da de ocupar el honroso cargo de oficial mayor de Gobierno, pero siento que este cargo me aleja de mis convicciones, de mis principios que es lo que estimo más importante en mi vida, por lo tanto le presento mi renuncia irrevocable..." y vámonos. Se acabó. *¿Allí fue cuando hiciste tu libro de historia?* Sí, hice dos para mantenerme. Lo pasamos muy mal Rocío y yo, pero salimos adelante.

¿Qué dirías sobre 1994, el año de los asesinatos de Luis Donaldo Colosio y de José Francisco Ruiz Massieu; de la acusación de Carlos Salinas a la nomenclatura, etcétera? Es otro capítulo importante para entender dónde estamos. En ese año, el Estado se aplicó por completo para convertirse en un aparato electoral y favorecer al PRI. Te lo explico: no tiene lógica aparente el asesinato del candidato y que su sustituto sea una gente surgida de la nada, un tecnócrata gris, completamente desconocido para la población en general, que pierde arrolladoramente el debate con Diego Fernández de Cevallos y sin embargo gana las elecciones con un margen amplísimo. Cuando el Estado se comporta de esa manera, pueden poner a una vaca de candidata —con todo respeto para las vacas— y gana la vaca. *¿Diego se escondió?* Sí. Gana el debate y se desaparece durante 45 días o un mes, por los compromisos con Salinas. *¿Tú crees que estaba a un paso de la Presidencia?* Lo detenía lo de Punta Diamante. Lo convencieron, vamos a decirlo amablemente, de que se echara para atrás. *1994 estuvo marcado por situaciones traumáticas de asesinatos, levantamiento zapatista...* El miedo también fue otro factor y los medios. *Otra vez los medios...* Claro, siempre han estado. Siempre. No

como ahora. Nunca habían estado como ahora, es decir, siendo el principal sostén del régimen. *¿Tanto así?* Sí. Mucho más que en 1994. Tenían antes más instrumentos. Tenían más de qué echar mano. Todo eso lleva a que, sin duda, gane Zedillo; es decir, va la gente a votar por Zedillo. Ahora, ¿cómo fue la gente a votar por Zedillo?, ése es otro asunto. Si se analiza en dos planos te vas a encontrar que la acumulación de fortunas viene a la par del condicionamiento democrático, ya te puedo hablar hasta del 2012, en esa lógica. Te puedo decir que la oligarquía ya está preparando a Peña Nieto. Es parte de lo mismo, ya Televisa tiene la encomienda de sacar adelante al ahijado de Salinas. ¿Por qué lo van a hacer de esa manera?, ¿por qué están apostando a eso? Porque ya el PAN se les está cayendo y cuando te digo que la oligarquía tiene un pie en el PAN y otro en el PRI, es muy evidente. *Siguiendo con el 94, ¿qué significa para ti el asesinato de Colosio?* Creo que fue un crimen de Estado. *¿Qué significa eso?* Una de las características de los crímenes de este tipo es que nunca se aclaran. Lo de Colosio fue un asesinato vil porque nadie merece eso, y menos una gente así, que ocupa un cargo y representa las esperanzas de un sector de la población. No hay cosa más deleznable y ruin que un crimen político. Habría que ver quiénes están metidos en esto. Todo indica que fue un crimen de Estado. Va a ser muy difícil que se aclare, eso genera mucha tristeza, es parte pues de la descomposición que se empieza a vivir en este tramo de 1988 a la fecha. Eso es lo que te puedo contar.

En 1997 hay un giro importante: el Congreso deja de ser dominantemente priísta. Es muy interesante cuando hablas de Zedillo, sobre cómo Zedillo permite cierta apertura en el terreno de la democracia formal; esto es el IFE, las cámaras y otras cosas. Debes de tomar en cuenta que en ese entonces no percibían ellos ningún riesgo para el modelo económico dominante. La apuesta a la democracia acotada no iba a significar pérdida de poder para los potentados, para los oligarcas. No había señales. Era optar entre la coca cola y la pepsi cola, que a final de cuentas significan lo mismo. Entonces a Zedillo no le inquietaba Fox ni le inquietaba el PAN. Es cosa de ver 1997 a la luz de 2009, o sea, te encuentras a zedillistas como Luis Téllez. Salinistas, zedillistas, panistas. Ves a Paco Gil o a Agustín Carstens... es lo mismo. No ha habido ningún cambio, entonces. Sabe igual.

Se han generado muchas preguntas a tu alrededor. Una de ellas es de qué vives. Vivo de lo que obtengo del pago de presidente legítimo, 50 mil pesos mensuales. ¿De dónde se obtiene ese dinero? Pues de lo que aporta la gente. *¿Y se mantiene el fondo?, ¿no has dejado de cobrar la quincena?* No hemos tenido problemas mayores. También hay toda una leyenda acerca de dónde vivo. Dicen que soy una gente ambiciosa, que lo que me mueve es el dinero y que tengo casas en Santa Fe, en Las Lomas y en Miami. *¿Cuántas casas tiene Andrés Manuel?* Una que me dejaron mi papá y mi mamá. Te explico: mi papá y mi mamá vivieron ahí siempre, fue la de Palenque, un lugar muy bonito; tenían seis hectáreas, somos seis hermanos, a cada uno le tocó una hectárea; a mí, como soy mayor, me tocó la hectárea pero de la casa. Es donde ellos vivían y ésa es la que tengo escriturada a mi nombre. Esa es mi propiedad. Lo otro son cuentos. *¿Y en el Distrito Federal?* Ninguna, porque el departamento en la colonia Del Valle está a nombre de Beatriz [Gutiérrez Müller] y el de Copilco a nombre de mis hijos. Cuando falleció Rocío dividimos todo, y es de ellos. Imagínate que fuera yo un falsario, ¡ya me hubieran hecho pedazos! ¿Tú crees que me atrevería a decir todo lo que digo si tuviera una doble vida o actuara de manera hipócrita?

¿René Bejarano revive ahora junto contigo? No, eso fue una prueba de ácido. Me quisieron vincular con él y se demostró que no tenía nada que ver. Por ahí no van a poder nunca. *¿Fue tu operador político?* No, y te voy a dar un dato. Desde que salió del gobierno, antes de los videos en los que aparecía recibiendo dinero de Carlos Ahumada, desde entonces no cruzo palabra con él, no lo veo. *¿Y a Dolores Padierna, su esposa?* Muy pocas veces. *¿No hablas con él?* No, nada. *¿Por qué no hubo ni siquiera una comunicación posterior? Era muy cercano a ti.* Mi vida es muy distinta a la de un político tradicional. No podría vivir si no fuese congruente con mis ideales. No soy como Felipe Calderón. *¿Y cómo es Felipe Calderón?* Un falsario, un corrupto, inmoral. Por eso no merece ningún respeto. Hay que respetar al que respeta al pueblo y al que se respeta a sí mismo.

¿Qué es para ti el año 2000? Un cambio de forma, no de fondo. Mucha gente sí consideró que se podía establecer una verdadera democracia en el país. *¿Tú lo llegaste a creer en algún momento?* No, siempre le tuve desconfianza a Vicente Fox. Te puedo contar dos cosas rápido. La noche del 2 de julio yo gané la Jefatura de Gobierno de "panzazo", con tres o cuatro puntos de ventaja sobre Santiago Creel. Fue el efecto Fox, pero también la campaña en contra mía; acuérdate que aparecían mensajes del PRI, del PAN en donde yo aparecía supuestamente tirando piedras en los campos petroleros en Tabasco; me llevaría mucho tiempo explicar. Yo llevaba una buena ventaja y él la acortó porque se me vinieron encima muy fuerte.

A lo mejor si tarda más... *¿Pierdes?* No iba yo a ganar. Pero fíjate en los demócratas del PAN, que se pasaron la noche diciendo que no había nada para nadie en el Distrito Federal, que estábamos empatados. Regatearon toda la noche. Como a los dos o tres días me busca Fox, pero no le contesté. Lo vi hasta septiembre porque tenía mis reservas de la autenticidad de Fox. No le contesté porque sentía que había que esperar que pasara el tiempo y se dieran las circunstancias. Y comimos, ¿dónde crees que comimos? *Ni idea...* En la casa de Roberto Hernández, de Las Lomas. No con él, sino en una casa que le tenía dada como oficina a Vicente Fox. *Era su oficina de campaña...* Sí. Ahí tuvimos la primera discusión. *¿Cómo fue esa comida?* Muy ríspida. *¿Primera y última?* En ese tiempo sí. *¿En el sexenio?* No. En el sexenio luego tuvimos como unos 10 encuentros. *¿Y qué pasó en la comida?* Hubo la primera diferencia de fondo. Él quería que lo apoyara para establecer el IVA en alimentos y medicamentos. *¿Cómo te lo planteó?* Con su lenguaje de estadista: "Hay que hacer más grande el pastel para que nos toque a todos". Yo no sabía que era la casa de Roberto Hernández, pero le dije que por qué no mejor cobraba más impuestos a los de arriba, y usé el ejemplo de Roberto Hernández. Luego no sólo no le cobró más impuestos, sino que le dejó de cobrar tres mil millones de dólares por la venta de Banamex. Allí hubo rispidez, pero no ruptura. Ante mi argumentación de que le pegaba a la gente lo del IVA en medicamentos y alimentos, ahí me sacó por primera vez lo de que se le iba a regresar a los pobres, hasta copeteado. Y yo le contesté, así fuerte también: "Mire, cuando le regrese el IVA a los pobre ya van a estar muertos, entonces para qué se los va a regresar, mejor no se los quite". Luego nos reunimos en Palacio

Nacional uno o dos días antes de mi toma de posesión. Todavía quería que yo apoyara el IVA, y me da otro apretón. Estaban allí Francisco Gil, el procurador Rafael Macedo de la Concha y Santiago Creel. Y el secretario de Hacienda me amenazó diciéndome que si no lo apoyaba con el IVA sería difícil que me aprobaran el techo de endeudamiento del Distrito Federal para el año próximo. ¡Estaba yo entrando! *¿Te amenaza Gil?* Sí, sí, burdo. Me acuerdo muy bien porque me volteé y le dije: "Pues no lo apruebe, nada más que desde ahora le anuncio que voy a declarar la moratoria de pagos". Entonces volteé a ver a Fox, él aún no estaba tan envilecido, y le digo: "Usted no autoriza el techo de endeudamiento y yo declaro la moratoria de pagos". *¿Hágale como quiera?* Hágale como quiera, y pues Gil se quedó callado. No esperaba la respuesta y Fox se ríe, como diciendo: "¿Cómo vas a amenazar a éste?" Así que cuando llego al gobierno me planteo, ¿por dónde me voy?, ¿qué hacer aquí?, ¿yo sumarme a éstos? ¡No! Así fue desde el principio. Cuando todo mundo le quemaba incienso a Fox, yo pinté mi raya al grado que llegaba a un restaurante o alguna parte, se paraba la gente y me llegaban a decir: "Oiga, déjenlo, ¿no?, dejen a Fox..." *Es que venía llegando...* Yo empecé a señalar desde el principio, al final pues no me equivoqué. Es un hombre torpe y en eso ahora compite con Felipe Calderón. Desde Guadalupe Victoria, el primer presidente de México, no habíamos tenido un mandatario tan inepto. Hemos tenido presidentes represores y bandidos, pero ineptos, Calderón y Fox ocupan el primer lugar. Fox, pues, nunca dejó de ser empleado de la oligarquía, como lo es Calderón; él facilita que se consolide este grupo, que al final, como te decía, se coloca por encima de las instituciones. Es un poco también la mentalidad de

"LO QUE SE VA A DECIDIR [EN 2012] ES QUÉ PROYECTO DE NACIÓN QUEREMOS. MÁS QUE NINGUNA OTRA COSA. MÁS DE LO MISMO O CAMBIO."

los panistas, los de la cúpula, siempre voy a hablar de los de arriba, porque a los de abajo, tanto del PAN como del PRI los respeto, no es con ellos el pleito. Ellos están igual de amolados, igual de desinformados, de esperanzados como lo está la mayoría de la gente, pero de arriba es otro asunto. El panista en general es empleado. Lee lo que decía don Daniel Cosío Villegas de los panistas en *La crisis en México*, cómo los describe. Eso son. No les da para más, tienen esa vocación de servidumbre para con los potentados. Tú no concibes a esta gente sin los de arriba. Son sus empleados. Fox ayudó, facilitó a consolidar a este grupo que es el que ahora manda y domina en el país.

Hablas de poderes sin mandato, poderes fácticos, oligarquía económica. Entonces, ¿qué sigue? Viene la confrontación en términos políticos de dos proyectos distintos, contrapuestos. El que nosotros representamos y, sí, el de la oligarquía. No hay más, no porque se le quiera cerrar la puerta a otras opciones pero objetivamente no veo que haya otra cosa. Yo te aclaro que, en nuestro movimiento, hay millones de mexicanos, conscientes, libres; nunca había habido eso en la historia de nuestro país. Eso es categórico, absoluto. *¿Nunca?* Una cosa es que nos quieran desaparecer políticamente hablando, que no quieran reconocer lo que representamos porque no les conviene mediáticamente, pero hay una realidad. Nunca en la historia de México había habido tanta gente como ahora, consciente y dispuesta a luchar por un verdadero cambio, eso es claro. Estamos muy convencidos de que volvemos a lo que ha sido la historia de este país: dos bloques. Ellos ya compraron las franquicias del PRI y del PAN. Lo puedo discutir y me llevaría aquí mucho tiempo argumentarlo. *Dilo entonces*

básicamente... ¿Por qué van ahora a apostar por el PRI? Porque el PAN se les está desfondando, están viendo en Peña Nieto la posibilidad de mantener el mismo régimen. No te olvides que ése es el objetivo principal: mantener el mismo régimen de opresión, de corrupción, de privilegios, y en el otro lado nosotros. Así veo el futuro. Ellos ya están creando esta especie de *Barbie Masculino*, cuya ideología está en su copete, y Televisa tiene a su cargo esto. Es todo esto una telenovela, pero va a depender de la gente. Yo sí te puedo decir que 2012 va a ser una definición de proyecto, más que de candidato. *¿Tú al frente de la candidatura?* Lo que se va a decidir es qué proyecto de nación queremos. Más que ninguna otra cosa. Más de lo mismo o cambio. Por eso estoy muy tranquilo. ¿Quién va a ser candidato nuestro? El que esté mejor posicionado. En el juego para afectarme y demás, pues a lo mejor piensan que soy un obcecado y que lo que más me importa es ser candidato o ser presidente, eso ya también, lo he superado. Soy un hombre de ideas y te diría que me importa más ser un hombre de nación que ser hombre de Estado. *¿Y cuál es la diferencia?* El hombre de Estado es el del aparato y el de nación tiene que ver, como su nombre lo indica, con todo lo que significa una nación, su sociedad. *¿Un hombre de Estado tiene que estar en Los Pinos necesariamente?* Lo que estimo más importante en mi vida son mis convicciones, no voy a transigir en eso. ¿Quién va estar en 2012 de parte nuestra? El que esté mejor posicionado, en eso ya se quedó muy claro, y sí terminaría diciéndote esto: tenemos que derrotar a la oligarquía en el terreno político para devolverle el poder al pueblo. Para que en México haya una verdadera democracia y no una oligarquía. Así de sencillo.

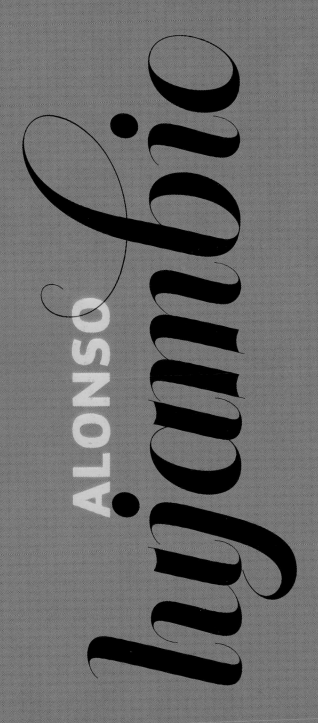

ALONSO lujambio

POLÍTICO.
CIUDAD DE MÉXICO, 1962.
CONSEJERO DEL IFE Y COMISIONADO
PRESIDENTE DEL IFAI.
SECRETARIO DE EDUCACIÓN PÚBLICA.

¿CÓMO DEFINES *el proceso histórico de 1988 a la fecha?* El año 1988 marca el inicio de la transición democrática. La oposición comienza a tener un poder suficiente para imponer una agenda de cambio, para construir instituciones que garantizarían tiempo después la limpieza electoral. Antes hay dos momentos claves: la reforma incluyente de 1962-1963, que incorpora a las minorías en el sistema de representación, y la reforma política de 1977, que reconoce a otras fuerzas políticas, muy notoriamente al Partido Comunista Mexicano. ¿Por qué no inicia entonces la transición democrática? Porque esas dos reformas no garantizaban el proceso electoral.

En la transición 1988-1994 surgieron dos fenómenos: por un lado se inició la construcción gradual de instituciones para la limpieza electoral, pero por el otro había una especie de esquizofrenia: se reconocían los triunfos del PAN, pero al PRD se le mantuvo en un hostigamiento permanente. Fue una etapa ambigua, problemática, pero en la que finalmente se pluralizó la política mexicana.

Después de 1994, y hasta el 2000, el proceso fue mucho más institucionalizado, se crearon los órganos jurisdiccionales en todo el país, se le dio plena autonomía al Instituto Federal Electoral y todo esto fue puesto a prueba en el 2000. Ya no importaba quién ganara para definir si la elección era democrática. Finalmente hubo alternancia, y aunque nuestra democracia tiene muchas imperfecciones y le falta consolidarse nadie puede decir que el sistema político mexicano de hoy es autoritario. El círculo del control democrático no se completará en tanto la ley no sea el vínculo asociativo más fuerte entre los mexicanos. Por eso es muy difícil pensar que la democracia mexicana se pueda consolidar cuando la precariedad del Estado se está exacerbando.

En el sexenio de Vicente Fox no ocurrió la tan esperada Reforma del Estado. Quedaron vigentes los ejes del régimen anterior: el corporativismo y el dominio frente a la pluralidad y la competencia política. Creo que lo que siempre se buscó en términos de construcción democrática fue la equidad, misma que hoy está más en entredicho que nunca en términos formales... y también en los hechos. De lo que se trataba era de que los partidos políticos, a través de los medios de comunicación —especialmente en la televisión—, pudieran mandar su mensaje a la ciudadanía para que ésta tuviera la información suficiente para tomar una decisión. *Pero también se incorporaron en la contienda elementos de comunicación con los que la equidad quedó maltrecha: las campañas de los empresarios, por ejemplo.* En la vida colectiva difícilmente se puede maximizar un valor social sin sacrificar otros; siempre estamos en un mundo ambiguo. Un énfasis extraordinario en la cuestión de la equidad podría conducir a que la normatividad terminara tapándole la boca a los actores sociales. No todos pueden comprar espacios. Esto refleja una sociedad desigual. Que los empresarios dijeran que creían en las propuestas de determinado candidato, nunca lo juzgué como algo que desequilibrara la competencia electoral. La pregunta es si realmente estos actos de los empresarios violentaron las posibilidades de la libertad de expresión que establece la Constitución.

Como presidente de la Comisión de Fiscalización del IFE protagonizaste la multa histórica del Pemexgate al PRI y el tema de los Amigos de Fox. Compártenos alguna estampa de lo que viviste, supiste y quizá no dijiste de esos procesos. Todo lo que debía contar sobre la desviación de recursos públicos y la aceptación de recursos privados de manera ostentosamente ilegal lo escribí en esos dictámenes. Me han sugerido escribir mis memorias sobre ese proceso, ¡pero lo que yo quiero es olvidar...! Fue una etapa muy difícil, de mucho desgaste. ***Pero finalmente quedó esa etapa de un IFE muy respetado, una etapa dorada que hoy añoramos. ¿A qué te enfrentaste?*** Los partidos deben detallar sus compras de espacios en televisión. Al hacer la compulsa con el monitoreo del IFE, si veo un chingo de *spots* que no compraron, significa que alguien más los compró. Lo que hacían para dar la vuelta a ese mecanismo era esto: "Dame 100 *spots*; yo te voy a comprar 40 y mi amigo éste, el millonario, te va a pagar 60. Nomás que los 100 me los vas a dar a un precio que parezca que sólo te hubiera comprado 40. Es decir, bájame el precio. De manera que todo lo que compró mi amigo va a aparecer en mi factura". ¿Qué sucedió?, que los precios cayeron y había *spots* de 500 pesos. En la ley existen precios "techo", pero no precios "piso" para esto. Los partidos se oponían a implementar un mínimo. La única solución era desaparecer el mercado de los *spots*. Eso es lo que veo positivo de la actual reforma, pero hay otras maneras de darle la vuelta: el mercado negro de las entrevistas. Ya no sé qué va a ser peor... ¿No deberíamos cambiar los planteamientos de la relación entre los medios y la política? ¿No deberíamos aprender a vivir con el problema y pensar que mientras haya equidad y los ciudadanos reciban la suficiente información para comprender las alternativas que tienen, las cosas avanzan? ¿No es ese valor el que hay que proteger y aprender a vivir con lo demás?

La situación es compleja pero creo que la confianza social de la autoridad se construye con transparencia, con argumentación. Si algo

"CREO QUE LO QUE SIEMPRE SE BUSCÓ EN TÉRMINOS DE CONSTRUCCIÓN DEMOCRÁTICA FUE LA EQUIDAD, MISMA QUE HOY ESTÁ MÁS EN ENTREDICHO QUE NUNCA EN TÉRMINOS FORMALES... Y TAMBIÉN EN LOS HECHOS."

> **"A FOX, POR UN LADO, SE LE TONTEA, SE LE VILIPENDIA, Y POR OTRO, PUESTO QUE HIZO X O Z DECLARACIONES, SE ASUME QUE ERA UN FACTÓTUM DEL PROCESO. HAY UNA ESQUIZOFRENIA AHÍ, ¿NO?"**

le faltó al Consejo Electoral anterior fue eso. Lo importante es que sepan explicar su conducta y que muestren los datos y las evidencias con enorme transparencia, porque eso es lo único que va a construir credibilidad y confianza. Ahora, si ya están ahí, deben meterle el acelerador e ir adonde toque aplicar las normas; sobre todo las relacionadas con los medios, donde hay más claridad respecto de qué aplica y qué no. No por temor a los medios han de dejar de hacerlo; en ese caso estaríamos peor. Si se sienten indefensos, entonces estamos en el peor de los mundos. Hay que aplicar la norma y mostrar todos sus defectos y sus virtudes, para que podamos valorarla en los hechos y no en el aire.

¿Cómo calificas lo que ocurrió en 2006? Me enfoco en lo que sucedió el día de la jornada electoral. Enfatizo este día porque se generó una percepción equivocada de lo que fue el proceso. Creo que el gran error de comunicación fue no haber dado a conocer con claridad —después de que hubo un cambio metodológico en la manera de exponer los datos— que había un cajón de inconsistencias. Eso produjo una percepción —alimentada por los propios actores políticos— de que la elección era fraudulenta. ¡La elección no fue fraudulenta, por amor de Dios! *Después lo aclararon, pero demasiado tarde...* Sí y eso probó la fragilidad de la autoridad electoral. *Ése es un pedacito de esa historia, pero ¿qué dices del conjunto de las cosas y no solamente de la forma electoral?* Mira, lo que se suele decir, por ejemplo, es que Fox puso en riesgo el proceso electoral. Hasta lo dijo el Tribunal. Yo creo que no. A Fox, por un lado, se le tontea, se le vilipendia, y por otro, puesto que hizo *x* o *z* declaraciones, se asume que era un factótum del proceso. Hay una esqui-

zofrenia ahí, ¿no? Un lastre del sistema político posrevolucionario es esta idea del silencio del gobernante acerca de su gestión y del debate político mismo. Eso ya resulta patético. De veras, estamos totalmente embelesados, viéndonos el ombligo. ¿En qué democracia el primer ministro o el presidente no defienden su política? Hay toda una mitología en México sobre las inequidades que supuestamente generan que el ciudadano medio tontorrón tome una decisión sólo a partir de lo que ve en los *spots* o del anuncio que hace el presidente y que ocupa las ocho columnas en los periódicos.

Pero esa idea no se refiere a los dichos de los gobernantes, ni siquiera a la promoción de sus obras, sino al uso de recursos públicos para promover su imagen con fines electorales. Lo que hay de fondo es la utilización de los recursos del Estado —de mil maneras— para efectos de favorecer o desfavorecer a alguien. Quisiera ver cuáles son las mil maneras, porque ahí está toda la cuestión. *Las mil maneras son las culturas del régimen anterior que se aplican en los estados y en todos lados y que no hemos desmontado.* Sí, por ejemplo la coacción del voto, que también es un fenómeno muy elusivo. Estamos todo el tiempo en problemas: antes teníamos problemas de *ratón loco*, de *carrusel*, de brigadas, de turistas, de urnas *embarazadas*... Teníamos problemas muy concretos. Ahora estamos en puras líneas grises, y claro, no les niego relevancia, pero también veamos todo lo que hemos avanzado. Veo muy bien que en una democracia un gobierno les diga a los ciudadanos lo que hizo a favor suyo para que voten por su partido. Y que las oposiciones tengan la libertad plena para salir a subrayar aquello que se hizo mal o no se hizo; de manera que con esos elementos el elector decide. Yo no podría reprocharle a un gobierno democrá-

tico que cacaree sus virtudes para maximizar sus votos. Ahora, ¿cómo lo hace? ¿Con qué medios? Ésa es otra discusión. Sí hay cierto equilibrio en la posibilidad de que los actores políticos se expresen ante la ciudadanía. Una equidad básica que logramos en 1997, 2000, 2003 y 2006. Subrayas la elección de 2006. En efecto, fue muy cerrada pero ésas son las contingencias de la vida misma. ¿Pudo haber incidido Fox? Pues sí, pero, ¿cómo lo vamos a probar? Por eso es que también el Tribunal es tan ambiguo. Estamos llenos de ambigüedades.

En este país de ambigüedades, el concepto de equidad electoral está hecho trizas. En cuanto a los dineros de los partidos políticos y las fiscalizaciones, obviamente un tema de temas es el narcotráfico. ¿Se pueden blindar las campañas ante los riesgos que hoy tiene México de una espiral de violencia y del dominio del narcotráfico sobre la propia autoridad? Veo con optimismo que la coladera ya se destapó. Es decir, ya empezamos a ver con claridad hasta qué punto el Estado se encuentra penetrado por el narcotráfico. No tengo muy claro hasta dónde pueda llegar, porque no sabemos qué tan penetradas están distintas instituciones de seguridad del Estado, pero creo que ya urgía que viéramos con crudeza y con realismo absoluto este problema.

¿Crees que ya estemos en un curso de fenómenos como el que ocurrió en Colombia, donde el narcotráfico tomó el poder político a través de las elecciones? Me es difícil responder, dado que es un tema complejo y oscuro para mí. Sé lo que escucho y leo aquí o allá: que el narcotráfico está instalado en varias zonas del país, penetrando al poder político, o simplemente esta percepción de que muchos presidentes municipales han cedido la cabeza de su policía al narcotráfico y que éste les dice:

> **¿NO DEBERÍAMOS CAMBIAR LOS PLANTEAMIENTOS DE LA RELACIÓN ENTRE LOS MEDIOS Y LA POLÍTICA? ¿NO DEBERÍAMOS APRENDER A VIVIR CON EL PROBLEMA Y PENSAR QUE MIENTRAS HAYA EQUIDAD Y LOS CIUDADANOS RECIBAN LA SUFICIENTE INFORMACIÓN PARA COMPRENDER LAS ALTERNATIVAS QUE TIENEN, LAS COSAS AVANZAN?**

"Quieres paz, pues lo único que te pido es la cabeza de la policía". Bueno, pues eso representa la capacidad coercitiva exclusiva del Estado, y si es así, entonces es el adiós al Estado. Ahora, ¿en qué circunstancias de vulnerabilidad se encuentran los presidentes municipales para negarse a hacer eso, cuando va de por medio su propia vida? Por supuesto que hay un problema gravísimo y creo que la estructura municipal en México no nos está ayudando. ¿Por qué? Pues porque está muy fragmentada, hay demasiadas policías; si fuéramos un régimen unitario, digamos, no sé, como el francés quizá, podríamos enfrentarlo de manera mucho más vertical. La cuestión es cómo armonizar una policía única en nuestro sistema federal. Eso es muy complejo y nadie ha encontrado la solución. Te lo voy a poner así: si todas las cabezas de la policía en los municipios fueran una decisión federal, difícilmente jugarían ese juego del chantaje; simplemente porque la decisión no se tomaría en ese nivel. En fin, es un problema severo.

¿Con qué frase evocarías a los Amigos de Fox? Ganar a como dé lugar, sin importar la ley. *¿Y el Pemexgate?* Los estertores, porque ya era el último gran coletazo del abuso del gobierno en las elecciones. *¿Y la elección de 2000?* El fin de la transición democrática de México y el inicio de la mundana, crítica y siempre frágil democracia.

LORENZO Meyer

POLITÓLOGO Y ANALISTA POLÍTICO.
CIUDAD DE MÉXICO, 1942.

> NO DIRÍA QUE LA TRANSICIÓN SE INTERRUMPIÓ, SINO QUE SE ECHÓ A PERDER. SON MOMENTOS IRREPETIBLES, Y ÉSE [EL AÑO 2000] FUE EL MOMENTO EN QUE SE DEBIÓ HABER GANADO LA CONFIANZA DE LA SOCIEDAD.

EL AÑO 1988 no es más que la consecuencia de la crisis económica de 1982 que a, su vez, es el fin no sólo de un modelo económico, sino de una visión de México, que tenían tanto la clase política como la élite del poder en general. Cuando llega esa crisis al final del sexenio de José López Portillo, se cierra un modelo económico que tenía como meta, a un plazo entre mediano y lejano, hacer de nuestro país una sociedad basada en su propio mercado interno, en su industria; una modernización que se nutrió de la visión nacionalista que tenía la clase política mexicana a partir de Lázaro Cárdenas y de la segunda posguerra mundial. Era una visión en la que había algo de seguridad, de confianza en ese grupo político que no se ponía a pensar en cómo sustituir el sistema autoritario en el que estaba montado, sino que creía posible que con el desarrollo económico se fuera arreglando sobre la marcha, sin muchas crisis, el problema político central de tener un sistema formal democrático y un sistema real autoritario. Pero en 1982 ese éxito se desvanece. La primera mitad del gobierno de Miguel de la Madrid es una búsqueda desesperada por recuperar la normalidad perdida; la segunda, por empezar a desmontar todo y buscar un nuevo modelo. En 1988, con Carlos Salinas, deciden ir por la transformación económica, no por la política, y si tenían éxito en aquélla, la transformación política vendría con el tiempo. No lo quisieron enfrentar.

Su problema inicial es que hay una insurgencia electoral. Creo que deberían haberla previsto, pero se ve que no estaban del todo preparados; los tomó por sorpresa. No sé qué esperaban de los mexicanos, que siguieran comportándose como antes, con cierta indiferencia o resignación frente a la política después de los golpes tan duros que les dieron durante seis años; pero la presencia de Cuauhtémoc Cárdenas es el catalizador que hace que empiece una insurgencia cívica que no tenían pensada, que no sabían cómo atender y que resolvieron mediante el fraude. El fraude acentúa la ilegitimidad del sistema. La legitimidad se había logrado por vía de la gestión, no por vía de la democracia; porque eran buenos para gestionar la economía, las políticas sociales, las ayudas a los grupos más populares, más importantes en lo económico, y aquí se les hizo bolas el engrudo, provocando un aumento neto en la ilegitimidad. Hay una pérdida de poder del sistema. A Cuauhtémoc y a los suyos se les logra neutralizar mediante el fraude; no hay una respuesta violenta (era difícil que la hubiera) y entonces se acelera la creación de una imagen del gobierno de Salinas de que va a ocurrir una revolución, pero una revolución económica que recuperará la energía vital del sistema, para permitirle ir actuando lentamente, en un calendario nunca especificado; quizá con el paso de los años México podría llegar a ser una democracia real. Pero el problema no era ése, sino reinyectar en la economía la energía perdida. En ese momento, los países dominantes del mundo occidental y Japón estaban decididos a cambiar, a mandar responsabilidades del Estado al mercado para quitarle una gran presión y legitimarse. Salinas entra por la puerta de atrás al mundo central, se monta en una ola, que desde luego no encabeza. Va a cambiar totalmente el modelo, el proyecto del país, lo va a hacer más una economía de mercado, va a abrirla para integrarla a la globalización y decide sacrificar la parte fundamental de la política exterior de México, que era haber logrado una independencia relativa de Estados Unidos; ése es el precio, la moneda con la que va a pagar la nueva fórmula económica que sería el TLC. No más independencia relativa de Estados Unidos, sino todo lo contrario, un acercamiento hasta casi hacer una simbiosis. Esto va a salvar a la clase política a la que él en-

cabeza y, sin ningún remordimiento, sin ningún pudor, se lanza a una negociación primero secreta, luego abierta. Veo a México como el barco que se va desmantelando a sí mismo para alimentar las calderas y seguir su marcha. La contradicción política fundamental entre su marco legal democrático liberal y su sistema real de poder autoritario y de partido dominante se resuelve quemando partes de este barco nacional. Vende las empresas estatales y eso le da de momento recursos; a la larga hará más pequeño el Estado, usará el Pronasol para aguantar las reacciones inmediatas, el descontento de las elecciones de 1988 y el fracaso del PRI —nunca sabremos la magnitud del fraude—, y se valdrá del Estado que creó la Revolución; lo va a meter a la caldera, lo va a quemar para que el barco llegue al puerto que Estados Unidos provea y ahí lo va a reconstruir. Estados Unidos no le pide cambio político, le pide cambio económico. Salinas está dispuesto, hay una coincidencia de intereses y marcha del 88 al 94 con este nuevo proyecto. Veo entonces el año 1988 como un momento de crisis de todo el sistema y de todo el proyecto nacional, en el que la clase política encabezada por Salinas se juega el todo por el todo para salvarse a sí misma; salvarse ellos como clase, luego a su sistema político y, por último, si se puede salvar al país, es ganancia, pero en primer lugar era salvarse a sí mismos.

El componente político a partir del fraude es una variable fundamental para la recomposición institucional del Estado mexicano, a partir de la legitimación del PAN hacia el gobierno de Salinas. Se abren espacios a la competencia política, se reconocen triunfos electorales. Van de la mano Salinas y el PAN para cumplir cierta agenda identificada más con el PAN, como los temas del ejido y las iglesias. Es el desmantelamiento de la nave posrevolucionaria. ***Pero aquí el punto es con quién...*** El PAN es la oposición conveniente, la oposición cómoda. Había estado ahí desde el principio, desde 1939, y había estado predicando en el desierto. El PAN no hizo nada más que estar ahí cuando el sistema se descompuso. Es como el mecánico que está ahí en la carretera cuando de repente se descompone el auto. Pudo no haberse descompuesto el carro y pudo el PAN haberse quedado ahí en la carretera, diciendo: "Se hacen talachas políticas" y en la brega eterna, pero en ese momento se dio esa coincidencia. El sistema entra en crisis interna y necesita a alguien dispuesto a ser el aliado conveniente. Ése es el PAN y ésa es la Iglesia. Es que la élite del poder, no la política, sino el grupo que controla el capital, la cultura, las universidades, las televisoras, las fórmulas que envuelven a todos los grupos de liderazgo intelectual, económico y religioso en México, no ve en este cambio nada que sea de temer; al contrario, le van a cobrar a la clase política sus estupideces y su corrupción. "Ah, necesitan alguien que los salve; muy bien, nosotros los salvaremos, vamos por la derecha todos, pero ustedes me van a dar algo, van a compartir con nosotros el poder". La salvación tiene su costo, la Iglesia y el Vaticano requieren ser reconocidos, el PAN exige deshacer el ejido y el reconocimiento de triunfos que por la vía del fraude les habían quitado; el fraude contra el PAN no, el fraude contra la izquierda sí, porque en eso el PAN y Salinas tienen el mismo interés: que el fraude se haga sobre los bueyes de mi compadre, la izquierda. La izquierda es el engrudo necesario para que Salinas (más que el PRI) y el PAN se unan por la supuesta modernización económica y lo que también se dijo sería una modernización política. Es una modernización a medias, porque la democracia en su sentido profundo, aunque conservador, es la competencia entre proyectos sustantivamente distintos; aquí no van a competir proyectos distintos; van a competir proyectos iguales, dos caras de la misma moneda. Por eso Ernesto Ruffo Appel sale como el primer gobernador panista en Baja California en 1989, pero es un gobernador salinista también.

No hay duda de que Salinas y su grupo son muy inteligentes, muy maquiavélicos en el sentido puro del término. Lo que querían era recuperar el poder que se les estaba yendo, asentarlo de una manera más sólida, y qué mejor que asentarlo en Estados Unidos, en la Iglesia católica, en los grandes capitales mexicanos, a costa de sacrificar a los pequeños. México es una confusión bien aprovechada por el salinismo y por el mundo externo, ¡lo aplaude a rabiar el mundo entero! Salinas se convierte en el espejo de príncipes, es el ejemplo a seguir. Toda América Latina, todos los países periféricos deberían seguir a Salinas, es el gran ejemplo, es el modernizador, se dice además demócrata, que está disminuyendo ese Estado autoritario que heredó de la Revolución: "Lo estoy haciendo chiquito y así habrá oportunidad para la democracia, pero qué digo que va a haber oportunidad, ya está, miren Baja California, miren a Diego Fernández de Cevallos y a Carlos Castillo Peraza, son opositores desde 1939, vean qué bien vienen y yo acuerdo con ellos. Ésta es la democracia, esto es Estados Unidos, demócratas y republicanos en unos momentos difieren y en otros momentos centrales cooperan. El PRD es en realidad un residuo de un México que ya no existe; ya no hay lugar para ellos, son el pasado". Oiga, pero es que dicen que los están matando. ¿Cuándo? ¿Nosotros? "No, nosotros somos muy respetuosos, a ellos los margina la sociedad misma." Entonces la élite del poder, con las televisores a la cabeza, marginan a la oposición de la izquierda, ensalzan a la oposición de la derecha; Estados Unidos apoya y Canadá también.

Sin embargo, Salinas termina muy mal y tiene un año terrible que es 1994: Luis Donaldo Colosio, el cardenal Posadas Ocampo, Francisco Ruiz Massieu, los zapatistas. Hay un conjunto de acontecimientos que marcan definitivamente el fin de su sexenio. ¿Qué significa todo eso para la construcción de la democracia en México? Lo que va a entrar en crisis es el propio modelo económico, porque no salió bien. Lo que el vendió fue la idea de que México iba a volver a crecer espectacularmente y México no creció; la economía en su conjunto no despegó. Ésa fue la promesa, quizá el autoengaño de Salinas, ahí ganó la ideología sobre la realidad. Probablemente pensó que íbamos a ir igual que Estados Unidos, pero no fue así; es decir, éramos pobres, pero la brecha no habría aumentado de haber sido cierta la promesa, pero ahí está el fracaso del modelo salinista. No se cumplió. Eso lo aprovecha con audacia, con imaginación, con muchos pantalones y muchas faldas el zapatismo, que le dice: "¡Rey Salinas, está usted desnudo! ¡No es cierto lo que se dice en Estados Unidos! ¡No es cierto lo que dicen todos! ¡No vamos!" Eso es lo que Salinas tiene que explicar y va a decir que el "error de diciembre" de 1994 no es suyo. Dirá lo que quiera, pero Ernesto Zedillo es el salinismo. El error estuvo en no devaluar en 1994, antes de la elección; pero si Zedillo gana con 50 por ciento de los votos emitidos gracias a que no se devaluó y a que se hizo una promesa falsa, ¿qué hubiera pasado si siguiendo la propia lógica económica se hubiera devaluado en 1993? Entonces viene la inflación y sus repercusiones inmediatas; la economía se hubiera ajustado un poco más y no habría sido tan brutal, pero no habría ganado Zedillo. Necesitaban otro fraude y no quiso hacer otro fraude tan descomunal porque de todas maneras es un partido de Estado el que va a competir en 1994... *¿Pero a partir de un asesinato del tamaño del de Colosio?* Creo que se puede explicar desde dentro del aparato político, que alguien le puso una piedrota a Salinas para que no se siguiera la idea que ya había expuesto José Ángel Gurría, de que el grupo salinista seguiría hasta 2020. Debe de haber sido de dentro, pero quién sabe qué pasó, al final de cuentas es un problema interno. El problema del zapatismo no es interno; es el de una parte muy rezagada de la sociedad que sale y se expresa de esa manera.

Viene 1994 con Zedillo y todo lo que intenta remontar, la crisis derivada del "error de diciembre", sortear al zapatismo, enfrentar la crisis económica con ayuda de Bill Clinton y consolidar un marco electoral nuevo, que permitió al final de cuentas la alternancia en la Presidencia. Yo no veo a Zedillo distinto del resto de sus congéneres, del grupo de los tecnócratas. Le tiene una cierta aversión al PRI. Los priístas y los tecnócratas se educaron distinto, transitan por ámbitos que a veces coinciden pero no tienen ni el mismo lenguaje, ni los mismos gustos, ni la misma visión; los tecnócratas son de una atmósfera enrarecida muy arriba y los priístas están en un mundo más realista, más abajo. Desconfían los unos de los otros.

Zedillo consideró que el PRI ya no tenía salvación, que a la transformación económica tenía que seguirle la transformación política. Y decide que es un buen momento porque el relevo no va a venir por la izquierda, se sabe que para el 2000 la izquierda no tiene más de 16 por ciento de las posibilidades del voto. Entonces la cercanía entre PRI y PAN no es en realidad una opción, son dos caras de la misma moneda; gane quien gane, gana el mismo modelo, el mismo grupo.

El 2000 tiene una parte muy auténtica. El ciudadano mexicano por fin asoma la cara, se abre la posibilidad de una democracia política por la vía electoral. La democracia política es muy compleja pero comienza por lo electoral, entonces no era mal principio en el 2000. Ahí hay una parte de la sociedad mexicana que quiso creer, a pesar de que las cosas no eran lo que parecían, y le creyó a Vicente Fox, que tenía un discurso muy sencillo, muy campechano, casi ranchero, bastante vulgar, pero totalmente comprensible para todos, para el joven de clase media, para el campesino, para el obrero: "Sacar al PRI de Los Pinos a patadas", era un discurso muy distinto del tradicional priísta. Fox era muy efectivo, muy epidérmico, y el discurso del propio Cuauhtémoc Cárdenas que vuelve en el 2000 parece un discurso viejo, un discurso muy similar al del viejo priísmo. Fox tenía algo que se llamó frescura en ese momento. Luego nos dimos cuenta de que en parte era ignorancia y en parte eran ganas de creer, y del lado de Fox era irresponsabilidad, pero no creo que haya sido tan maquiavélico, como después puede parecer, el tipo que engaña sabiendo a dónde va; creo que no sabía a dónde iba y que no tenía ninguna idea. Me costó trabajo entenderlo así, porque yo no podía imaginar a un político tan irresponsable; creía que era una estrategia, que sí estaba pensado. Además ahí estaban Jorge G. Castañeda y Adolfo Aguilar Zínzer, quienes decían que sí había un proyecto, un proyecto de derecha en lo económico, es decir, sin cambios, pero también un proyecto de derecha democrático, así que ahí sí habría un cambio.

El cambio que no vino por la economía iba a venir por la política y en un país pobre, cuando se respeta el voto, el grueso de los mexicanos va a hacerse sentir, pensaba yo, estúpidamente, y no fue así. Muy pronto nos dimos cuenta de que Fox representaba a la derecha mexicana, que representaba estrictamente a los suyos, a un grupo muy pequeñito de mexicanos, con una mentalidad muy de clase media, que conocen algo del mundo exterior pero son muy superficiales, unos mexicanos que no conocen en realidad a México, ni física, ni intelectualmente.

Prometió una reforma política del Estado, de la mano de Porfirio Muñoz Ledo al arranque del sexenio. Creo que Muñoz Ledo sí tenía la idea y se la vendió, pero Fox compraba y desechaba a conveniencia; en el mismo día podía decir que sí a dos o tres posiciones distintas y a ver qué salía. *¿Nunca fue real esa posición de reformar al Estado a partir de la alternancia?* Con esa clase política y con esa dirigencia, no. Lo que México vivió en el 2000 es tan extraño, tan raro en nuestra historia; es un momento único de cambio no violento. México había cambiado y de manera profunda por vía de crisis muy violentas desde el siglo XVI. Ahora venía un tiempo de cambio sin tanta violencia, no pacífico porque el PRD pagó con sus muertos y el EZLN también, pero no tan violento. Era un momento único, básicamente pacífico, en que se despertó la imaginación: sí se puede ser democrático, sí se puede ser decente, sí se puede tener orgullo de que lo hicimos pacíficamente; somos democráticos, ahora vamos a acabar con la corrupción, vamos a hacer las cosas de frente, ya se acabó la brutalidad con que se ejercía el poder. Pero no fue cierto, de inmediato empezó a caerse a pedazos todo eso.

¿Le faltó a México algo similar al Pacto de Barcelona? Le faltó un acuerdo de fondo. La derecha conservadora no necesitaba de ese acuerdo explícito con el PRI de Salinas porque estaba implícito, pero cuando en 2006 se presenta la posibilidad de que la izquierda se haga cargo de lo que la derecha ya no pudo, la desconfianza es total, es la vuelta a la guerra fría, las mismas actitudes de la guerra fría. Aunque ya no existan ni la URSS, ni el socialismo real, la derecha actúa como si sí existieran; como ya no está la URSS entonces se utiliza a Venezuela. En 2006 se tiene la misma actitud sin que haya esa amenaza.

Para terminar con el sexenio de Fox, ¿qué reflexionarías sobre el tema de la corrupción, los deli-

tos del pasado y la relación con el PRI *como referencia obligada?* Que ahí el liderazgo armado de legitimidad hubiera apelado a la sociedad mexicana y le hubiera dicho: "Estamos en un gozne histórico y no es posible sostenerse nada más con su ida a los comicios en julio, los necesito diario, necesito que me apoyen con una lucha que tiene siglos, es un problema que está en el gen de la sociedad mexicana, vamos a echarnos esto y yo lo único que puedo poner es mi vida, me la juego, me arriesgo como otros dirigentes mexicanos, como Juárez, Madero, Cárdenas". ¿Fox qué puso? No puso absolutamente nada, no quiso correr ningún riesgo propio de un estadista. Tenía la obligación moral de seguir con esto hasta el final, pero se comportó como un mediocre, como una gente chiquita, como gente de San Cristóbal. No estuvo a la altura, se colocó en una situación ridícula, francamente vergonzosa. Fue una oportunidad histórica para él personalmente, para pasar entre los poquitos; podía haber pasado dramáticamente, podía haber pasado gloriosamente y pasó ridículamente, mediocremente. Entre la gloria y la tragedia se quedó con la ridiculez de su matrimonio, de su esposa como asesora política. En fin, el mundo visto desde Zamora.

La elección de 2000 llevaba un mandato claro: que la transferencia del poder fuera diferente, que no hubiera más dedazo, *que se respetara la voluntad popular, pero vino lo del desafuero y todo lo que pasó en 2006. Hablemos de lo que se hizo y lo que se dejó de hacer, para llegar al punto en el que estamos.* Cuando llega la sucesión ahí ya está Fox chiquito, mediocre. Con el desafuero empequeñeció no solamente él, su presidencia, sino al país; lo puso a un nivel de mediocridad, de temor, de peligro para México, de usar cosas absurdas como igualar a Andrés Manuel López Obrador con Hugo Chávez. Al espíritu nacional, si es que existe, lo empequeñeció por la vía del miedo.

La de 2006 fue una campaña de cosas pequeñitas; no fueron las dos grandes visiones sobre México que entraban en choque para que los mexicanos eligieran de nueva manera y de buena fe. Eso pasó porque Fox y los suyos no les tienen confianza, porque no son los suyos, porque son extranjeros para los mexicanos, tienen miedo a sus conciudadanos. Ven en el México normal lo que vieron los criollos en el siglo XIX: "las clases peligrosas"; la élite mexicana ya no quiso resistir en la ciudad de México después de la ocupación de 1847, porque le tenían más miedo a los pobres y a los *pelados* que a los gringos. Entonces los gringos son la salvación frente a la runfla de gentes pobres, horrorosas, negras, etcétera, que se levantan. Duro contra ellas. Es la misma visión que tienen hoy las élites acerca de los explotados; los consideran peligrosos cuando no está la estructura que los mantiene en su lugar. Entonces mejor no, no son nuestros iguales. Metieron el miedo y los manipularon.

Si estábamos transitando por una ruta que parecía democrática, o en la que la apuesta principal era la democracia, ¿qué dirías de lo que ocurrió en 2006 y esta transición mexicana que se interrumpió? No diría que se interrumpió, sino que se echó a perder. Son momentos irrepetibles, y ése fue el momento en que se debió haber ganado la confianza de la sociedad. *¿Pero se echó a perder la transición con Fox, durante el sexenio de Fox o en el trance de 2006?* En todo el proceso, porque el trance de 2006 es el trance de 2004, del desafuero y de la estúpida, irresponsable e increíble idea de que Marta Sahagún de Fox podría ser candidata. ¡Es alucinante! ¿Cómo esta señora va a hacerse cargo del país? Por eso empieza el choque con Andrés Manuel, por las encuestas de la señora Marta frente al señor AMLO y hay que deshacer a AMLO, pero deshacerlo no en buena lid, no diciendo éste es nuestro proyecto y lo ponemos a consideración de ustedes para que decidan, éste es el país de todos nosotros, no. No se pudo eso, éste es el país de unos cuantos, eso es Fox, es el país de unos cuantos disfrazado de demócrata y luego nos dejan a Felipe Calderón, al "haiga sido como haiga sido"; esta frase sintetiza el espíritu de 2006.

Cerramos con Felipe Calderón y lo que está sucediendo hoy en México. ¿Qué balance haces de lo que ha pasado? Sobre todo si incorporas las elecciones intermedias, porque nos obligan a pensar lo que viene para 2012, este regreso del PRI *a la mayoría absoluta. ¿Qué te dice Calderón, más allá del "haiga sido como haiga sido"?* Es la misma mediocridad de Fox, sin esa parte extraña de ranchero. *Pero hay un ingrediente que no se puede evitar en esta revisión, la militarización exacerbada y una violencia sin precedente...* No veo ninguna contradicción entre la mediocridad y la militarización. La mediocridad de la clase política y del liderazgo echa mano de la institución de última instancia. Al caer las otras posibilidades se llega a la trinchera final, el Ejército, las fuerzas armadas, no hay más; detrás de ellos no hay nada. En las crisis, a la derecha siempre le ha gustado aparecer como la mano dura. A nadie en su sano juicio le da por vestirse de militar, siendo el presidente del país, en una República dirigida por civiles. No veo a Obama poniéndose un cuasi uniforme, porque ni siquiera era un uniforme completo, no estaba bien hecho, era una cosa lastimosa verlo así, pero a la derecha siempre le ha gustado la fuerza, es la mano fuerte: este país necesita disciplina, el Ejército. Y tuvo éxito al principio, porque la prensa, la radio y la televisión muestran a Calderón al lado del Ejército. En una sociedad que está desesperada, desesperanzada, de repente hay alguien que sí sabe por dónde va, nada de babosadas a la

Fox, vámonos a la carga, contra la trinchera enemiga, ¿y cuál es la trinchera enemiga?: el narco. En realidad, al mexicano común y corriente el crimen que le preocupa más no es el relacionado con el narcotráfico, sino con el asalto, con el robo en el micro, en las calles; contra ése no se fue, contra el enemigo del mexicano normal no se fue; se fue contra un enemigo muy extraño, que es producto de la vecindad con Estados Unidos y es dificilísimo acabar con él, porque la raíz del narco está en los dos países, tiene una patita allá y otra patita aquí; si le cortas la de aquí pero mantienes la de allá sigue nutriéndose. Los nutrientes están en las dos partes. Estados Unidos fue el que proclamó la guerra contra el narco en la época de Nixon, pero ahora la guerra que les importa es la de Afganistán.

Se desmanteló el régimen revolucionario pero no la estructura autoritaria, y eso es parte de la discusión sobre qué es lo que tenemos hoy, si nos salió o no nos salió la transición democrática. ¿Qué opinas? ¿Actores como el sindicato de maestros y las televisoras tienen ahora un papel mucho más protagónico? Son estos poderes no inteligentes. La derecha en México no es inteligente, es abusiva; una derecha inteligente vería la viabilidad del país en el largo plazo. Las televisoras ven a las televisoras, el banco ve al banco, pero no tienen la amplitud de visión, ni la generosidad. Creo que se necesitan las dos cosas para que una derecha sea inteligente, que vea el largo plazo y diga: "Yo no puedo tener éxito si no tienen éxito las otras áreas de la sociedad donde yo me muevo; no puede ser que yo vaya absorbiendo tales recursos y mi familia sea la segunda o tercera más rica del planeta, en una sociedad que no funciona, que está estancada, que es pobre. Yo, derecha inteligente, tengo que sacrificar parte de las ganancias de corto plazo, por las ganancias de largo plazo".

Eso es lo que la derecha mexicana no tiene. Los Azcárraga, los Salinas Pliego están preocupados por su mundo, su interés, y en el corto plazo están ganando, sin duda; lo que está hipotecándose es el largo plazo.

Ésa es la diferencia entre el político y el estadista. El político solamente ve para el día de mañana, el ejercicio del poder, el beneficio personal; el estadista ve más allá de lo que tiene en su espacio vital, generaciones adelante; lo mismo el gran empresario, o la gran clase dirigente en el sentido más puro del término. *Noblesse oblige* significa que justamente por los privilegios de la nobleza que yo disfruto, tengo unas obligaciones superiores a las de cualquiera y mi obligación está con los no nobles, con los plebeyos. Para mantener mi nobleza necesito ser solidario con los demás y que éstos lo sepan. Incluso en una sociedad de clases, brutalmente clasista, hay una responsabilidad de quien tiene privilegios, de quien tiene el mando. En México no se asume esa responsabilidad.

El año 2009 y la elección intermedia. Regresa el PRI 20 años después. ¿Qué nos dice todo esto? Es como si en Rusia dijeran que regresa el partido comunista de la Unión Soviética; algunos dicen, está Vladimir Putin, está la KGB, pero no es exactamente lo mismo; en nuestro caso sí es el regreso del PRI. *¿O nunca se fueron?* Eso es lo que dice Beatriz Paredes, "nunca nos fuimos". En 18 estados nunca se fueron, a nivel local no hay ningún cambio; en este momento hay lugares de la República donde el PRI lleva 80 años ininterrumpidos. El PRI está montado en las inercias, en una cultura que viene de la época colonial y del siglo XIX pero que ellos refinaron y recrearon. Y los oportunistas de derecha, que son los panistas, en realidad la criticaron de dientes para fuera, pero de dientes para dentro la asumieron, no la atacaron. Fox no quiso atacar

"EN TODO ESTE PROCESO LO QUE SE DESHIZO FUE LA IZQUIERDA, AL FINAL DE CUENTAS LA IZQUIERDA FUE EL CORDERO QUE SACRIFICARON. ¿QUIÉN SACRIFICÓ A QUIÉN? TODOS LO HICIERON Y LA SOCIEDAD MEXICANA TAMBIÉN, POR MIEDOSA."

al PRI, le pidió cogobernar el cambio, pero ¿cómo van a cogobernar el cambio los que por definición no quieren cambiar? El regreso del PRI es el indicador más claro del fracaso de la transición, porque el PRI debería ser historia; tenemos casi derecho y obligación de hacer que el PRI sea historia, pero ahora resulta que tiene futuro porque falló la otra derecha, la que se dijo democrática, pero era en realidad una derecha pusilánime, mediocre, miedosa. El PRI no tiene miedo y va a asumir el poder. Y en todo este proceso lo que se deshizo fue la izquierda, al final de cuentas la izquierda fue el cordero que sacrificaron. *¿Quién sacrificó a quién?* Todos lo hicieron y la sociedad mexicana también, por miedosa. Cuando una vecina dice que no va a votar por la izquierda porque el que hizo el segundo piso va a expropiar el segundo piso de todas las casas y se lo van a poner a todos los pobres de México, uno se pregunta quién es el imbécil que se lo cree; pues mi vecina, ella sí se lo quiso creer. Así que también es responsabilidad de esa sociedad, que tiene sus miedos y es mediocre, igual que la clase dirigente.

¿Y qué de Andrés Manuel López Obrador y su nueva circunstancia? Me llama la atención su tenacidad, el proyecto de crear un movimiento social. En México los movimientos sociales no podían subsistir, pues son por definición antagónicos al sistema autoritario, una de cuyas características es no poder tolerar la presencia de movimientos sociales independientes. O son movimientos creados por el sistema, o los tolera nada más un ratito y los desaparece. Un indicio de que ya no estamos en el antiguo régimen es que este movimiento lleva varios años, es independiente, es de oposición y tiene dos millones 300 mil personas registradas. Es un fenómeno inédito en México, una movilización sistemática que se agudiza en momentos críticos como el problema del petró-

leo y tiene éxito. Andrés Manuel como líder de un movimiento social es el mejor que hay ahora. Pero encara un gran problema para traducirlo en las urnas, y el problema son las televisoras, que ya lo vetaron. Si en algún momento pudieron haber jugado con la idea de que Andrés Manuel llegara a la Presidencia y después negociar y acotarlo, luego de 2006 no existe esa posibilidad. Ya dijeron: "O es él o somos nosotros".

¿Hoy ya es imposible hablar del sueño mexicano? Creo que la utopía es un ingrediente necesario para toda estructura social y política; el sueño no se puede alcanzar, pero el proponérselo como objetivo desata ciertas energías y permite ciertas audacias, aunque no se llegue a ese sueño te da la oportunidad de avanzar. La última utopía generosa fue la de Cárdenas; la utopía perversa fue la de Salinas.

La de Cárdenas fue la de hacer que los habitantes de un país que fue una colonia de explotación de España y, por lo tanto, donde casi todos nacieron destinados a ser explotados, recuperaran la dignidad perdida por sus ancestros, tuvieran orgullo de ser mexicanos y una vida medianamente digna. Por eso se les repartió la tierra; era un acto de justicia histórica por lo que había pasado mucho tiempo atrás. La utopía salinista era asemejarnos a Estados Unidos, una economía capitalista con grandes concentraciones de capital, y el resto más o menos con lo suficiente para sobrevivir y trabajar. Ninguna de las dos se llevó a cabo. *¿Cuál es la utopía para el México de hoy?* Entiendo la invitación que me haces; podría decirla, pero me traicionaría un poco. Ya no la tengo, ya no sé, no sé... *Tenemos que construirla.* Ya no tengo imaginación, se me fueron las ganas de imaginarla, porque si te la imaginas y medio la logras te queda un sabor positivo, pero si te la imaginas y no logras absolutamente nada, el sabor es muy ácido.

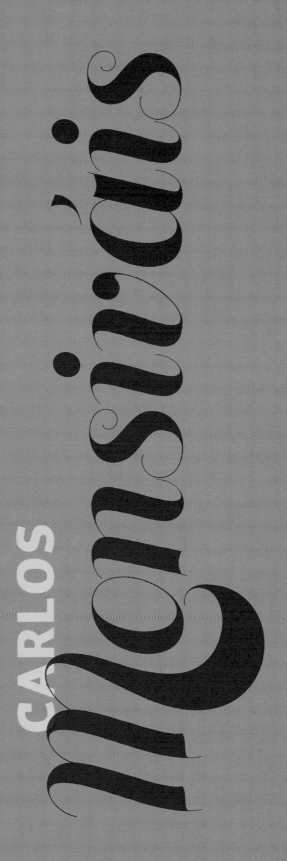

CARLOS Monsiváis

ESCRITOR.

CIUDAD DE MÉXICO, 1938.

> **YA NADIE TE HABLA DE TRANSICIÓN A LA DEMOCRACIA, PORQUE TAMPOCO SE HABLA YA DE DEMOCRACIA. AHORA DE LO QUE SE HABLA ES DE LAS QUERELLAS DE CADA DÍA; SE HA SUSTITUIDO UN PANORAMA GENERAL POR UNA LUCHA FACCIOSA QUE DÍA A DÍA SE RENUEVA.**

¿CUÁL ES TU REFLEXIÓN sobre lo que hoy se vive en México? Aludo casi de pasada a las cuestiones económicas que entiendo en la realidad pero cuyos mecanismos se me escapan. En lo político y en lo social lo que sucede es muy indignante y ni siquiera lo atenúan las grandes vetas de energía disidente. Las reflexiones al respecto son dispersas por la premura del tiempo disponible en el alud de torpezas y actos canallescos de la clase gobernante y por las debilidades, divisiones o sectarismos de la oposición, perseguida, calumniada, hostigada en ocasiones hasta el asesinato, pero todavía capaz de movilizaciones importantes. El enfrentamiento desigual y combinado se da entre la impunidad y la resistencia, los dos polos de la situación. La impunidad ya no es una característica de la clase gobernante sino su razón de ser y su esencia, lo que se ha acentuado con el desprecio a la opinión pública, a la que consideran un invento premoderno. La impunidad cree estar sola, algo parecido a una "impunidad autista", y lo más descarado es la creencia gubernamental, empresarial y eclesiástica, de que nadie los supervisa, nadie se entera y nadie se informa. Ellos mismos son un prodigio de la ignorancia bipolar sostenida sobre la irracionalidad de la fuerza, la manipulación (el otro nombre de la falta de opciones) y el poder represivo.

Te cito algunos casos: la campaña del clero católico en contra de los derechos reproductivos alcanza alturas inauditas, con el apoyo del PRI que se suma al PAN en su tarea de liquidar las libertades individuales. La derecha del Bajío desafía al Estado de manera inquisitorial con la quema de libros de la SEP de Biología de primer año de secundaria, al grito de "Huele muy mal, huele muy mal" (esto porque los libros de la SEP no consignan lo fundamental: la sacralización del matrimonio ante Dios y los hombres, la virginidad y la abstinencia sexual); la represión a las conductas legales pero no tradicionales. Súmale a esto el sistema tributario que excluye a los todopoderosos y que acentuará la crisis; la cárcel para los disidentes a los que se les asestan penas monstruosas (el caso de Atenco, con sentencias de 150 años de cárcel); la destrucción del SME, manejada como una operación militar contra un sindicato y todos los que no se ajusten a la norma; la grotecidad del Tribunal Federal Electoral y del IFE al servicio descarado de las decisiones del gobierno panista. El pueblo votó, Jehová enmendó el voto.

En un primer recuento esto parecería una situación de exterminio de la sociedad civil y de la sociedad política independiente. Sin embargo, se acentúa la insurrección del ánimo, como se vio en la marcha multitudinaria en apoyo al SME. Un sector muy grande del país entiende los beneficios de la unidad y sabe que de no resistir, el aplastamiento crecerá porque el repertorio de la clase gobernante es muy vasto: los medios electrónicos, la mayoría de los medios impresos, el miedo de un amplio sector de las clases medias que cree defenderse detestando a los que discrepan, las interminables campañas de odio que, así se concentren todavía en Andrés Manuel López Obrador, ya se dirigen a todo inconforme. Es un gobierno con zonas de extrema derecha apoyado por un PRI que ni siquiera se acuerda de su antigua defensa del Estado laico. Basta ver su manejo al impulsar la penalización extrema de las mujeres que abortan en los 16 estados, y la ridícula explicación a cargo de Beatriz Paredes: "El PRI deja que los militantes actúen conforme a su conciencia", lo que habla de un partido donde cada cabeza es un mundo, y si se reúnen es para conversar de la brillantez de Carlos Salinas.

El régimen de Calderón y los gobernadores del PRI se atiene a la mercadotecnia y se ocupa realmente en beneficiar a las grandes empresas, lo que suele incluirlos. Gobernar es anunciarse. El gasto obsceno en publicidad es una inmersión en la fantasía, complementada con las encuestas a pedido: "El 99 por ciento de los encuestados declara a Felipe Calderón el mejor gobernante desde Abraham Lincoln". A esto, ¿qué se le opone? No se admite desde los gobiernos la existencia de un espacio público no regido por la mercadotecnia, y las amenazas y las promesas ridículas. Todavía me llama la atención la vigorosa campaña publicitaria para convencernos de un milagro: el dos por ciento del impuesto revertiría en el cuatro por ciento para los pobres. La multiplicación de los panes y las fábulas. Esto desata en primera instancia el pesimismo y el desánimo, pero estoy convencido de que sólo en primera instancia.

No se puede hablar de una democracia electoral en el periodo entre 1988 y 2009. Los impedimentos son notables: el inmenso costo de las campañas, los organismos "neutrales" (el IFE y el Tribunal Federal Electoral son comparsas de un carnaval fúnebre). Pero sí se puede hablar de procesos democráticos en las comunidades, en muchas ONG, en las personas, en los movimientos por pequeños que sean. Allí el empoderamiento, el uso de los poderes al alcance de cada uno, es crecientemente democrático y por eso irrita tanto a los monopolistas del poder que quieren acaparar también el prestigio y la dignidad, lo que para su desdicha sólo consiguen extrayendo espejismos de su manejo de los presupuestos. Pero las sociedades no se desintegran o se rinden tan fácilmente y, por lo menos, no aceptan que minorías voraces impongan su idea de ética, basada en el gasto abrumador dedicado al autoelogio y la corrupción. "Vencerán pero su farsa no convencerá."

El PAN gasta en publicidad pero también se aferra a las clientelas parroquiales. El PRI vuelve a lomos del cacicazgo, del mucho dinero. Cada encuesta donde Enrique Peña Nieto amanece ya casi sentado en la silla presidencial implica un gasto onerosísimo donde la silla prácticamente reclama la presencia de Peña Nieto. Lo de siempre pero más costoso: el derroche inventa personalidades de un año de duración (renovable), el político pobre sigue siendo un pobre político, las clientelas son el intercambio de favores de hacendado por votos de peones, los abusos incluyen el control del voto a través de las dádivas a los pueblos. Y los panistas, que imitan a los priístas, creen distinguirse con su ascenso al Monte Carmelo de la culpa perdonada de antemano.

¿Cómo ves a Felipe Calderón? No creo en el juicio rápido, entre psicológico y sociológico, de las figuras políticas, porque éstas rara vez manejan una personalidad; son el producto de la maquinaria que los inventa, les consiente sus caprichos personales y siempre impone su voluntad. Calderón no cree en la rendición de cuentas, ni en la autocrítica en su nivel más elemental, ni en la congruencia de sus palabras. Evita confrontarse con el Congreso, no contesta preguntas y se limita, Dios sea loado, a emitir sermones fundados en recuerdos de su infancia; con eso educa al pueblo —es de suponerse— y describe a sus adversarios como odiadores de la virtud, etcétera. No se ha dado un diálogo democrático verdadero en el país desde hace mucho; hay voces democráticas en algunos partidos políticos (no el PRD de Joel Ortega, esa acta de defunción de la izquierda "bien portada"), organizaciones no gubernamentales, colonos, grupos de mino-

rías, comunidades, ahora grupos estudiantiles, esto sí se da; hay una democracia desde abajo a fin de cuentas formidable.

Calderón es una mezcla de malas maneras y de mala suerte. Como no creo en la mala o en la buena suerte, deposito el énfasis en las malas maneras. Llegó en circunstancias muy penosas, en medio de acusaciones razonadas de fraude; ha intentado persuadir, conmover, seducir. No lo ha logrado y eso ha derivado en una política derechista en la economía, en su manejo arbitrario del poder Judicial y en su desdén por el Estado laico. Se refiere a los pobres como si se tratara de una minoría mayoritaria por la que hay que hacer algo, convierte su yo muy intransferible en la medida de la realidad y por eso le pide a la sociedad que se preocupe y proteja a las familias disfuncionales y a las madres solteras como si éstas no pertenecieran a la sociedad. ¿Quiénes debemos preocuparnos? ¿Cuál es su crítica no moral sino social a las madres solteras, un sector inmenso en todo el país? Según su discurso, nunca rectificado, ni las familias disfuncionales (¿cuáles no lo son?) ni las madres solteras pertenecen a la sociedad y quienes sí son integrantes deben dedicarles bondad, piedad y compasión. Esto es por lo menos anacrónico. En funciones de gobierno el inventarse a la minoría protectora es de un paternalismo errático y muy conservador, como cuando afirma que la muerte de Michael Jackson es un ejemplo de lo que pasa cuando se vive sin Dios. Marcial Maciel, que no cantaba ni bailaba, vivió con Dios y allí están los resultados.

¿Cuáles son algunos ejemplos de la democracia desde abajo y su suerte? Una demostración de las dificultades para transitar desde la falta de poder a la adquisición de poderes es el caso de la APPO en Oaxaca, un movimiento antiautoritario iniciado con fuerza y con un acento utópico considerable. El gobernador Ulises Ruiz, que se siente en verdad cacique-virrey-capitalista acumulador, ve la oportunidad de ejercer su tiranía y filtra provocadores en la APPO, aprovecha a los ultraizquierdistas que siguen viviendo a la luz de la toma del poder por los *sóviets* y utiliza los recursos complementarios de la compra y de la represión. La APPO moviliza la ciudad de Oaxaca, incorpora a maestros, estudiantes, ciudadanos antes apolíticos, pero sobre sus grandes marchas descienden la policía y los provocadores con actos de barbarie que buscan malquistar a la Asamblea con el resto de la población (por desgracia la APPO no se deslinda a tiempo). Los ultras o los provocadores, hermanos gemelos, se portan con el salvajismo previsible y la APPO no logra contrarrestar su efecto porque tiene encima una andanada mediática devastadora. El gobierno de Ruiz se siente autorizado para ir hasta donde le dé la gana. Hay crímenes de Estado, hay mentiras inconcebibles y todo se resuelve en la impunidad. Allí están para proteger a Ruiz el PAN, el PRI (en lo básico una fórmula de arreglos feudales entre tribus autocráticas), y Calderón, ansioso de legitimidad a costa de lo que sea (una suerte de "el buen nombre a la de a huevo"). Recientemente la Suprema Corte de Justicia responsabiliza a Ruiz, y éste se ríe de los magistrados criticándoles su exclusión de Vicente Fox en la adjudicación de culpas.

Desde el poder hay un juego declarativo cada vez más cansado y torpe, en el cual los políticos leen o gritan lo que saben que no va a ser escuchado, ya al tanto del desvanecimiento de la lectura entre líneas, que era su gran elemento de transmisión informativa. Ahora, ¿quién lee entre líneas un pronunciamiento de Fernando Gómez Mont o un discurso de Francisco Rojas? Son lo que dicen si es que alguien los lee fuera de las cabezas de los periódicos. Y todo contribuye al desencanto: el vaciamiento del lenguaje político, el trueque de la cursilería tradicional por la amenaza envuelta en promesas dulzonas, la atrofia idiomática. Los gobernantes quieren que la ciudadanía se vaya a otro país mental. Lo consiguen en mínima medida, pero su castillo de naipes adulterados se derrumba en el camino porque la crisis económica es el factor que, de manera abrumadora, arraiga mentalmente en el país.

¿Cómo te imaginas un gobierno del PRI *de regreso a Los Pinos?* Al PRI hay que situarlo en su segunda, dramática, envilecedora acepción. El PRI de ahora ya no se interesa en nada que no sea el poder y la sucursal del poder, el dinero (el dinero y la sucursal del dinero, el poder). El PRI, si gana en 2012, hará un gobierno de la derecha convenenciera; no cree en causas sino en fines contantes y sonantes y gobernará para "que no le coman el mandado" o cualquier frase por el estilo que lo ligue a "lo popular".

¿Qué piensas de lo que dijo Miguel de la Madrid sobre Salinas y su familia, en materia de corrupción, negocios turbios y comunicación con el narcotráfico? Supongo —no soy psicólogo instantáneo y ser un psicólogo de De la Madrid debe de ser un oficio ingrato— que dijo lo que creía y que al hacerlo se emancipó de sus fragilidades por un instante. Luego, lo obligaron a desdecirse y lo borraron verbalmente. En el principio de la autonomía estaba la palabra y la palabra se arrepintió.

Me parece que esa entrevista, y sobre todo la reacción que provocó, nos puede retratar cómo se ejerce el poder en México hoy. En un mismo miércoles: la difusión de la entrevista, la operación silenciamiento en su casa, la decisión de emitir un desplegado inmediatamente, la carta que envía

Carlos Salinas de Gortari, el silencio de las dos televisoras, la presencia diferenciada del debate en la radio y una amplia cobertura en la prensa. Esas horas retrataban cómo es que los factores de poder al final de cuentas pueden quedar así, en evidencia, con un solo acontecimiento. ¿En evidencia ante quiénes? *Pues ante quienes siguen estas informaciones.* Lo que también te revela el episodio es el desfile de creencias o de dogmas del grupo en el poder. Uno, lo que no aparece en la televisión de manera destacada, no existe. Dos, lo que se diga, a menos que se acuñe una frase notable ("Comes y te vas"), nace para el olvido en el primer segundo ("Te desdices y te borras"). Es decir, tampoco existe. Todo acontecimiento, por importante que sea, trae consigo su certificado de defunción rápida. Pensar que algo perdura en una sociedad tan convulsa y tan dinamizada por la internet, la moda o el chisme de hoy es aferrarse a la ensoñación. Tres, por grande que sea la resonancia de un conflicto y la incapacidad demostrada de los gobernantes, no perdura lo suficiente para incluirse en el imaginario colectivo —el cual está hecho de remembranzas, admiraciones perdurables y alucinaciones que se llaman indistintamente memoria o rencor—, es decir, sólo existe para los memoriosos, lo que lleva a la filosofía de la clase o el grupo gobernante: "Yo me desdigo porque nada más lo dije". ¿Qué hay aparte? No sabemos, porque no hay encuestas sobre la memoria histórica; hay encuestas sobre lo que se quiere manipular a diario, pero sobre la memoria histórica no hay, ni puede haber. Así, los locutores preguntan: "¿Cuál era la profesión del cura Hidalgo? ¿Qué puesto ocupaba en su gobierno el presidente Juárez?"

¿Qué piensas de la alternancia y del gobierno surgido en 2000? En todo fue un fracaso;

no fue tan represivo como el régimen siguiente porque nadie le informó de la utilidad de la represión. Pero el problema del sexenio no fue Vicente Fox: el problema es cómo pudo llegar a la Presidencia un ser habilitado a lo sumo para ayudante del jefe de la Coca Cola en León. No tengo una explicación que me convenza, tampoco tengo porque convencerme a mí mismo, pero lo intentaré. Llegó, sin duda, por el hartazgo del PRI. Si vuelve el PRI será por el hartazgo del PAN. Si gana Peña Nieto será por el hartazgo de Calderón y el olvido de Arturo Montiel, y así sucesivamente. Los políticos se elevan —es un decir— a costa del dinero que se invierte en "productos agradecidos" (otra definición de los profesionales del poder), hartazgos sociales, compras de voluntades, encuestas amañadas y abulia. Quién llegue, es una opinión generalizada, dará igual porque ya todo está escrito por el neoliberalismo que es analfabeta.

Lo de Felipe Calderón en 2006 le dio la puntilla a lo que había sido la degradación de los avances en materia electoral. ¿Ya no hay remedio? No, con el gasto inmenso en las campañas, con la incondicionalidad de los medios informativos (no todos), con la sumisión del IFE y el Tribunal Federal Electoral, con la desvergüenza de los partidos. Con este sistema el remedio no se producirá.

¿Y qué otras cosas ves? Calderón es la figura relevante de lo que, desde mi perspectiva, es la arremetida de la revancha histórica de la derecha. Él, cuando era dirigente del PAN, grita en la columna de la Independencia: "¡Viva Agustín de Iturbide!" Se quiere destruir la historia de los liberales y se quiere volver a la educación religiosa en las escuelas públicas. El ataque al Estado laico ha sido permanente, feroz en momentos y ahora, insisto, alcanza una de sus cumbres con la ley antiaborto

que llega al extremo en Querétaro de pretender castigar con cárcel a púberes que han sido objeto de violación; se aprueban leyes infames contra el aborto en 16 estados de la República y el acto pasa de ser un aborto a volverse un asesinato; en Sinaloa, por ejemplo, se condena a las mujeres que abortan con penas de 50 años. Esto, según la líder del PRI, es asunto de la conciencia individual de los priístas.

El ataque al Estado laico me parece soez. La derecha no ejerce su derecho a querer transformar las leyes, sino que busca la disolución de las libertades individuales y de la libertad de conciencia. Esto me demuestra la necesidad de ampliar jurídica y culturalmente el término Estado laico. Ahora se debe incluir en la definición de laicidad la defensa de los derechos reproductivos, la muerte asistida y, desde luego, los derechos de las minorías.

Lo que dicen los últimos números que ofrece el INEGI de la encuesta bianual de la pobreza, que midió lo que pasó en los dos primeros años de gobierno de Calderón, es que somos un país más pobre y más desigual. Pero no le hemos sumado la crisis que hoy se vive, lo que quiere decir que lo que viene será todavía peor y que la pobreza se incrementará sin la menor duda. ¿Qué dices de eso? Es una hazaña del mago David Copperfield empobrecer a los muy pobres. *¿Se puede?* Sí, claro, en esas tareas del ilusionismo estadístico el mago Calderón se encuentra en primerísimo término. ¿Y qué va a pasar? Confieso mi ignorancia: no sé cómo proceden los pobres, no sé hasta qué punto la pobreza anula o disminuye la resistencia pacífica, no sé si la resignación es el resultado de siglos de aplastamiento o de medidas precautorias para que algo se conserve del gran patrimonio de las familias pobres: sus existencias.

¿Con todo este panorama cómo se debería conmemorar la Independencia y la Revolución? Pues no trayendo australianos a que nos enseñen como lanzar fuegos artificiales el 15 de septiembre, no tratando de reinaugurar el teatro Leona Vicario o el teatro Mariana Toro de Lazarín o lo que sea. Lo que está haciendo el gobierno federal con el Bicentenario y el Centenario es arrojarse en brazos de la superchería pirotécnica, de las inauguraciones, de "los puentes que comunican las épocas", cómo le llamó el jefe de las celebraciones federales. ¡Me parece patético!

¿Con miras al Bicentenario y el Centenario compras la idea del estallido social? El estallido social ya se dio. En primer lugar se dio cuando ya nadie le cree a los gobernantes. El segundo estallido social es que nadie los oye —ya no digas nadie les cree—. ¿Quién te puede decir algunos de los 10 puntos del decálogo mosaico de Calderón? *Calderón pone en su decálogo la pobreza como primer punto.* Sí, pero eso sería ecolalia —la enfermedad que consiste en repetir lo que acabas de oír—; en ese caso lo oyó en 2006, lo dijo Andrés Manuel López Obrador, a quien pusieron del asco y ahora Calderón lo repite pero ahora no lo oyen. Al primero lo condenaron y al imitador ya no lo atienden. Un gobierno que pierde su equipo natural de sonido es una entidad fantasma con poderes muy reales... ¡No sé cómo calificarlo! Eh... *Estabas en el estallido social...* El peor estallido social es la pérdida de la esperanza, no hay otro más grave. *Hablar de estallido social vinculado a la violencia, cuando estamos rodeados de violencia, implicaría que es otro tipo de violencia.* Pero eso todavía no se ha dado. *Ni queremos que se dé.* Desde luego. No en el sentido de lucha armada, y esperemos que esto no suceda, pero sí se ha dado en otro: la violencia intradoméstica: según las estadísticas —que se han vuelto mi nueva reli-

gión, todas las mañanas rezo ante ellas— el 54 por ciento de los hogares la sufren. Eso ya es estallido social y violencia salvaje.

El papel de la delincuencia organizada, el narcotráfico, el Ejército en el México de hoy, ¿qué te dicen? El narcotráfico es lo peor que nos ha pasado. Ha desquiciado la vida de gran parte del país. La policía y el poder Judicial han sido el primer falso verdugo y la primera verdadera víctima del narcotráfico. Las comunidades agrarias, los pobres de las ciudades, muchas regiones han sido disueltas por el narcotráfico. Hay un caso —y no estoy aplicando un psicoanálisis pop instantáneo—, el de Ensenada, en el que los narcos, para vengarse de un jefe de familia, fusilan a los niños —no los matan simplemente, los fusilan—; eso te da una idea de descomposición que no puedes localizar en un grupo social sino en la medida en que el poder del dinero y la opresión de las armas disuelven los controles morales de amplísimos grupos sociales. Esto no tiene que ver con la crisis de valores que dice el clero sino con un hecho: esos valores ya habían sido triturados por el capitalismo salvaje y por la condición humana.

¿Los militares como salida? No son salida, eso lo dicen todos; lo acaba de decir Ricardo Lagos: son una respuesta de emergencia como se ha probado muy bien en los casos de las catástrofes naturales, pero no son una salida para resolver lo del narcotráfico. Han dado lugar a esta serie incesante de denuncias de violaciones de los derechos humanos. Eso sí me faltó señalar, la preocupación por los derechos humanos es ahora el eje moral del país.

Se supone que hay un bono demográfico en curso en el que los jóvenes, como nunca, van a estar en condición y en edad para ser población económi-

camente activa. La gran oportunidad demográfica se está convirtiendo en pesadilla. No mencioné el caso para decir que los jóvenes se volverán asesinos sino para ver el alcance de esa disolución de frenos éticos. ¿Qué va a pasar con ellos? No van a tener ni siquiera la satisfacción de saber que han fracasado, la noción tradicional del fracaso se disuelve con la masificación. En mi generación sí se sabía quiénes fracasábamos y quiénes no; ahora, cuando tantos fracasan, esto se vuelve un destino común y éste te da la idea de un país distinto. Entonces quiero ver si los jóvenes van a aceptar, más allá de las reacciones individuales, que se quebrante a tal punto su futuro. Pero por lo pronto va a haber un frenesí oportunista; el oportunismo se va a volver el gran método de sobrevivencia como nunca lo ha sido.

Desde tu punto de vista ¿qué quedó de la transición mexicana y cuál es tu mirada del México de hoy? La pregunta es inabarcable, por lo tanto, la respuesta debe ser soberanamente parcial y me atengo a esas reglas del juego. Desde luego, la transición es un término importado que en rigor nunca se asimiló masivamente porque siempre quedaba como un lugar común. ¿De dónde a dónde se transitaba? ***¿Se importó de los españoles?*** Sí, directamente. Se veía como un lugar común y más bien se definía como "¿habrá o no habrá democracia?", y por democracia se entendía, casi de modo exclusivo, democracia electoral. Algo todavía vivo en medio de los tropezones, los hoyancos, las crispaciones, las caídas que se llaman variadamente IFE, Tribunal Federal Electoral, gastos inmensos de dinero, recuperación de los votos perdidos a cambio de favores clientelares, etcétera. Desde luego no hubo nunca —que yo perciba— una fe en la transición; había una gana de que hubiera democracia, lo que es distinto, pero fe en la transición, como pausas, periodos, avances, no se dio, porque a cada buena noticia —así considerada— sucedía de inmediato un abuso o una caída. Entonces la transición se quedó en frase que se fue volviendo un elemento casi de teatro frívolo. ¿A dónde ibas a transitar? ***Del autoritarismo a la democracia, se supone.*** Sí, pero la democracia se iba quedando cada vez más lejos; mientras se incursionaba en la transición se alejaba del objetivo, entonces era casi una búsqueda de la *tierra de Oz* o algo similar. Mientras estuvieron Carlos Salinas y Ernesto Zedillo nadie pensó en serio en la transición a la democracia. Salinas era —sigue siendo, supongo— un autócrata que desdeñaba lo ajeno a sus modulaciones de voz cuando recitaba su implacable último informe, lo que ha venido haciendo desde 1994, cada vez más acicalado, cada vez más dulce, cada vez más enfático, de vez en cuando estorbado por chistes, ocurrencias con las que piensa que descalifica a sus adversarios o enemigos. El inefable Zedillo ni siquiera se tomó esa molestia. No podía —bueno, lo dijo, y aquí sí no tengo porque volverme intérprete—, no puede haber transición a la democracia porque ya hay democracia, es decir, no podemos transitar a lo existente porque no estamos en las vísperas de algo, sino en la plena maduración. No lo dijo así porque su español es más restringido, pero la intención era ésa, ¿a dónde creen que van a ir, si ya estamos? Luego Vicente Fox usó muchísimo la transición a la democracia porque le servía para considerar su trayecto político como un viaje, y para él todo lo que sea viajes, saludos a los niños, aparición en las escalerillas de un avión virtual, abrazos y miradas a un horizonte que siempre se le escapa, todo eso le emociona; pero la gente en torno suyo, sobre todo el orbe periodístico, de inmediato se lanzó a ver a qué se transitaba y en qué se entorpecía el viaje

> **SI LA DERECHA ESTÁ PERFECTAMENTE DEFINIDA, LA IZQUIERDA ES UNA CONFEDERACIÓN DE FUERZAS ENCONTRADAS.**

a la democracia; viaje que, por otra parte, insistían en situar como arranque en el sexenio de José López Portillo con la reforma política de Jesús Reyes Heroles. Pero de qué transición a la democracia se podía hablar luego del fraude colosal de 1988 o luego de que la democracia económica quedaba hecha jirones o que no había posibilidades para ampliar el término democracia.

Para mi gusto, la transición a la democracia fue un invento de actualización por contagio que no cuajó porque estaba destinada a ser sólo un término atenido a una sola, mecánica y triste definición de democracia. Aquello que sucede en las urnas, se cancela en el gasto y el control, se deja de interpretar una vez terminado el día de la votación, etcétera.

¿Por qué estaba destinada a fracasar la idea de transición? No, no estaba destinada a fracasar, porque eso sería una transición a la transición: era un fracaso. Lo hemos visto ahora; ya nadie te habla de transición a la democracia, porque tampoco se habla ya de democracia. Ahora de lo que se habla es de las querellas de cada día; se ha sustituido un panorama general por una lucha facciosa que día a día se renueva. Ahora es la transición hacia otro espacio de pleito, vamos a pelearnos aquí, vamos a pelearnos allá, pero si tú preguntas qué pasa con el país, lo veo en uno de sus mejores momentos, porque el que viene es peor, siempre. Lo ves hoy muy mal, mañana estará peor. Entonces hay que decir: bueno, aprovechémonos que simplemente está muy mal. Es lo que se está haciendo: uno está viendo las expectativas de consumir ese instante en que todavía no hay estallido social reconocido por acta notarial, en que se pospone la guerra civil, en que el hambre aún puede ser contenida por las redes familiares, en que el empleo con todo y volverse el Santo Grial sigue siendo la gran ilusión. Lo que veo con la claridad que me es dada —no mucha— es que no se puede ya insistir en transiciones, democracias, etcétera, mientras exista una desigualdad del tamaño de la que vivimos. Esos millones de pobres que en lo que va de Calderón se añadieron a la lista del infierno de todos, se enfrentan al espejismo de lo que nunca pudo haber sido y nunca fue. *¿Y la izquierda?* Si la derecha está perfectamente definida, la izquierda es una confederación de fuerzas encontradas. No hay tal cosa como una derecha moderna y crítica, y una prueba entre tantas es que jamás han criticado a la ultraderecha; la apoyan por omisión. Pero la izquierda es todavía un sector masivo, donde ya se descarta al grupito de mochacausas del PRD, en donde los movimientos sociales han tomado la delantera. Es muy fácil negar a la izquierda a partir de la adjudicación de violencias y rupturas de la ley, que hasta ahora son el monopolio de la derecha en el poder (PAN y PRI), pero la izquierda deja de ser un término huidizo si se toman en cuenta los trabajos de muchas ONG, a los activistas de causas específicas, a un sector académico muy amplio. Se ha dejado de hablar del socialismo, luego de la trágica experiencia del socialismo real y de la dictadura de Fidel Castro, tan ayudada por la acción miserable del bloqueo norteamericano; pero la meta ahora es atenuar en lo posible la desigualdad, el signo perdurable y ominoso de México.

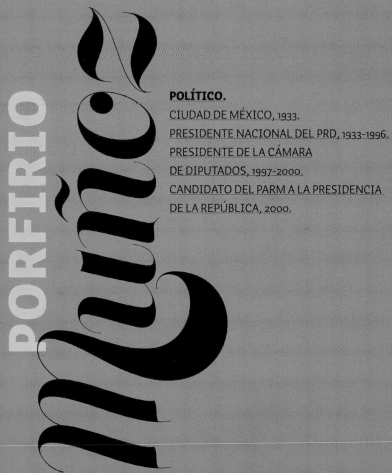

PORFIRIO

POLÍTICO.
CIUDAD DE MÉXICO, 1933.
PRESIDENTE NACIONAL DEL PRD, 1933-1996.
PRESIDENTE DE LA CÁMARA
DE DIPUTADOS, 1997-2000.
CANDIDATO DEL PARM A LA PRESIDENCIA
DE LA REPÚBLICA, 2000.

> LA GENTE TOMÓ LA CIUDAD. EN EL TERREMOTO NACIÓ EL CIUDADANO DEL DISTRITO FEDERAL; EL CIUDADANO NO EXISTÍA. ÉSTE ERA UNO DE LOS TRES PILARES DEL SISTEMA: PRESIDENCIALISMO INTOCABLE, PARTIDO HEGEMÓNICO Y TOTAL CONTROL SOBRE LA CAPITAL DE LA REPÚBLICA. "

EL AÑO 1988 es el disparador de todo, con todo respeto por el movimiento de 1968. El 68 fue el disparador de otro tipo de cambios, que no se quieren reconocer. Hubo una relativa apertura democrática, sin embargo siguió la guerra sucia; ésa fue la parte negra. Pero las reformas políticas sucesivas, de las cuales la de 1977 fue muy importante, permitieron ir descongestionando a los grupos clandestinos, brindándoles reconocimiento también a partidos que estaban prohibidos. Hubo un descongestionamiento político, hubo inversión educativa, hubo bastante rotación de mandos, como podía responder un régimen de ese tipo.

Pero 1988 es otra cosa; se aprovechan las aperturas que ya existían, nada menos que la electoral y la coexistencia de partidos políticos. En 1988 se presenta una ruptura del PRI, que en esencia es una ruptura ideológica de la clase gobernante por el cambio de rumbo. No olvides a Octavio Paz en una entrevista famosa que dice: "El país no se democratizará sino hasta que el PRI se parta en dos"; eso es muy importante. El que quiera documentarse tiene un libro que son las memorias de Miguel de la Madrid. Se llama *Cambio de rumbo*. Dice: "Yo creí, creímos que sólo serían unas 300 gentes del PRI, pero los siguieron muchos más". Es decir, la población campesina, obrera, magisterial, enmarcada por el PRI, votó de este lado, fundamentalmente los campesinos.

Hay dos fenómenos de ruptura: Michoacán y el Distrito Federal. Michoacán porque ganamos 13 de los 14 distritos en ese estado. Y aquí en el Distrito Federal barrimos con mayor claridad. No se te olvide que derroté al líder de la CTM, Joaquín Gamboa Pascoe, por dos a uno en el Distrito Federal. Si por eso se cayó el sistema.

Antes está la toma de la ciudad por la gente, el terremoto de 1985. Eso es fundamental, por las buenas y por las malas razones, por las dos. No quisieron meter al Ejército a la reconstrucción y no tenían un plan B; no sabían qué hacer, se hicieron bolas. La gente tomó la ciudad. En el terremoto nació el ciudadano del Distrito Federal; el ciudadano no existía. Éste era uno de los tres pilares del sistema: presidencialismo intocable, partido hegemónico y total control sobre la capital de la República. Control territorial, luego lo demás: control de masas, control político, control administrativo, control militar de la ciudad.

Casi no existían los partidos de oposición en la ciudad de México. Yo hice campaña con el Movimiento Urbano Popular y estudiantes. Había una gran rebeldía estudiantil y campesina, porque era la época en que de plano, en aras del entendimiento con Estados Unidos, le van quitando todos los apoyos al campo. Cuando Carlos Salinas firmó el TLC sólo formalizó lo que ya había ocurrido en la época de Miguel de la Madrid. Eliminó el Banco de Crédito Rural, Conasupo, todos los subsidios; todo, todo se le quita al campo. Los campesinos se la jugaron.

La transición se divide en dos partes: reforma pactada y ruptura pactada. La reforma pactada es el conjunto de cambios legales que hacen posible la democratización del sistema. En este caso nos centramos en lo electoral y en la autonomía de la ciudad. Fueron las dos condiciones para la reforma de 1996, la reforma pactada, que es lo que aprobamos en Oaxtepec aunque la llamamos "dura pactada" porque ésa fue la frase del discurso de Amalia García que defendió mi tesis, que ganamos contra la tesis de Cuauhtémoc Cárdenas. Eran primero las reformas y luego, como consecuencia de las reformas, la reforma del Estado. Debo decirte que la agenda básica de la reforma del Estado se aprobó en 1995 bajo cuatro

puntos: reforma electoral; reforma de los poderes públicos, Ejecutivo, Legislativo y Judicial; reforma federalista y municipalista, y democracia directa y medios de comunicación. Todo eso culmina en 1997.

Con la reforma, por primera vez el gobierno reconoce que la oposición tuvo más votos en su conjunto y de ahí nos montamos para el liderazgo de la Cámara que tuve el honor de encabezar. Lo que seguía era quitarles la Presidencia. En eso no se equivocó Vicente Fox, pero no se hizo la coalición; hubiera habido un gobierno de coalición a la chilena. Ayer estaba platicando con Alejandro Encinas y recordábamos que Vicente todavía invitó a Alejandro Encinas, a Rosario Robles y a Amalia García a servir en su gabinete en el primer momento, porque estaba la idea de un gobierno de coalición. Nomás que la derecha fue... La ignorancia de Fox, el primitivismo de su gente, lo que querían era el poder y los beneficios del poder, no la democracia. Adolfo Aguilar Zínser me preguntó antes de morir: "¿Por qué sigues viendo a Vicente?" Le contesté: "Porque estoy viendo si paro estas cosas". Y él me dijo: "¿No ves que Vicente no existe? Pertenece a quien lo habita". Fíjate qué hermosa frase de Adolfo. *¿Y lo terminó de habitar Marta Sahagún?* El 80 por ciento, pero no sola, con un yunque como Ramón Muñoz y Roberto Hernández, y para qué te digo la runfla.

¿Qué pasó con la transición mexicana? Bueno, mi libro *La ruptura que viene* lo subtitulo "Crónica de una transición catastrófica". Sí hubo transición, pero no transición democrática; ése es el problema. Transitamos de un monocentrismo a un policentrismo político-social, pero de lo que se tratan las transiciones es de una transferencia del poder en primer término con sentido democrático, es decir, la aparición de la ciudadanía a través

de procesos electorales. Para mí eso es lo más importante, formas de democracia directa sin las cuales no se entienden las transiciones contemporáneas: plebiscito, referéndum, iniciativa popular, revocación de mandato. Una transferencia del poder hacia la población y una nueva funcionalidad del poder. Es decir, que haya un sistema político que merezca ese nombre, donde sus partes funcionen, primero, para un adecuado y oportuno sistema de toma de decisiones y, segundo, para un buen equilibrio de poderes, que no es solamente legislativo, ejecutivo y judicial. Eso es lo que se llama distribución horizontal, pues hay una distribución vertical: estados, municipios y comunidades. Y eso no está funcionando.

En este ejercicio de la reforma del Estado pusimos la rendición de cuentas. División de poderes implica el concepto de *checks and balances*, para que se equilibren los poderes y rindan cuentas. Una transición es tanto más exitosa cuando acaba con la impunidad y pasa al Estado de derecho, y en eso la nuestra ha sido catastrófica. *¿Catastrófica?* Catastrófica. El país tiene una curiosa, por no llamarla perversa, división de poderes. La calle es de la izquierda. Desde 1988 el gobierno no ha realizado un solo mitin en el Zócalo, cuando antes de esa fecha los organizaba todos, y yo organicé algunos, hasta el 1° de mayo con los sindicatos; todas las concentraciones. Para eso se hizo la plancha del Zócalo. Yo diría que es el acto cardenista del periodo posrevolucionario. La plancha del Zócalo tiene que ver con la tendencia socialista del gobierno, por el movimiento de masas. Todos los mítines hasta 1988 los organizó el gobierno y desde entonces no puede hacer uno solo. Esto es un cambio. *¿No puede?* No puede, no es que no quiera. En el momento de la confluencia política, Fox hizo uno, pero fue un momento de alianzas

para la transición; pero ni el PAN puede tampoco, salvo esa vez, por eso los hace en El Ángel. El PRI, si llega a hacer uno en el Monumento a la Revolución, ya la hizo. La izquierda es de la calle, como se ha visto. Creo que le ha hecho un bien a la política de este país el libro *Señal de alerta* de Manuel Espino, independientemente de que sea santo o no de nuestra devoción. Es un libro importante, porque viene a decir desde dentro lo que nosotros decimos desde fuera. Ahora sí que "a confesión de parte, relevo de prueba", y es que la cúpula, la toma de decisiones, está en manos del PRI. Eso empieza con Fox, pues su alianza perfecta con Elba Esther Gordillo, líder de la Cámara, y su segunda alianza perversa con Roberto Madrazo para el desafuero, son el reconocimiento de que sin el PRI no pueden tomar grandes decisiones. Entonces, la calle es de la izquierda, el sistema de toma de decisiones es del PRI y por eso regresó Carlos Salinas, que es el símbolo de todo esto. ¿Y el PAN, qué? El PAN tiene la administración federal, el Ejército, el sistema de seguridad... *El presupuesto.* El presupuesto compartido con el PRI. *¿Y eso no es democracia?* No, eso no es democracia, eso es un país patas arriba. ¿Qué sentido tiene que consideremos democracia el reparto de puestos públicos entre los partidos políticos? Lo que está en crisis es la representatividad.

¿Cómo le llamarías? ¿Semidemocrático? Este país se coaguló a la oligarquía. Es una coagulación oligárquica lo que pasa en México. No es una transición a la democracia. Ése es un síntoma. Y el otro, el dramático —más bien patético— es el adelgazamiento del Estado. *¿El fortalecimiento de los poderes fácticos?* Sí, lo que ha hecho Televisa. Borrar a Santiago Creel saca la sombra de Joseph Stalin: cada vez que purgaba a alguien, Stalin mandaba arrancar la página del personaje. A mí

me quitaron mi fotografía del PRI; yo estoy purgado dos veces. No tengo fotografía en el PRI; llegas y hay un periodo de tiempo que no hay nada. Yo les dije: "Esto es Stalin". Y todos los presidentes me pidieron mi foto y nadie se ha atrevido a ponerla. Y había una mía de campaña en el PRD; obviamente no está ni en los basureros. Así que estoy doblemente purgado.

Televisa nace como una oficina de Los Pinos en la época de Miguel Alemán Valdés, y en la época de Fox Los Pinos termina como oficina de Televisa. Nunca había visto tal majadería de estas gentes, tal descaro.

Independientemente de lo que haya hecho o no haya hecho Santiago, lo están castigando por ya no ser de los suyos; se parece a una ejecución de los narcos. Entonces es una ejecución fotográfica por haberlos traicionado. El hombre de la Ley Televisa, del *decretazo*, de los permisos y de las apuestas.

Esos factores están dominando la representación formal de la sociedad que es la política. Entonces, ¿la democracia no es, no acaba de ser? Claro, pero además la vulnerabilidad respecto al extranjero. Es el tema del petróleo. El hecho más democrático que ha ocurrido en México es la movilización social por el petróleo. Es el punto de quiebre que tenemos que llevar adelante. ***¿El momento más democrático de los últimos dos años?*** Quizá 10, el movimiento de más fondo que ha habido. No le quito su valor a la alternancia *per se*, aunque la haya tirado por la borda Vicente Fox, pero esto va más al fondo, porque es decir "no" a la clase gobernante. Es la muerte de la democracia representativa en México, de la falsa democracia. ***¿Y la oligarquía coagulada o la coagulación de la oligarquía?*** Fíjate, coagulación oligárquica, regionalización del país, nunca como ahora han tenido tanto poder los gobernadores. Ni el "góber precioso" ni Ulises Ruiz

"ADOLFO AGUILAR ZÍNSER ME PREGUNTÓ ANTES DE MORIR: "¿POR QUÉ SIGUES VIENDO A VICENTE?" LE CONTESTÉ: "PORQUE ESTOY VIENDO SI PARO ESTAS COSAS". Y ÉL ME DIJO: "¿NO VES QUE VICENTE NO EXISTE? PERTENECE A QUIEN LO HABITA.""

> " UNA TRANSICIÓN ES TANTO MÁS EXITOSA CUANDO ACABA CON LA IMPUNIDAD Y PASA AL ESTADO DE DERECHO, Y EN ESO LA NUESTRA HA SIDO CATASTRÓFICA. "

hubieran sido posibles dentro del régimen del PRI. Recordábamos los términos de la salida de los gobernadores de Tabasco, en particular del padre de Manuel Bartlett, que era una bellísima persona y un gran abogado, autor, como juez de distrito, de la primera sentencia que condena a las compañías extranjeras. Nomás que no estaba hecho para la política tropical, ¿me entiendes? Y le movieron el tapete feo. Salían así. El general Cárdenas, por ajustes políticos, cambió a 11 gobernadores; en la época del licenciado Alemán Valdés, fueron removidos nueve. *¿Con Salinas?* Con Salinas tiramos a 13 y renunció uno. En Guanajuato, Ramón Aguirre; Villascñor en Michoacán; Fausto Zapata Loredo, que es un amigo, en San Luis, y *Meme* Garza González, que no quiso entregar el municipio de Cárdenas, en el que acabo de estar para recordarlo, renunció y dijo: "Si el municipio se lo dan al PRD, renuncio". Entonces había esas válvulas de escape, todavía en la época de Salinas.

¿Y el narco, con el tema de la feudalización? Es el más importante. *¿Qué pasa con la válvula de la democracia?* Con todo respeto por Emilio Azcárraga Jean, pues todavía no le llega al *Chapo* Guzmán. Es un chapito, es un chapito, es un chapito. Y no hablo de su estatura física... Al Chapo como símbolo. Ése es el peor problema, porque ha carcomido las estructuras del Estado. *¿Otro tipo de feudalización?* Es una especie de secesión, más que de feudalización. Es lo que se llama técnicamente la pérdida de jurisdicción del Estado sobre el territorio. Eso es lo más grave. Como dijo aquel narcotraficante brasileño: "Bueno, los del problema no somos nosotros; lo tienen ellos y nosotros no les tenemos miedo. Hemos ocupado el espacio social que el Estado ha abandonado. Las favelas no son de ellos, son nuestras. Nosotros hemos aprovechado la miseria y le hemos dado su manera de mirar a la gente".

Entonces hoy no tenemos esa democracia a cabalidad... Yo le quitaría lo de "a cabalidad"; no puedo decir que es un sistema democrático. Sin ningún partidismo, no puedo reconocer a Felipe Calderón. No por lealtad o amistad con Andrés Manuel López Obrador o por función política. Es que si alguien tiene autoridad en este punto es tu servidor, por haber sido el principal promotor de las reformas electorales que traicionó Vicente Fox. Es una brutal traición de Vicente Fox. Se lo dije muy amistosamente, pero fuerte, en la última conversación que tuvimos en su oficina en Los Pinos: "Eso no lo puedes hacer Vicente, estás traicionando". Me dijo: "¡No!" *¿Por el desafuero?* Sí. *¿Fue tu última reunión con él en Los Pinos?* Cuatro días después de mi artículo "Carta abierta", me habló su secretario: "Vicente quiere hablarte". Tres días antes de echarse para atrás, dos días antes del "desafore".

¿Influiste en su decisión de echarse para atrás? No, le advertí que le iban a tomar el pelo. Le dije: "Te engañaron". Cuando el señor Federico Döring, ahora senador, lleva la fianza y Andrés Manuel dice que no, que no necesita fianza, entonces dice el juez: "El indiciado no está pidiendo fianza". Le dije a Vicente: "¿Sabes una cosa? El martes tienes que arrestar a Andrés Manuel". Claro, si no se acepta la fianza pasaba el término constitucional y luego queda arrepentido. Como diría Jesús Reyes Heroles, casi siempre la política es optar entre inconvenientes. *Entonces le dijiste: "El martes tienes que arrestar a Andrés Manuel".* Se lo dije en su oficina, te lo juro. *¿Y qué respondió?* "No, habla con Daniel Cabeza de Vaca." *¿No se había dado cuenta de dónde estaba metido?* No se había dado cuenta. Cabeza de Vaca fue muy caballeroso. Le hablé y quedamos de vernos el lunes del arrepentimiento; comimos, ya estando él nombrado procurador. Fíjate qué caballeroso fue y yo percibí que él tenía dudas.

¿Cómo te ves a ti mismo, qué papel ha jugado Porfirio Muñoz Ledo en la construcción del intento de vida democrática? Tengo sentimientos encontrados, estoy orgulloso y satisfecho de las cosas buenas que provocamos, pero terriblemente decepcionado por lo que pasó hacia atrás. De algún modo soy responsable de todo, tengo una responsabilidad en todo. No quiero pasar a la historia como un aprendiz de brujo; yo tengo que vivir unos años más para tratar de corregir esta situación. Estoy decidido a una lucha política muy fuerte. Mi libro se llama *La ruptura que viene*, que quede claro. *¿Cuál es la ruptura que viene?* La democracia directa. Vamos a ganarles con base en consultas, con base en plebiscitos, con base en referéndums, con base en revocación de mandatos. *No está ni siquiera en la ley.* Lo vamos a meter. Y si no, por la práctica.

¿Y qué le pasó a México, qué hizo con el pasado? Lo reinventó. Lo reeditó a lo pendejo. Perdóname. Me encontré en un lugar a Carlos Salinas. Me dijo: "Oiga, licenciado, leí lo que escribió". "Qué bueno que me lea, Carlos", repuse y me seguí. "Licenciado, no quiero molestar, no quiero acercarme, no sea que a usted le vaya a hacer daño". "No, Carlos, usted no me va a hacer daño. Porque no soy cabra. El *chupacabras* no me hace nada". Y me fui caminando. Lo que yo había escrito salió muy bien en un diario, una plana entera. "La presencia de Carlos Salinas en México es una prueba fehaciente de que en este país no hay Estado de derecho. El señor debe estar tras las rejas, por delitos graves del orden común, por delitos contra el patrimonio de la nación". Y él lo había leído. Quiero hacer un esfuerzo grande; ésa es mi línea de convergencia con Andrés Manuel. Nunca he sido un seguidista, es una línea importante de convergencia. Desde mi ángulo como profesor de ciencia política creo que se equivocan quienes creen que las transiciones son pacíficas. Lo

> LA PRESENCIA DE CARLOS SALINAS EN MÉXICO ES UNA PRUEBA FEHACIENTE DE QUE EN ESTE PAÍS NO HAY ESTADO DE DERECHO. EL SEÑOR DEBE ESTAR TRAS LAS REJAS, POR DELITOS GRAVES DEL ORDEN COMÚN, POR DELITOS CONTRA EL PATRIMONIO DE LA NACIÓN.

son en el sentido de que no son violentas, pero todas las transiciones tienen referéndums, plebiscitos y movilizaciones de masas. El error de México es la creencia absurda de que vivimos en una normalidad democrática. Esto no es cierto.

¿Qué ves para el futuro? Yo no veo que este sexenio termine normalmente. *¿Cómo va a acabar este sexenio?* Por una revocación de mandato. No, una revocación de cargo, porque Felipe Calderón no tiene mandato. Una revocación, nada de violencia. Ha pasado en todo el mundo; hay litigios norteamericanos, hay juicio político a la brasileña, hay elecciones anticipadas en Europa. Puede ser un gran conjunto de factores; sería lo mejor para el país. Un gobierno interino que se hiciera responsable de la reforma electoral, de la reforma política del país. *¿De la reforma del Estado?* De abrir las puertas a una democracia moderna.

¿Revocación de mandato y después de eso un gobierno de coalición? Un gobierno de mayoría. *¿De mayoría?* Porque es el único caso dentro de la Constitución en el que está exigida la mayoría. *¿Eso será a partir de las elecciones de 2009?* Depende de las circunstancias. Que no lo tome a mal Felipe Calderón: la renuncia es una buena decisión política. Europa funciona por la disolución anticipada de los congresos o de los gobiernos. Cuando no hay alianzas suficientes para gobernar, se anticipan las elecciones y viene otro gobierno. ¿Cuál es el problema? Aquí me acusan de complotista y golpista; yo simplemente soy un demócrata. *¿Ni tú ni Andrés Manuel quieren derrocar a Felipe Calderón?* No, no meto a Andrés Manuel, él tiene su clave. Yo no quiero derrocar a nadie. Quiero que se desbloquee el sistema político del país y se reanude la transición. No veo otra solución. Y en ese sentido el señor Manuel Espino nos ha hecho un gran favor, porque nos da toda la razón en lo que te estoy diciendo.

LUIS CARLOS Ugalde

ACADÉMICO Y POLÍTICO.
CIUDAD DE MÉXICO, 1966.
PRESIDENTE DEL IFE, 2003-2007.

> " LA PRIMERA GRAN OMISIÓN FUE DE LÓPEZ OBRADOR, QUIEN NUNCA PIDIÓ RECONTAR [EN EL TEPJF] TODOS LOS VOTOS. ÉSA ES UNA GRAN MENTIRA DE 2006. "

¿CÓMO ENTIENDE *Luis Carlos Ugalde la elección presidencial de 2006?* En dos partes: el recuento de votos y la manera como se declaró al ganador. Sobre lo primero, toda la evidencia muestra que fue una elección legal, transparente, apegada a las normas. En cuanto a lo segundo, aun con la polémica que hubo, en términos comparativos son las elecciones más equitativas que ha tenido México, como lo demuestra el análisis de la cobertura noticiosa en prensa, radio y televisión. Asimismo, si analizas el número de *spots* pagados en televisión te darás cuenta de que quien más transmitió fue Andrés Manuel López Obrador; no sabemos las condiciones de compra, pero lo que sí sabemos es que se transmitió mucho de todos. De lo que les financió el IFE, los tres tuvieron cantidades semejantes, quien más gastó fue Roberto Madrazo, luego López Obrador y luego Felipe Calderón. En términos del acceso a los recursos para competir, no hay punto de comparación con 2000 y 1994.

Cuéntame de la parte que no está medida, la intervención de Vicente Fox, los empresarios, los **spots** *que no se incluyen oficialmente en las campañas.* Fox contribuyó a la percepción que hoy tiene un segmento de la población de que fue una elección con los dados cargados. Abusó de su condición, no violó la ley. Generó la percepción de que quería evitar que ganara López Obrador. *¿Qué fue lo peor que hizo Fox?* Convertirse en jugador, en vez de ser un árbitro neutral como jefe del Estado mexicano. Fue una enorme irresponsabilidad que lo descalificó. El IFE no detectó ninguna movilización de recursos a favor de la campaña de Calderón. Hubo movilización de la investidura presidencial y de su retórica para favorecer la continuidad de su gobierno y atacar de manera implícita e indirecta a López Obrador. También es posible que Alejandro Encinas, jefe de gobierno del Distrito Federal, de manera retórica apoyara al candidato López Obrador. *¿Fox traicionó su mandato al impedir que la voluntad popular se expresara libremente sin la intervención presidencial?* No, la parcialidad del presidente fue irresponsable, pero no debemos asumir que eso limita la libertad de los ciudadanos. Me parece que los ciudadanos tienen derecho a escuchar al presidente, a los empresarios, a los sindicatos, a las mujeres, y formar un juicio. Que el Tribunal Electoral dijera que esto restringe la libertad de decidir me parece totalmente antiliberal y antidemocrático.

¿Se descarriló el proceso democratizador mexicano? Se puso en el límite más difícil de su corta historia. El año 2000 es el capítulo dorado en que la boda sale muy bien. El 2006 es la tormenta perfecta en que todo sale muy mal. La intervención de Fox genera polarización y López Obrador construye la mentira de un fraude que no existió. Hay que contribuir a decir que no hubo fraude; podemos hablar de la polémica en la elección, de si Fox tuvo que haber intervenido o no, de si López Obrador debió haber sido tan agresivo contra las elecciones, pero de ahí a hablar de fraude yo creo que sí distorsiona la realidad y sí puede afectar la democracia.

La nuestra es una democracia *iliberal*. Contamos votos, pero coexistimos con demandas de que se hagan excepciones a la ley; contamos votos, pero hay excepciones en la regulación de mercados de las industrias; contamos votos, pero hay influencia desmedida de poderes; contamos votos, pero no hay igualdad de acceso a la ley.

José Antonio Crespo concluye que debió anularse la elección, ¿qué opinas? Que parte de premisas equivocadas. Acierta al señalar el hecho de que en 2006, como en 2000 y en 2003, más de la mitad de las actas tuvieron errores en su llenado, pero no es un hecho atípico. En 2006 hubo errores de llenado en 47 por ciento de las actas; en 2000, 51 por ciento. Si hubiera ganado Francisco Labastida en 2000, seguramente Fox hubiera dicho eso. Además, los errores se distribuyen aleatoriamente: si quitas todas las actas con errores, la ventaja de Felipe aumenta. Los errores ayudan más a López Obrador que a Calderón. *El gran punto del libro de Crespo es que las inconsistencias son mayores que la diferencia entre Calderón y López Obrador, así que no se sabe quién ganó.* Es el gran punto del libro, pero hay varias cosas que aclarar. La primera gran omisión fue de López Obrador, quien nunca pidió recontar todos los votos. Ésa es una gran mentira de 2006. *¿Lo hizo en arenga pública pero no como un recurso en el Tribunal?* Así es, pidió recontar el 16 por ciento. *¿La frase de "voto por voto" fue para el público, pero no la sostuvo en el recurso legal?* Nunca lo pidió; pidió recontar el 16 por ciento de las casillas. *Pero la autoridad pudo haber aplicado la suplencia de la queja.* No, claro que no, ése es el gran error de Crespo. Si un partido no lo impugna, por definición queda firme legalmente; porque si no, la incertidumbre es eterna. Lo que dice Crespo, de que el Tribunal debía haber actuado porque había muchas actas donde no cuadraban los datos, no tiene ninguna jurisprudencia que lo sostenga y por lo tanto no había manera. Si el Tribunal hubiera dicho: "Aunque no me lo hayan pedido, yo voy a revisar todo", hubiera violado sus propias tesis. Los magistrados me dijeron que si hubiéramos procedido así, en aras de darle paz y estabilidad al país —como argumentaban Porfirio Muñoz Ledo, Manuel Camacho, Ricardo Monreal y muchos ex priístas que ayudaron a López Obrador—, nos hubieran revocado esa decisión inmediatamente y habría sido el peor error del IFE. Si el miércoles 5 de julio, cuando empezaron los cómputos distritales, los consejeros hubiéramos dicho: "Por salud de la República pedimos que se abran todos los paquetes", el Tribunal a las ocho y media de la mañana hubiera emitido un comunicado revocando esa acción ilegal y la autoridad del IFE se hubiera desbaratado.

El segundo error de Crespo es que dice: "Como yo encontré que hay más votos irregulares que la diferencia entre Calderón y López Obrador, no sabemos quién ganó". Eso es suponer que todos esos votos irregulares se pueden cargar de un lado o del otro, pero la evidencia muestra que la distribución es aleatoria. La única certeza posible es aquella que se basa en las leyes; si quieres construir certeza con base en la excepción a la ley, lo único que logras es generar pura incertidumbre. Si el Tribunal hubiera tenido indicios de que había muchas cosas raras, habría tenido la autoridad para abrir todo. La pregunta es con base en qué evidencia. Toda la evidencia de López Obrador fue mentira tras mentira tras mentira, y cuando el Tribunal accedió a abrir 10 mil paquetes para ver si había olores descompuestos, pues se da cuenta de que no hay nada y entonces concluye: "Si no me lo pidieron, si no hay evidencia de un fraude, si todo se hizo correctamente y se cumplió con la ley, ¿nada más porque hay ma-

nifestaciones en la calle voy a abrir todos los paquetes? No hay lógica en el asunto". López Obrador ha dañado mucho a la democracia mexicana, porque ha mentido, porque no es un político en busca de la verdad. No es capaz de admitir y de dialogar. Ha cuestionado el principio fundamental de la democracia representativa y eso quizá sea lo más grave, es la falacia *ad populum:* justificar tus acciones porque el pueblo te lo pide, traicionando la democracia representativa. *¿El Tribunal fue demasiado conservador o hasta timorato en explorar lo que él mismo reconoció que ocurrió y que fue indebido?* El Tribunal dijo que Fox había puesto en riesgo la elección. Yo digo que Fox fue un irresponsable. Pero de ahí a que esto haya manchado la equidad de la elección, hay un mar de diferencia. Es imposible evaluar cómo alteró Fox la percepción de los electores. *Fox y empresarios.* Y empresarios, está bien. O cómo afectó la percepción de los ciudadanos cuando López Obrador lo llamó "chachalaca". Aunque fuera medible y se pudiera demostrar que Fox afectó tres por ciento de la votación, yo tengo la evidencia de que las condiciones generales para que los ciudadanos se informaran, procesaran y contrastaran, fueron las mejores que ha tenido México en más de 20 años y por eso creo que las elecciones se dieron en condiciones de equidad y de libertad. *¿Hubiera sido deseable anular la elección?* La anulación hubiera sido la demolición de la democracia mexicana y también hubiera sido ceder a una mentira histórica de algo que no ocurrió. Los votantes ejercieron su derecho, emitieron su voto y los votos se contaron. Hubo una diferencia marginal que generó tentaciones e incentivos para el oportunismo, pero se votó. Las condiciones de competencia fueron las mejores que ha habido, a pesar de un presidente irresponsable que generó una percepción sesgada de las cosas. Anular una elección con base en una presión política en las calles y un discurso equivocado de que se deben hacer excepciones a la ley por la salud de la República, es una de las mayores trampas recientes de la historia de México. Siempre que hay un problema político en las calles, no falta quien diga que hay que negociar la ley. Ojalá con el paso del tiempo se aprecie que las instituciones siguieron el mandato de la ley y evitaron caer en la tentación de la presión política.

No estoy justificando que haya habido abusos de ciertos sectores, de todos lados, porque tú mencionas a los empresarios, a Fox, pero estuvo el jefe de gobierno del Distrito Federal, el sindicato del IMSS, el Sindicato Mexicano de Electricistas, gobernadores del PRI, el sindicato de maestros. Si no nos gusta que no se hayan abierto los paquetes, cambiemos la ley para que se abran cuando haya movilizaciones en la calle. Los gritos en las calles y la retórica de la salud de la República son argumentos falaces que le han hecho mucho daño a este país.

Muchos identifican en tu nombramiento un gran tropiezo, fundamentalmente por el mecanismo. Fuiste el que mejor sorteó el carnaval de los vetos y el que llevaba el respaldo de Elba Esther Gordillo. Fue un proceso discrecional, donde buscaron gente cercana. *¿Jodido?* Jodido, discrecional, improvisado —así lo narro en el libro *Así lo viví*—, partidizado igual que en 1996 y 2008. Prevaleció la guerra de vetos. Fui presidente del IFE porque vetaron a Diego Valadés, a Alfonso Zárate, y a todo mundo. Al final dijeron: "¿Quién queda vivo? ¡Ugalde! Ugalde no tiene enemigos, es buena gente, va él".

> "FUI PRESIDENTE DEL IFE PORQUE VETARON A DIEGO VALADÉS, A ALFONSO ZÁRATE, Y A TODO MUNDO. AL FINAL DIJERON: "¿QUIÉN QUEDA VIVO? ¡UGALDE! UGALDE NO TIENE ENEMIGOS, ES BUENA GENTE, VA ÉL". "

¿Y por ser amigo de Elba Esther? Yo no era amigo de Elba Esther. Conocía amigos de amigos de Elba Esther. La he visto seis veces en mi vida. Intentó hablar conmigo el 2 de julio de 2006 y no le tomé la llamada. Dijo que era el peor error de su vida haber votado por mí. Quería que le dijera que Felipe Calderón había ganado, quería presionarme. Según me cuentan, dijo que me habían faltado huevos. Yo no era su carta original. *¿Era Zárate?* Eso creo. Quiso aprovechar su posición para pedir, sugerir, hacer, y nunca se le concedió nada. Elba Esther Gordillo no sólo no recibió ningún trato preferencial, sino que a todo se le dijo que no y acabó maldiciendo mi nombre. Esa mitología de que ella operó el fraude en 2006 porque yo le debía no tiene ningún sustento. *¿Qué papel jugó el sindicato de Elba Esther en la elección de 2006?* Es probable que uno muy relevante, pero no tengo testimonios, ni hay un análisis estadístico que lo demuestre. La pregunta es si fue ilegal o no. Si obligan a los maestros y condicionan su voto, es ilegal y la Fepade lo debe sancionar; pero si los maestros hacen una reflexión sobre la democracia, invitan cinco veces a Calderón a reunirse con ellos y a través de eso se genera la idea de que al gremio magisterial le conviene votar por Calderón; ¿eso es deseable democráticamente? No, claro que no. Como tampoco lo es que el Sindicato Nacional de Electricistas haya movilizado el voto a favor de López Obrador. Uno de los grandes problemas es que no se han desmantelado las estructuras corporativas. No quisiera entrar en los anecdotarios que no me constan, pero la evidencia muestra claramente que el magisterio fue importante para la elección de 2006 y para el triunfo de Calderón. *¿Qué hay de la operación política y electoral de gobernadores a favor de un candidato con la intervención de Elba Esther?* Las anécdotas y las revelaciones de grabaciones sugieren movilizaciones para la campaña de Calderón y otras que no se hicieron públicas para favorecer a López Obrador. *¿Como cuáles?* Se dice que hubo en el Distrito Federal una amplia movilización de vendedores ambulantes y de toda la estructura corporativa sindical del gobierno de la ciudad que favoreció a López Obrador. *O sea que nadie se salva, todos lo hicieron...* No se salva nadie. En el sureste hubo movilización a favor de Roberto Madrazo. A nivel regional se sigue haciendo movilización de recursos políticos, económicos, clientelares, para favorecer a ciertos candidatos. *¿Quién es responsable de esos 281 mil spots en toda la República mexicana que están en la opacidad total? ¿Por qué no se continuó con lo que fue tu impulso al denunciarlo públicamente?* Lo que yo viví es que había 281 mil *spots* y que se hizo un esfuerzo para hacer una investigación global —que no sólo intervinieran los partidos sino los concesionarios— y los partidos se opusieron, incluido el PRD. Se convino con la amenaza de destitución de los consejeros y se nos sugirió que mejor cerráramos el capítulo. El IFE quedó en una situación de enorme vulnerabilidad, al estar investigando uno de los casos de impunidad más graves que ha habido en México en los últimos años. Según los cálculos que tenía el IFE en su momento, en el caso del PRI la multa inicial iba a ser de 260 millones de pesos, porque estaba muy cerca de rebasar el tope de campañas y la multa pudo haber sido mucho mayor que el Pemexgate. Lo que hizo el IFE después es decisión del IFE, no me gustaría especular.

¿Qué implica tanto dinero no identificable en una elección presidencial, así como el hecho de que

le hayan dado **carpetazo?** Significa que hay una historia incompleta de 2006 de todos los partidos, una historia que no se contó. *¿Por qué no se contó y no se concluyó la investigación?* Las multas habrían generado demasiada vulnerabilidad. *¿Eso lo explica todo?* Tú lo dijiste, te cito a ti: no sabemos quién pagaba, pero la anécdota te sugería que empresas, radiodifusoras y gobiernos locales destinaban recursos a candidatos y que éstos metían dinero de su bolsa para no rebasar el tope. Todos preferían no reportar los *spots*. *Cítame completa la historia: ¿el narcotráfico?* No sé, soy agnóstico. Sería muy fácil para mí decirte: "Sí, es probable", y entonces generar la especulación. El narcotráfico es el reto más importante. Se trata de la supervivencia del Estado. Creo que Calderón tomó la decisión correcta de luchar para que sobreviva el Estado mexicano. Esto nos puede llevar una o dos generaciones. *¿Hay riesgo de narcodemocracia?* Riesgo de narcoestado. El narcotráfico puede usar las elecciones para penetrar, pero no las necesita para comprar a los niveles medios altos de las instituciones que imparten y administran la justicia. Decir que el Estado mexicano es un Estado fallido es un exceso. Un Estado fallido es aquel que no puede cumplir sus funciones básicas, que son recaudar impuestos y ofrecer seguridad. El Estado mexicano sigue funcionando y sigue recaudando, y existen las condiciones mínimas de seguridad. Es un Estado ineficaz, en riesgo de perder su autonomía frente al crimen organizado. *¿Qué reflexión haces sobre el efecto de la hiperconcentración mediática en nuestra vida democrática?* Así como tiene que haber más pluralidad y más competencia en la vida sindical, en los negocios, en el petróleo, también tiene que haberla en los medios electrónicos de comunicación. El

"LA EVIDENCIA MUESTRA CLARAMENTE QUE EL MAGISTERIO FUE IMPORTANTE PARA LA ELECCIÓN DE 2006 Y PARA EL TRIUNFO DE CALDERÓN."

Congreso usó la ley electoral como una manera de compensar su inacción en materia de radio y televisión; es decir, en lugar de promover una mayor competencia en esa industria a través del sistema que tiene el gobierno para generar concesiones, trata de hacer prohibiciones mediante la ley electoral. Es un medicamento equivocado. Si hubiera más competencia en la industria de los medios electrónicos, este debate sobre la gratuidad del acceso sería menos importante.

¿Qué piensas del fenómeno Peña Nieto? En sus discursos grandilocuentes, los legisladores dijeron que la reforma de 2007 era el fin de la república del *spot;* pero es el inicio de la tiranía del *spot,* porque habrá muchos más que en 2006. Lo que se evita es que se compren, pero van a ser mucho más importantes que antes. Yo voy a defender siempre la inteligencia de los ciudadanos. Peña Nieto o Pito Pérez, si es un tipo atractivo, lo será con o sin *spots.* No podemos pensar que la televisión engaña: si no hay un buen producto, aunque aparezca en la televisión todo el día no es vendible, pero sí hay gérmenes de inequidad. Significa que puede generarse la percepción de que hay candidaturas inevitables, y de que el filtro para convertirse en ser un candidato competitivo es mucho más difícil de superar. Lo que puede ocurrir ahora es que en lugar de que pases el filtro de tu partido y ahí construyas una candidatura que te permita ser presidente —como fue el caso de Calderón—, ahora tengas que construir con mucha discreción un filtro de conocimiento nacional a través de los medios y de ahí tu partido te tenga que aceptar como el candidato inevitable.

Es un fenómeno parecido al de López Obrador, quien a través de la cobertura mediática construyó la inevitabilidad de su campaña. Muchos dijeron que Televisa le había dado una gran cobertura y después fue candidato inevitable; el PRD fue el único partido que no tuvo elecciones internas. *Después de 2006, ¿cuánta confianza crees que se perdió, ese factor intangible que está construido de percepción?* Se perdió un porcentaje por la acusación de López Obrador. Las encuestas muestran que 20 o 25 por ciento de la gente dice que fue una elección irregular. El concepto de fraude se expandió significativamente, hasta que vino a significar todo. López Obrador construyó un discurso muy peligroso, en el que inventa conceptos y los estira a su conveniencia. El concepto de fraude en México ya es todo: Televisa, Carlos Salinas de Gortari, Diego Fernández de Cevallos, la desigualdad. En ese esquema, para muchos el 2006 fue fraudulento porque no ganó quien querían que ganara.

Finalmente, en esta transición ¿qué nos ha dejado la ruta electoral? Me parece que la ruta electoral generó los contrapesos para que pudiéramos desmontar el exceso de poder presidencial que era un obstáculo para el proceso de democracia. Hoy el riesgo más importante es que, como la ley del péndulo, pasamos de una concentración de poder en el presidente y una falta de contrapeso, a una concentración de poder en el Congreso sin contrapeso, del presidencialismo a la partidocracia.

JOSÉ **Woldenberg**

POLÍTICO Y ACADÉMICO.
NUEVO LEÓN, 1952.
PRIMER CONSEJERO PRESIDENTE
DEL IFE, 1997-2003.

> TENEMOS UNA DEMOCRACIA FRÁGIL, CON UN SISTEMA DE GOBIERNO QUE NO SÉ SI SEA EL MÁS ADECUADO Y CON RETOS QUE VIENEN DE UN ENTORNO MUY DESFAVORABLE Y DE LAS PROPIAS FÓRMULAS DE REPRODUCCIÓN QUE TIENE LA DEMOCRACIA. ES DECIR, LAS TAREAS DE HOY SON MUY DISTINTAS A LAS DE LA ÉPOCA DE LA TRANSICIÓN.

EN EL IFE solía decir que la confianza es una construcción difícil que avanza por micras y retrocede por kilómetros. Uno avanza después de que con cada acuerdo, con cada elección, se construye la confianza. En 2003 el error fundamental fue que el nombramiento de los consejeros no contaba con el aval de todos los partidos. Ahí hay dos versiones: una dice que el PRD se autoexcluyó y otra que lo excluyeron. Al final es lo mismo. Esto incide en el proceso postelectoral de 2006. Tengo una opinión que mucha gente no comparte: creo que la responsabilidad fundamental del descrédito fue de la Coalición por el Bien de Todos. Inventó versiones sobre el fraude electoral que hasta la fecha no ha podido probar, ni podrá. Empezó con argumentos absolutamente fantasiosos; dijeron que había tres millones de votos perdidos, cuando ellos sabían que estaban en un archivo especial; luego inventaron un algoritmo, y para los que hemos estado ahí, eso es una cosa chafísima, para decirlo rápidamente. Reconozco que hubo errores del IFE; pero una cosa es un error y otra muy distinta es un fraude. *Si la palabra fraude no define a la elección de 2006, ¿cuál sí la define?* Una enorme polarización, y eso sí es un dato político con el que hay que vivir. Nos pusieron en un escenario de dos opciones auténticas, con arraigo y polarizadas. Se dijo que los consejeros en 2006 no tenían herramientas suficientes para enfrentar lo que ocurría. *¿Ustedes, cuando salieron del IFE, no pudieron haber hecho más para perfeccionar el andamiaje electoral? ¿Qué dices de los otros factores que se dieron en el proceso?* Hubo cosas muy lamentables. Se ha dicho que el Consejo Empresarial compró publicidad. Es una cosa que no había sucedido y que claramente estaba prohibida por la ley. Eso por supuesto irritó a la Coalición por el Bien de Todos. El presidente

Vicente Fox no estuvo a la altura de su responsabilidad. Soy partidario de que todos los políticos puedan decir lo que quieran, pero bajo un proceso de construcción democrática. Debió actuar como jefe de Estado y no lo hizo; tuvo un comportamiento faccioso que inyectó irritación. *¿Fue una elección intervenida?* No. Al final la gente fue a votar y se contaron los votos y la cosa estuvo muy pareja; pudo haber ganado uno u otro. Hasta ahí llegó todo. *¿Qué piensas de la idea de que el Tribunal debió haber anulado ese proceso?* No veo cómo. Estaba en chino. Uno de los conceptos fundamentales de las elecciones es que las etapas y los actos son definitivos. De otra forma no vamos a poder tener elecciones en México. Hay un ejemplo que me parece risible: el asunto José María Aznar. Viene y hace unas declaraciones a favor del IFE y entonces el Instituto sanciona al PAN por lo que dijo Aznar. Es un incidente de una elección. *¿Qué tiene más fuerza, lo que dijo Aznar o la sanción?* No sé y no se puede prevenir, pero se volvió a poner sobre la mesa una vez terminado el recuento. *Así no se construyen unas elecciones confiables.* Pues no, porque no somos legisladores. Y esto te va a sonar muy soberbio pero ahí va: creo que la línea de comportamiento consistía en no sobreactuar ni subactuar. Lo que hicimos fue ejercer las facultades derivadas de la ley; nada más y nada menos. A mí me tocó una etapa fantástica y constructiva donde la voluntad de los gobiernos, de los partidos, de los consejeros, de los medios, de las organizaciones no gubernamentales confluyeron. Entré como consejero ciudadano en 1994, en el marco del levantamiento del EZLN y el asesinato de Luis Donaldo Colosio. Las principales fuerzas políticas fueron capaces de ponerse de acuerdo, modificar la Constitución e ir a unas elecciones con una autonomía plena y un proceso en el que

en cada elección había novedades; la gente creía que no podía suceder y sucedía por una vía institucional, pacífica, y eso fue... luminoso. Se asentó la idea de que, dada la diversidad política de México, la única fórmula para que ésta se recree, se exprese, conviva y compita es la fórmula electoral. La humanidad no ha inventado una fórmula superior.

Después de tantos años de esfuerzos, ¿hoy qué tenemos, una democracia? Entre 1988 y 1997 México desmontó un sistema autoritario y construyó un sistema democrático. Pasamos de un sistema de partido hegemónico a uno auténtico de partidos; de elecciones sin competencia a elecciones competidas; de un mundo monocolor a uno plural, con todo lo que eso significa. Muchos dicen que es un cambio menor porque fue básicamente electoral, pero eso es no comprender el impacto que lo electoral tiene en la representación. En esos años también se desmontó la Presidencia —casi absoluta— y el Ejecutivo se convirtió en un poder entre otros. Nuestro federalismo comenzó a ser auténtico, aunque con muchos tintes de feudalismo; poderes que en materia política tenían una escasa gravitación, como el Judicial, empezaron a tener una enorme fuerza. Esa etapa la considero venturosa. Hicimos lo que muchos creían que era imposible: transitar de un régimen monopartidista a un régimen plural.

¿Coincides con la tesis de que esto se dio a partir de un acuerdo entre el PAN y Carlos Salinas para iniciar una época de cogobierno? El año 1988 fue la expresión más decantada de que México era un país plural y la candidatura de Cuauhtémoc Cárdenas logró coagular un movimiento sumamente importante. La cara venturosa de ese año es que fueron las primeras elecciones presidenciales auténticamente competitivas. La cara no venturosa

es que las normas y las instituciones no estaban capacitadas para procesar esos resultados de manera transparente y confiable. Resultó una contradicción de libro de texto: una sociedad plural que encontraba en los partidos y en los candidatos referentes diversos y unas instituciones incapaces de hacerse cargo de la realidad. La crisis postelectoral de 1988 es muy profunda. La oposición y el gobierno se dieron cuenta de que no podíamos ir a otras elecciones en las mismas condiciones. Afortunadamente, porque siempre cabe la posibilidad de que la gente se aferre a lo existente. He sostenido que la transición democrática precede a la alternancia y es la que la hace posible. Unos creen que la transición arrancó con Fox. Me parece un desconocimiento tremendo de la historia. *¿Tú dónde arrancarías?* En 1977, porque es la reforma política. En 1968 lo que se dio es una tremenda crisis de legitimidad y de un gobierno paranoico, incapaz de comprender el fenómeno, que dio una respuesta violentísima. La transición no empieza ahí. Muchos creyeron que no tendría consecuencias. La etapa definitiva de la transición es de 1988 a 1996, y 1997 es el resultado. La forma que tomó fue la de los pactos que modularon incluso los tiempos y las formas... *¿Y que llevaron a las concertacesiones?* No, las concertacesiones son otra cosa. *Eran el reconocimiento de triunfos electorales de forma heterodoxa, que permitieron ir construyendo institucionalmente las nuevas reglas.* Los años de las concertacesiones son los noventa, en los que teníamos una competencia electoral a la alta y con unas instituciones y unas normas que no podían resolver los problemas. Las concertacesiones tenían una virtud: desmontaban los conflictos. Su parte horrenda es que permitían que negociaran el voto; se generó una fórmula de comportamiento en que las cosas se decidían

en otro lugar. Fueron el último momento de este tránsito: no teníamos las instituciones ni las normas, ¿cómo lo resolveríamos? Hablando y pactando, que es la vieja fórmula de la política en todo el mundo y que, por cierto, es una gran fórmula. México es un país democrático desde 1997 y esto no quiere decir que sea el paraíso, ni la etapa última a la que podamos arribar. Democracia debe entenderse como se entiende en los libros de texto de todo el mundo: una fórmula, una forma de gobierno que cobija una pluralidad de opciones y esta pluralidad compite y convive. Y a través del voto se arriba a los cargos de gobierno. Y aquí sigo pensando en mi clásico Carlos Pereyra: toda la democracia es formal, representativa, política y pluralista. Pero para no quedar como un tonto tengo que acabar la frase: tenemos una democracia frágil, con un sistema de gobierno que no sé si sea el más adecuado y con retos que vienen de un entorno muy desfavorable y de las propias fórmulas de reproducción que tiene la democracia. Es decir, las tareas de hoy son muy distintas a las de la época de la transición.

¿Qué reflexión harías de los medios? Se requiere una reforma de fondo, que pluralice y otorgue las garantías necesarias a los ciudadanos para no ser avasallados. Esto hay que construirlo. Por eso soy partidario de una reforma profunda en la materia, en el sentido que la orientaba la Suprema Corte. Creo que los medios mexicanos se han pluralizado; si vemos lo que eran la radio, la televisión y la prensa en 1988, el cambio es para bien, es más plural. Vimos, por ejemplo, con la nueva reforma electoral, que muchos de los comentaristas más acreditados dijeron que era una reforma de los partidos. ¡Oigan, no! Fue el Congreso, que está habitado por los partidos, pero en la manera de frasear ya hay una intención. Se descalificó

una reforma importantísima que ponía un dique a los medios, un hasta aquí. Es la fórmula fácil de decir: es la partidocracia. Los medios ahí no nos están ayudando lo suficiente para comprender la mecánica democrática. *¿Qué piensas del caso de Enrique Peña Nieto, de su sobreexposición anómala en la televisión? ¿Podríamos estar ante un fenómeno peor que el "dedazo": decidir y construir candidaturas con padrinos identificables?* Aquí tengo que agarrar un poco de vuelo para ubicarlo desde mi perspectiva. Uno: cuando en 1996 los legisladores decidieron equilibrar la competencia, utilizaron dos palancas muy importantes: el dinero y el acceso a los medios. En éstos se multiplicó el tiempo oficial, pero como los partidos recibieron tanto dinero pudieron comprar espacio en radio y televisión como nunca antes. Además, el propio legislador tomó dos medidas para que los noticiarios hicieran coberturas más equilibradas. Todo esto generó una espiral virtuosa. Pero también, como todo, generó una cosa muy negativa: el encarecimiento de las campañas electorales. En el periodo 2000-2003 poco más de 50 por ciento de los recursos fueron a parar ahí. Se dice que en 2006 fue más de 70 por ciento. Con muy buen tino, los legisladores dijeron: "Vamos a mantener la equidad en la contienda, pero no a transferir recursos del Estado a los partidos y a los concesionarios. No más compra de espacio en radio y televisión. Todas las campañas van a ser vistas en tiempos oficiales". Me pareció una reforma muy pertinente. En efecto, hubo afectados: los concesionarios de la radio y la televisión. Hubo quien cínicamente dijo: "Entonces se van a buscar otras fórmulas para tener presencia en los medios". Hoy esa reacción cínica y preocupante puede estarse cristalizando. Y digo puede, porque no tengo todos los pelos de la burra. No sólo en el caso de Enrique Peña Nie-

"LAS CONCERTACESIONES TENÍAN UNA VIRTUD: DESMONTABAN LOS CONFLICTOS. SU PARTE HORRENDA ES QUE PERMITÍAN QUE NEGOCIARAN EL VOTO; SE GENERÓ UNA FÓRMULA DE COMPORTAMIENTO EN QUE LAS COSAS SE DECIDÍAN EN OTRO LUGAR. "

to, sino también en el de Marcelo Ebrard. No me atrevería a decir que están comprando espacios en los noticieros; pero si así fuera, sería un acto de corrupción que va a erosionar la legislación y a contaminar toda la vida política del país.

También puede ser una decisión de la televisión de construir una candidatura, aun sin dinero de por medio. Sería gravísimo. *¿De quién es el candidato?* De un poder mediático, ¿no? Apostar en ese sentido sería escandaloso. *¿Estamos o no en un escenario en el que los poderes fácticos han tomado la iniciativa y también frente a una fragilidad institucional, además de un diálogo político fracturado?* Creo que lo que se juega es si los poderes constitucionales van a ser preeminentes sobre los poderes fácticos o si los poderes fácticos van a acabar siendo más poderosos. Es un tema mayúsculo. Una de las premisas de la democracia es que los poderes constitucionales modulen y regulen a los poderes fácticos. México es una democracia. Cuando uno dice esto parece que se está diciendo que México ha resuelto todos sus problemas. Tenemos una forma de gobierno democrática; eso es todo. Falta todo lo demás, comenzando por la desigualdad que es el caldo de cultivo de la insatisfacción de la gente. Y entonces cabe la pregunta especulativa: ¿por qué duró tanto el régimen del PRI? Dado que la economía mexicana creció entre 1932 y 1982, la expectativa de la gente era que sus hijos iban a vivir mejor que sus padres y se cumplía. Existía una especie de consenso pasivo que al final se rompió con la modernización. Esto ha sucedido —por desgracia— con el proceso de democratización de México y ha coincidido con un largo proceso de estancamiento económico. *El tema del narcotráfico y la delincuencia organizada domina el escenario. ¿Qué piensas?* La verdad es que no puedo decirte mucho porque me entero por la prensa, pero es

muy preocupante. Me dijo un amigo que el problema del narco es que empieza a cumplir dos de las funciones sustantivas del Estado: el ejercicio de la violencia, que se suponía exclusivo, y el cobro de impuestos. Por la vía de la extorsión está convirtiéndose en una especie de Estado paralelo. Son cosas absolutamente corrosivas y que pueden llevar al traste lo mucho o lo poco construido hasta ahora.

Estamos en un momento de confrontación entre el gobierno y las fuerzas del narcotráfico. Éste ha llegado a poner representantes, ya no sólo a corromper, cooptar o penetrar autoridades. Además de las estrategias estrictamente policiacas, creo que hay que recuperar el horizonte de Estado en el que las fuerzas políticas puedan forjar acuerdos de profundidad. Ante la crisis, cómo hacer que la pobreza y la desigualdad no se profundicen; cómo construir un auténtico Estado de derecho; cómo hacer que los derechos de los ciudadanos sean reales; cómo lograr un desarrollo regional más armónico; cómo restituir la centralidad del Estado en la vida pública; cómo generar incluso una visión de futuro en términos político-culturales, y, por qué no, pensar en cuáles son los ajustes a la forma de gobierno que requiere México. *¿Te gustaría un parlamentarismo?* Sí, pero no creo que esté a la mano. Es una forma de gobierno superior al presidencialismo. Aquí, donde hay pluripartidismo y ninguno de los partidos tiene mayoría absoluta, obligaría a generar coaliciones. *¿Incluirías la revocación de mandato?* En un régimen presidencial donde el presidente y su partido no tienen mayoría en el Congreso, no. Son cocteles con elementos de todos lados y que al final son explosivos. Si ya sabemos que seguimos siendo un régimen presidencial y pluripartidista, lo más probable es que todos nuestros presidentes sean de mayoría relativa. Meterle la revocación de mandato es una invitación a que las oposiciones digan: "Somos mayoría en el Congreso y te lo revoco".

¿Crees que sea factible el blindaje de los partidos políticos respecto al narcotráfico? Mira, blindaje, blindaje... nada en la vida se puede blindar. Si algo hemos ganado en los últimos años es la posibilidad de fiscalizar los recursos de los partidos políticos. Hoy el IFE tiene mejores herramientas y por esa vía se puede hacer algo, pero hay otra que no corresponde a las autoridades electorales; es decir, se trata de dinero delincuencial. Ahí el trabajo es de la Procuraduría General de la República y de las procuradurías locales. La autoridad electoral difícilmente va a poder hacerlo y no podemos sobrecargarla con unas tareas para las cuales no tiene los instrumentos necesarios. Las grandes sanciones que el IFE estableció a los partidos políticos fueron por denuncia. Es muy difícil que la propia autoridad pueda captar este tipo de fenómenos, porque cuando se manejan los recursos de manera ilegal, normalmente se hace por vías paralelas y, hasta donde yo he visto, siempre se descubren porque alguien da el pitazo.

Por otro lado, están los problemas inherentes a la democracia. Así es, problemas en los cuales hemos pensado muy poco. El funcionamiento de la democracia es más complicado, sofisticado y lleno de obstáculos. Lo agruparía en tres grandes apartados: *1.* Los controles internos, que implican que el poder no puede estar concentrado, que debe haber además una gestión transparente y todo eso genera pesos y contrapesos. En buena hora llegó, pero digo: ¡hagámonos cargo!, pues esto también produce problemas de operación. Creemos que en la democracia todo es armónico y es algo así como el paraíso terrenal; llegamos a ella y es una varita mágica... ¡No, no y no! Queremos la no concentra-

"COMO RESULTADO, TENEMOS GOBERNADORES CON MÁS RECURSOS PERO CON MENORES CONTROLES Y SIN ESFUERZO RECAUDATORIO ALGUNO; SON COMO LOS NIÑOS CHIQUITOS MAL EDUCADOS: NO RECAUDAN Y NADIE LES PIDE CUENTAS. "

ción de poder y pues hay que entender que existen diferentes poderes que tienen su propia lógica. Unos se contraponen a otros. Sin embargo, hemos avanzando en algo que quizá sea la única reforma de gran calado de la administración de Fox: la Ley de Transparencia y Acceso a la Información Pública. Algo que antes se manejaba como un bien privado, ahora es un bien público. *2.* Los poderes de veto. Por definición, en una democracia quien gana el gobierno identifica sólo a una franja, no a toda la sociedad. Eso hace que de manera natural se desencadenen vetos y problemas también. Estábamos hasta el copete —por lo menos yo— de las decisiones presidenciales que pasaban sin movérseles una coma. *3.* Finalmente el tema de la judicialización. En buena hora, cuando hay conflictos entre poderes, quien decide —y así está en nuestra Constitución— es la Suprema Corte. Por supuesto que eso también genera inconformidades. Lo que quiero decir es que casi como un llamado tenemos que pensar no sólo en lo que nos resuelve la demo-

> **LO QUE SE JUEGA ES SI LOS PODERES CONSTITUCIONALES VAN A SER PREEMINENTES SOBRE LOS PODERES FÁCTICOS O SI LOS PODERES FÁCTICOS VAN A ACABAR SIENDO MÁS PODEROSOS.**

cracia, sino en los problemas que la democracia genera. Sobre eso creo que tenemos un enorme rezago. *Otro elemento que nos habla de la baja calidad de la democracia mexicana es la llamada feudalización. Tenemos espacios de poder sin contrapesos, fundamentalmente en los gobernadores. Porfirio Muñoz Ledo lo llamó autoritarismo descentralizado.* Es uno de los problemas mayores. El proceso democratizador hizo que los gobernadores ya no le deban su cargo al presidente de la República y en buena hora se lo deben a sus electores. El problema es que la estructura estatal es mucho más débil que la federal. Los poderes constitucionales en los estados en muchos casos siguen subordinados a la voluntad de los gobernadores. Si vemos los recursos económicos que hoy tienen los gobiernos de los estados, comparado con su crecimiento, es impresionante. Esto se puede verificar —pues está documentado— en los efectos ocasionados por el *boom* petrolero en los años del presidente Fox, en los que los estados y los municipios no tuvieron necesidad de hacer ningún esfuerzo recaudador. Como resultado, tenemos gobernadores con más recursos pero con menores controles y sin esfuerzo recaudatorio alguno; son como los niños chiquitos mal educados: no recaudan y nadie les pide cuentas, y luego el Congreso, que los tiene que vigilar, es como un papá condescendiente. *¿Es una regresión?* No; regresión sería volver al modelo anterior que era monopartidista de principio a fin. Y creo que eso no cabe. Lo que sí puede ser es que en algunos estados de la República nos dirijamos hacia situaciones de partidos casi únicos —como los llamó Salinas— o de partidos hegemónicos —como los llamó Giovanni Sartori—. Me cuesta mucho trabajo pensar en un partido hegemónico en todo el país. Estamos yendo a otra cosa indeseable, pero no estamos volviendo.

CRONOLOGÍA

1988

ENERO
» Se integra el Frente Democrático Nacional (FDN), coalición conformada por cuatro partidos (PARM, PPS, PFCRN y PMS) que postula a Cuauhtémoc Cárdenas Solórzano como candidato a la Presidencia. Antes, había encabezado con Porfirio Muñoz Ledo, Ifigenia Martínez y Rodolfo González Guevara, entre otros, la Corriente Democrática del PRI.

JULIO
» El 6 de julio se celebran las elecciones federales más polémicas de la historia del siglo XX mexicano. Los datos oficiales dan como ganador a Carlos Salinas de Gortari que lo señalan con 50.36 por ciento de los voto; 31.12 por ciento para Cuauhtémoc Cárdenas; 17.06 por ciento para Manuel J. Clouthier; 1.04 por ciento para Gumersindo Magaña y 0.42 por ciento para Rosario Ibarra. Los tres principales opositores se unen para acusar un fraude electoral.

DICIEMBRE
» El 2 de diciembre, en medio de los gritos de la oposición que denuncian fraude, Salinas de Gortari toma protesta como presidente de los Estados Unidos Mexicanos.

1989

MAYO
» Las fuerzas que se habían unido a la lucha postelectoral de Cuauhtémoc Cárdenas concretan el movimiento y cumplen con los requisitos para obtener el registro como partido político. El 5 de mayo se funda el Partido de la Revolución Democrática (PRD).

JULIO
» El 5 de julio, Ernesto Ruffo Appel gana las elecciones a la gubernatura de Baja California, convirtiéndose así en el primer gobernador no priísta de una entidad federativa.

OCTUBRE
» El 1° de octubre, el ex candidato presidencial panista Manuel J. Clouthier, *Maquío*, pierde la vida en un trágico accidente automovilístico en una carretera de Sinaloa.

NOVIEMBRE
» El presidente Salinas entrega su primer informe de gobierno; en él anuncia que el reparto masivo de tierras que se consignaba en el artículo 27 constitucional, había concluido, con lo que se dio paso al inicio de reformas significativas en materia agraria.

1993

MAYO
» El 24 de mayo, el cardenal Juan Jesús Posadas Ocampo es asesinado en el Aeropuerto Internacional de Guadalajara. En ese momento la PGR presume que el arzobispo habría fallecido en medio de la confusión de una balacera entre grupos criminales enemigos.

1994

ENERO
» El 1° de enero de 1994 entra en vigor el Tratado de Libre Comercio de América del Norte (TLCAN), proyecto que el salinato había gestado desde 1990 para integrar a México a un pacto comercial entre Canadá y Estados Unidos.
» La madrugada de ese mismo día el Ejército Zapatista de Liberación Nacional (EZLN) se levanta en armas en el estado de Chiapas. Emite la "Primera declaración de la selva lacandona" con la que declara la guerra al gobierno federal, llama al pueblo a unirse a las fuerzas insurgentes.

MARZO
» El 23 de marzo, Luis Donaldo Colosio, candidato del PRI a la Presidencia, es asesinado durante un acto de campaña en la colonia Lomas Taurinas de la ciudad de Tijuana. Se detuvo en el lugar del crimen al joven Mario Aburto Martínez, acusado de la autoría material.
» Horas antes del asesinato, en la Cámara de Diputados se había aprobado la reforma al artículo 41 constitucional en materia electoral, que consistía en el cambio de denominación de los consejeros magistrados por consejeros ciudadanos, desligando el nombramiento de estos últimos de la voluntad presidencial.
» El 30 de marzo, Ernesto Zedillo, coordinador de la campaña de Colosio, es nombrado candidato sustituto del PRI a la Presidencia de México.

AGOSTO
» El 21 de agosto se realiza la elección presidencial. Los resultados son favorables al Partido Revolucionario Institucional, que gana con un 48 por ciento de los votos. Los candidatos Diego Fernández de Cevallos del PAN y Cuauhtémoc Cárdenas del PRD obtienen 25 y 16 por ciento de los sufragios, respectivamente.

SEPTIEMBRE
» El 28 de septiembre es asesinado en la ciudad de México el secretario general del PRI, José Francisco Ruiz Massieu, ex cuñado de Carlos Salinas de Gortari. Los asesinos materiales, Daniel Aguilar Treviño y Carlos Ángel Cantú Narváez, son arrestados.

DICIEMBRE
» El 1° de diciembre Zedillo asume la Presidencia de la República. El EZLN le informa que ha heredado una guerra.
» El 20 de diciembre, el gobierno modifica la banda cambiaria y 24 horas después la elimina, provocando devaluación y fuga de capitales. Ese día queda marcado como el "error de diciembre", polémica desatada por Salinas al culpar a la administración entrante de no saber manejar la crisis.

1995

FEBRERO
» El 28 de febrero detienen a Raúl Salinas, el hermano mayor de Carlos Salinas, acusado de la autoría intelectual del asesinato de José Francisco Ruiz Massieu.

1997

JULIO
» El 6 de julio, Cuauhtémoc Cárdenas gana las elecciones a la jefatura del Gobierno del Distrito Federal. Por primera vez, el PRI pierde la mayoría absoluta en el Congreso. Bajo la dirección de Andrés Manuel López Obrador, el PRD obtiene la votación más alta de su historia.

SEPTIEMBRE
» El 13 de septiembre, más de mil delegados del EZLN llegan al Distrito Federal y denuncian acciones represivas de grupos paramilitares en los Altos de Chiapas. "Cumplan o hablen claro", advierten zapatistas al gobierno.

DICIEMBRE
» El 22 de diciembre, 45 tzotziles son acribillados en una ermita de Acteal, municipio de Chenalhó en Chiapas. Entre las víctimas hay hombres, mujeres, ancianos y niños. Desde entonces hasta la fecha se han sostenido dos versiones de los hechos: la de enfrentamiento entre indígenas y la de un crimen de Estado.

2000

JULIO
» El 2 de julio, el candidato de la Alianza por el Cambio —conformada por el PAN y el Partido Verde Ecologista—, Vicente Fox Quesada, gana las elecciones presidenciales acabando con 71 años de régimen priísta. El panista obtiene 42 por ciento de los votos, mientras que Francisco Labastida, candidato del PRI, se queda con 36 por ciento. Cuauhtémoc Cárdenas pierde su tercera elección presidencial con tan sólo 16 puntos porcentuales. En el Congreso, el PAN es mayoría.
» Andrés Manuel López Obrador se convierte en el segundo jefe de Gobierno del Distrito Federal por elección directa.

NOVIEMBRE
» El 30 de noviembre, en una cena ofrecida en Palacio Nacional en honor de los dignatarios asistentes a la ceremonia de transmisión del poder Ejecutivo, Ernesto Zedillo brinda por el éxito del nuevo gobierno.

DICIEMBRE
» Vicente Fox toma posesión el 1° de diciembre. Rompiendo el protocolo, inicia la ceremonia con un saludo a sus hijos desde la tribuna. Horas antes, el guanajuatense había visitado la Basílica de Guadalupe para orar ante la imagen de la tilma de Juan Diego.
» El 2 de diciembre, desde Chiapas, se anuncia la "marcha del color de la tierra", que llevará a los comandantes del EZLN al Congreso de la Unión en febrero del siguiente año. Marcos le dice a Fox: "Usted parte de cero en credibilidad y confianza".

2006

JULIO
» Después de costosísimas campañas y una guerra interminable de descalificaciones, el 2 de julio se realizan los comicios electorales en un clima de tensión por lo cerrado de la contienda. Andrés Manuel López Obrador es el candidato de la Coalición Por el Bien de Todos, Felipe Calderón compite por Acción Nacional, y Roberto Madrazo por el PRI. El IFE declara su imposibilidad de informar los resultados de sus conteos ante lo cerrado de la elección.
» El 6 de julio, Luis Carlos Ugalde, consejero presidente del Instituto Federal Electoral, anuncia la victoria de Felipe Calderón por un margen mínimo de 0.58 por ciento. La izquierda y su candidato acusan un fraude electoral.
» El 30 de julio, López Obrador llama a un plantón en la capital desde el Paseo de la Reforma hasta Periférico. Más adelante hace un llamado nacional para exigir voto por voto y revisar toda la elección.

SEPTIEMBRE
» Aun cuando se reconocen irregularidades importantes en el proceso, el Tribunal Electoral del Poder Judicial de la Federación (TEPJF) declara válidas las elecciones y avala a Felipe Calderón como presidente electo.

DICIEMBRE
» El 1° de diciembre, Felipe Calderón rinde protesta como presidente de México en una tribuna controlada por los legisladores del PAN y el Estado Mayor Presidencial, entrando por una puerta trasera del Congreso. La controversial transmisión de poderes dura tan sólo cinco minutos. Los perredistas tocan silbatos y gritan: "¡Espurio, espurio!", el clamor panista es: "¡México, México!"

2009

JULIO
» En una jornada electoral marcada por el abstencionismo y llamados al voto nulo, el 5 de julio se realizan elecciones intermedias y el Partido Revolucionario Institucional obtiene la mayoría absoluta en San Lázaro después de casi 12 años de haberla perdido.

OCTUBRE
» El 10 de octubre, casi a la medianoche, una hora después de que militares y policías federales ocupan las instalaciones de Luz y Fuerza del Centro (LFC), el gobierno publica en el *Diario Oficial de la Federación* un decreto firmado por Felipe Calderón en el que se determina la extinción de ese organismo descentralizado.

EL DÍA QUE SE ROMPIÓ LA REGLA DE ORO DEL SISTEMA POLÍTICO MEXICANO

LAS REACCIONES surgidas a raíz de la divulgación de la entrevista de Miguel de la Madrid en MVS Radio, el 13 de mayo, arrojan la terrible estampa de cómo se ejerce parte del poder hoy en nuestro país. Es el triste retrato de cómo y desde dónde opera la maquinaria de un poder autoritario que nada tiene que ver con el interés general ni con una vida democrática. El mismo miércoles en que fue difundida parte de esta conversación, se echó a andar una estrategia de silenciamiento al ex presidente De la Madrid. Ese día se envió a los periódicos nacionales un breve texto que se le hizo firmar tras largas horas de presión ejercida en su casa de Coyoacán (ver crónicas de *La Jornada*, *Reporte Índigo* y *El Universal* en este anexo). Con el texto se pretendía descalificar el contenido de sus dichos, minimizar las acusaciones y aniquilar la presencia pública del ex mandatario. De forma casi simultánea, ese mismo miércoles, se hizo llegar a mis oficinas una airada carta firmada por Salinas de Gortari, en la que reclamaba que hubiera realizado y divulgado dicha entrevista. Se trataba de aniquilar al declarante, desprestigiar a la periodista y dejar sin efecto las acusaciones. El ex presidente contó con el escandaloso silencio del duopolio televisivo que —a diferencia de la información y el análisis proporcionado por la radio y la prensa escrita— simple y llanamente atentó contra el derecho de millones de personas a estar informados sobre las graves acusaciones hechas por un ex presidente de México en contra de su sucesor. El ominoso silencio sin duda contribuyó a lograr el propósito principal, vigente hasta el momento de cerrar este libro: la inacción de la autoridad federal.

En esta sección presentamos una serie de documentos, recortes periodísticos, cartas y desplegados que aparecieron en los días subsecuentes a la divulgación de la entrevista. El propósito de este anexo es presentar al lector la información disponible para que saque sus conclusiones. (CA)

SE DIVULGAN VERSIONES SOBRE EL GRAVE ESTADO DE SALUD DE MIGUEL DE LA MADRID

CRÓNICA DE HOY

La alerta a color amarillo
FUENTE | OPINIÓN   Jueves 7 de Mayo, 2009

Muy enfermo MMH
El ex presidente Miguel de la Madrid está muy enfermo. No tiene nada que ver con la epidemia ni está en riesgo inminente su vida. Su familia y allegados, que esperan que la atención médica logre mejoría, dicen que el ex presidente padece de un enfisema pulmonar muy avanzado. Esto le provoca problemas de oxigenación y circulatorios, que le afectan algunos órganos.

EL UNIVERSAL .com.mx

Miguel de la Madrid, grave por enfisema pulmonar
Redacción
El Universal

Viernes 08 de mayo de 2009

El ex presidente Miguel de la Madrid Hurtado se encuentra grave de salud producto del enfisema pulmonar que padece, se dio a conocer ayer por la noche.

politica@eluniversal.com.mx

El ex presidente Miguel de la Madrid Hurtado se encuentra grave de salud producto del enfisema pulmonar que padece, se dio a conocer ayer por la noche.

De acuerdo con la información, familiares y ex colaboradores visitaron a lo largo del día al ex mandatario, quien estuvo en el poder de 1982 a 1988.

A Miguel de la Madrid le tocó enfrentar el terremoto de 1985, y la tardía respuesta de su gobierno para asistir a los damnificados le trajo un alto costo político y críticas de la población.

Extraoficialmente se supo que el ex presidente de México se encuentra en su casa de Coyoacán, donde es atendido por médicos especialistas del Hospital Militar.

POLÍTICA · La Jornada

◉ Ingresó anoche al Hospital Central Militar

De la Madrid, con cuadro grave de enfisema pulmonar
| DE LA REDACCIÓN

Periódica La Jornada
Viernes 8 de mayo de 2009, p. 22

El ex presidente de la República Miguel de la Madrid Hurtado fue internado ayer por la noche de urgencia en el Hospital Central Militar por presentar un cuadro clínico grave de enfisema pulmonar.

Fuentes oficiales confirmaron lo anterior y precisaron que el ex mandatario, de 74 años de edad, arribó al nosocomio castrense delicado de salud.

De la Madrid estuvo en el poder de 1982 a 1988. Se le considera el primer "tecnócrata" que ocupó la silla presidencial, después de suceder en el cargo al "último presidente de la Revolución", José López Portillo.

Fue criticado durante su mandato por la lenta reacción de su gobierno ante la tragedia que originaron los terremotos del 19 y 20 de septiembre de 1985 en la ciudad de México.

Nació el 12 de diciembre de 1934 en la ciudad de Colima. Estudió la carrera de derecho en la Universidad Nacional Autónoma de México y un posgrado en administración pública en la Universidad de Harvard, en Estados Unidos.

José López Portillo lo invitó a formar parte de su equipo en 1977, como subsecretario de Hacienda, y después fue secretario de Programación y Presupuesto, antes de convertirse en titular del Ejecutivo federal.

Miguel de la Madrid, delicado de salud

DESCARTAN INFLUENZA
▶ Familiares dicen que padece un enfisema pulmonar avanzado ▶ Tiene serios problemas de oxigenación

[REDACCIÓN]

El ex presidente de México, Miguel de la Madrid, se encuentra delicado de salud. No se trata de un padecimiento vinculado a la influenza ni tampoco se sabe que ponga en riesgo inminente su vida. Sin embargo, familiares y amigos cercanos han comentado que desde hace varios meses el ex presidente está somnoliento en las reuniones y casi no conversa con sus allegados.

Al principio supusieron que se trataba de lo que se conoce como "senilidad prematura", cuyos síntomas principales son pérdida de memoria y confusión, provocados por el envejecimiento de las funciones de un tejido específico, en este caso partes del cerebro.

Algunos familiares han comentado que en realidad el ex presidente padece de un enfisema pulmonar muy avanzado, lo que ha generado problemas de oxigenación y circulatorios. Esto ha derivado en irrigación insuficiente en el cerebro. Se trata de un mal degenerativo y avanzado, por lo que estiman que la oxigenación insuficiente ha provocado la pérdida de un tercio de su función cerebral.

CONSECUENCIAS. El ex mandatario ha perdido un tercio de su función cerebral.

CRÓNICA DE HOY   Imprimir

Hace medio año estuvo más grave: Sergio García Ramírez
FUENTE | NACIONAL   Viernes 8 de Mayo, 2009 | modificación: 01:52

FOTOS: API

Sergio García Ramírez fue procurador general de la República en el sexenio del presidente Miguel de la Madrid, de quien fue colaborador y amigo.
Dedicado en los últimos años a los derechos humanos a nivel Latinoamericano, García Ramírez mantiene amistosa comunicación con el ex presidente.
Recuerda que hace alrededor de dos años que don Miguel tuvo problema de salud, relacionados con la circulación.
Tuvo momento de preocupación para familiares y amigos, pero salió adelante.
En diciembre pasado, el 12, De la Madrid reunió en su casa a un grupo de amigos, algunos que lo acompañaron en el gobierno de 1982 a 1988.
Dice García Ramírez que lo vio razonablemente saludable.
Después se ha comunicado por teléfono con él o con su familia por quienes sabe que no está más grave de lo que estuvo hace medio año.

>> Primero *Crónica*, el jueves 7 de mayo, y luego *El Universal* y *La Jornada*, entre otros medios, publican sendas notas sobre el supuesto grave cuadro de salud de Miguel de la Madrid Hurtado. Varios medios internacionales que recibieron información similar, como Univisión, tenían ya preparadas notas necrológicas sobre el ex presidente.

LA OFICINA DE MMH DESMIENTE

EL UNIVERSAL.com.mx
México

Miguel de la Madrid desmiente que se encuentre grave
En escueto comunicado, el ex presidente asegura estar bien de salud

REDACCIÓN
EL UNIVERSAL
CIUDAD DE MÉXICO VIERNES 08 DE MAYO DE 2009
19:10

En referencia a la información que ha surgido en distintos medios de comunicación, que apunta a un estado grave de salud del ex presidente mexicano Miguel de la Madrid, su oficina particular distribuyó un comunicado en el que se asegura que el ex mandatario "se encuentra bien, rechazando toda noticia que ha surgido al respecto".

De esta manera, De la Madrid desmiente que su salud se vea comprometida por enfisema pulmonar.

De la Madrid fue Presidente de México de 1982 a 1988. Durante su mandato se dio el temblor de la Ciudad de México en 1985 y las polémicas elecciones de 1988, donde Carlos Salinas de Gortari resultó ganador en la contienda presidencial.

LA CRÓNICA DE HOY

De la Madrid está bien de salud

REDACCIÓN | NACIONAL   Sábado 9 de Mayo, 2009 | Hora de creación: 00:59| Última modificación: 00:59

La oficina particular de Miguel de la Madrid Hurtado informó que el ex mandatario se encuentra bien de salud y expresó su rechazo a "toda noticia que ha surgido al respecto".

Varios medios de comunicación, entre ellos La Crónica, difundieron ayer que Miguel de la Madrid se encuentra grave, enfermo de enfisema pulmonar.

En respuesta, la oficina de Miguel de la Madrid, quien fue presidente de México de 1982 a 1988, aclaró que el ex primer mandatario se encuentra bien de salud.

>> El 9 de mayo la oficina de Miguel de la Madrid rechaza categóricamente las versiones que hicieron circular sobre una salud comprometida del ex presidente.

SE DIVULGA LA ENTREVISTA CON MIGUEL DE LA MADRID EN NOTICIAS MVS

>> Titulares de los periódicos *La Jornada*, *Reforma* y *El Universal* un día después (14 de mayo) de que Carmen Aristegui divulgara fragmentos de la entrevista con el ex mandatario en Noticias MVS. Las reacciones fueron inmediatas.

ANULAN LA VOZ DE MMH

MIGUEL DE LA MADRID

A LA OPINIÓN PÚBLICA

Con relación a la información divulgada el día de ayer por **CARMEN ARISTEGUI** deseo precisar lo siguiente:

Actualmente me encuentro convaleciendo de un estado de salud que no me permite procesar adecuadamente diálogos o cuestionamientos, tal como consta en las grabaciones difundidas por la señora **ARISTEGUI**, en las que mi tono de voz se escucha débil y confuso.

Por lo que dejo en claro que después de haber escuchado la entrevista con la señora **ARISTEGUI**, *MIS RESPUESTAS CARECEN DE VALIDEZ Y EXACTITUD*.

México D.F., 14 de mayo de 2009

> El 14 de mayo, el día siguiente de divulgada la entrevista, se publica en todos los diarios un desplegado firmado por MMH en el cual afirma que sus respuestas "carecen de validez y exactitud".

EX PRESIDENTE REGAÑA A PERIODISTA

CARLOS SALINAS DE GORTARI

Mayo 13, 2009

C. Carmen Aristegui
Presente.

Debo en primer lugar expresarle el dolor y la indignación que me produjo enterarme de los términos y condiciones en que realizó usted la entrevista que difundió esta mañana con el respetable ex presidente de México Miguel de la Madrid. Dolor, porque confirma su desfavorable situación de salud y la limitación de sus capacidades, e indignación por la falta de respeto con él y con la audiencia, al mostrar así a quien tuvo bajo su responsabilidad la conducción de la República en tiempos complejos.

Yo mismo he estado atento a la evolución de la salud del ex presidente a través de su familia, sobre todo al enterarme del deterioro de sus facultades por conversaciones con sus allegados, y más recientemente por diversas notas de prensa, entra las cuales le envío esta descripción que resume sus actuales condiciones:

> El ex presidente de la Madrid se encuentra delicado de salud…Familiares y amigos cercanos han comentado que desde hace varios meses el ex presidente está somnoliento en las reuniones y casi no conversa con sus allegados. Al principio supusieron que se trataba de lo que se conoce como "senilidad prematura", cuyos síntomas principales son pérdida de memoria y confusión, provocados por el envejecimiento de las funciones de un tejido específico, en este caso partes del cerebro. Algunos familiares han comentado que en realidad el ex presidente padece de un enfisema pulmonar muy avanzado, lo que ha generado problemas de oxigenación y circulatorios. Esto ha derivado en irrigación insuficiente en el cerebro… ha provocado pequeños infartos cerebrales… Se trata de un mal degenerativo y avanzado, por lo que estiman que la oxigenación insuficiente ha provocado la pérdida de un tercio de su función cerebral.

Hasta aquí lo que han publicado los medios. Por eso me parece un abuso de la confianza del ex presidente el exponerlo en su delicada circunstancia. Y creo que también es un abuso para las audiencias el hecho de ocultar estos datos sobre el estado de salud de un hombre prominente con un serio problema de salud, para establecer los alcances de un intercambio como al que fue sometido.

En lugar de contribuir a un debate informado, como lo requieren las condiciones adversas del mundo de hoy y las aciagas de nuestro país, recurrir a testimonios de personas que padecen esas limitaciones sólo abona al sensacionalismo pero no a la necesaria claridad.

En relación a los temas mencionados durante la entrevista, hay que empezar diciendo que surgieron después de que el ex presidente de la Madrid ejerció sus responsabilidades, por lo que es evidente que carece de información directa sobre ellos.

En este punto, ni la entrevistadora ni los demás participantes en el programa le proporcionan a su auditorio la información veraz que existe sobre tales temas.

CARLOS SALINAS DE GORTARI

Por lo que respecta al señalamiento sobre mis hermanos Raúl y Enrique, ya en los tribunales tanto de México como de Suiza y Francia, después de casi 15 años de investigaciones minuciosas, en sus resoluciones definitivas se comprobó que esas imputaciones fueron falsas y fabricadas, como está documentado en el capítulo 5 de mi reciente obra "La 'Década Pérdida' 1995-2006". Tales imputaciones sin fundamento formaron parte de la campaña fabricada por las autoridades dentro de nuestro país para servir de cortina de humo a la crisis que generaron y las tropelías que cometieron con el Fobaproa y otros temas. Pero tuvo efectos terribles: además de engañar a amplias capas de la población sobre el origen de la crisis, mantuvo a mi hermano Raúl más de 10 años en injusta prisión y facilitó la extorsión que llevó a la trágica muerte de mi hermano Enrique.

En cuanto a la partida, como también se documenta en el mismo capítulo 5 de dicha obra, su ejercicio fue incluido en la revisión por el Congreso de las Cuentas Públicas de cada año, las cuales fueron auditadas de acuerdo a sus facultades por las Comisiones legislativas correspondientes y la Contaduría Mayor de Hacienda, y su ejercicio fue legal pues se realizó como lo marca la ley. Así quedó avalado con la aprobación anual de las mencionadas Cuentas Públicas con la votación de los legisladores de los distintos partidos representados en el Congreso, incluso en los años posteriores a mi administración.

Como se documenta en el mencionado capítulo 5, el ejercicio de la partida también fue objeto de amplias investigaciones y resoluciones definitivas de Tribunales mexicanos, los cuales concluyeron en 2004 que no se habían cometido desvíos hacia cuentas particulares o personales. Asimismo, en 2006 los tribunales en sus resoluciones lo consideraron como "cosa juzgada". Si bien la secrecía que exige el mandato constitucional no permite informar con detalle sobre su contenido, en distintos medios informativos se ha publicado que entre los destinatarios de la partida se encontraban servidores y ex servidores públicos, intelectuales, partidos, personajes nacionales e internacionales, dirigentes, legisladores, entre otros.

Todo esto ha sido reportado con detalle y publicado. Si se pretende cumplir la responsabilidad con su auditorio y contribuir a un debate informado, sería conveniente que se recurriera a fuentes documentales y se obtuvieran opiniones de personas con el conocimiento directo de los hechos y sin incurrir en abusos de las circunstancias clínicas de los declarantes.

Atentamente,

> El ex presidente Carlos Salinas de Gortari, el mismo 14 de mayo, envió a Carmen Aristegui una larga misiva en la que cita, sin mencionar su nombre, al periódico *La Crónica de Hoy*, ahí se afirma que el ex presidente Miguel de la Madrid ha sufrido "la pérdida de un tercio de la función cerebral". Reclama a la periodista por no informar sobre el supuesto grave estado de salud de MMH. Salinas de Gortari omite mencionar el categórico desmentido de la oficina del ex presidente acerca de las versiones que circularon.

LA ENTREVISTA

La entrevista

CARMEN ARISTEGUI F.

Miguel de la Madrid, ex Presidente de México, emite una carta pública en la que decide descalificar su propia palabra y todo lo dicho durante el encuentro que sostuvimos en su domicilio particular el pasado miércoles 15 de abril. Afirma que la entrevista que me concedió, para hablar ampliamente sobre su gestión y sobre los últimos años de la vida pública en México, se realizó en medio de una convalecencia de su estado de salud que "no le permitió procesar adecuadamente diálogos o cuestionamientos (...) tal como consta en la grabación (...) en las que mi tono de voz se escuchaba débil y confuso".

Sorprenden varias cosas. La primera, que se pretendan invalidar los graves señalamientos hechos por De la Madrid en esta entrevista, a partir de una presunta situación de invalidez, enfermedad o convalecencia que, por demás, su propia oficina se había encargado de negar en días recientes a través de otro comunicado en el que se lee que el ex mandatario "se encuentra bien, rechazando toda noticia que ha surgido al respecto".

Lo dicho por el ex Presidente se dio en el marco de un encuentro plenamente acordado. La editorial Random House Mondadori y yo misma solicitamos, con la debida anticipación, la cita del encuentro, el horario y el lugar de su realización con motivo de un proyecto editorial en curso. La entrevista se realizó en su propio despacho. El ex Presidente estaba sentado, serenamente, en su escritorio con una grabadora a la vista de él y de sus colaboradores, y ataviado para la sesión de fotos que realizó Ricardo Trabulsi inmediatamente después de la entrevista. Estuvo amable y con una muy clara disposición a dialogar. Lo dicho por De la Madrid se dio, pues, en un marco de total aceptación suya y de su entorno más inmediato. Resulta insostenible sugerir que lo que dijo, lo dijo sin tener conciencia de ello.

El día anterior a que se transmitiera esta entrevista en Noticias MVS hice una llamada telefónica a la asistente personal del licenciado De la Madrid, Delia González, para pedirle que le comentara que había decidido, por un claro interés periodístico, adelantar la divulgación de la entrevista antes de la publicación del libro que se realiza. Le informé que transmitiríamos fragmentos de la charla durante el programa que conduzco por las mañanas en MVS Radio y que quería que lo supiera con anticipación. Amablemente, esta persona, quien lo ha asistido desde su campaña presidencial, me dijo que se lo comunicaría. No hubo en las horas posteriores intento alguno para frenar su difusión, alegando lo que ahora se comenta para descalificar el dicho del ex Presidente de México.

De la Madrid puede ser que esté cansado, que tenga problemas respiratorios o que, incluso, esté en la parte final de su vida, pero no hay la menor duda de que la entrevista, que duró una hora con 29 minutos, más 20 minutos para las fotos, se realizó con un hombre que estaba dispuesto a estar ahí, con el tiempo, el talante y la claridad suficiente para dejar asentado lo que piensa y lo que sabe sobre la familia Salinas de Gortari. Los señalamientos sobre corrupción, abusos y nexos con el narcotráfico no salieron de un ser balbuceante. Salieron de la voz de un ex Presidente de México, y deben ser investigados.

HISTORIA DE UN SILENCIAMIENTO

El día en que "enfermó" De la Madrid

Redacción

Francisco Rojas, Emilio Gamboa, Ramón Aguirre, Enrique y Federico de la Madrid. Ellos operaron "el arrepentimiento" de Miguel de la Madrid sobre la entrevista a Carmen Aristegui, afirma Ramón Alberto Garza en Reporte Índigo.

Una parte esencial de la estrategia se habría diseñado en Londres. Desde allá, un indignado Carlos Salinas habría implementado el control de daños.

"Y con hombres de todas sus confianzas, el inculpado hizo llegar a De la Madrid y a sus hijos los mensajes necesarios para tomar la decisión: había que confirmar 'la enfermedad' de su antecesor", dice la publicación. "Con ello, Salinas intentaría neutralizar las severas acusaciones sobre la inmoralidad y la corrupción que De la Madrid hizo sobre él y sus hermanos".

La estrategia habría sido simple y directa. "De aquél lado, del que hace las revelaciones, también existen historias que contar". Los hijos, en particular Enrique, actual director de la Financiera Rural, tendría varios flancos vulnerables.

Las reuniones se prolongaron por cerca de siete horas.

Francisco Rojas habría operado como el diplomático disuasivo a favor de la causa de Salinas. Fue su director de Petróleos Mexicanos.

Emilio Gamboa fue la conciencia de De la Madrid. De algo valieron los seis años que pasó como su secretario particular. Ramón Aguirre también se presentó para asesorar a su amigo. Había sido el regente del DF en el sexenio Delamadridista.

Comenzaron poco después de las 9 de la mañana del miércoles 13. El resto de la crónica aparece hoy en Reporte Índigo.

›› *Reforma* publicó el viernes 15 de mayo texto de Carmen Aristegui respecto al silenciamiento de Miguel de la Madrid.

›› Crónicas de *La Jornada* y *El Universal* que revelan cómo De la Madrid se retractó de sus palabras.

12 POLÍTICA • VIERNES 15 DE MAYO DE 2009

LaJornada

ROBERTO GARDUÑO, ENRIQUE
MÉNDEZ Y VÍCTOR BALLINAS

■ El diputado y el ex presidente se encerraron hora y media en la casa de éste, aseguran

Emilio Gamboa, clave de trama para que De la Madrid se desdijera: legisladores

La decisión de presionar al ex presidente Miguel de la Madrid Hurtado desde la cúpula del Partido Revolucionario Institucional (PRI) para que se retractara del contenido de la entrevista –hecha por Carmen Aristegui– en la que acusa de corrupción a su sucesor, Carlos Salinas de Gortari, se tomó el miércoles en el Senado, mientras transcurría la reunión plenaria de los priístas que participan en la Comisión Permanente del Congreso de la Unión.

A las 10:30 horas de ese día, Emilio Gamboa Patrón, coordinador de la bancada del *tricolor* en la Cámara de Diputados, se apartó de la reunión presidida por el senador Manlio Fabio Beltrones, y en la antesala comenzó a hablar por teléfono celular. Una de las llamadas, confió uno de los senadores presentes, fue a Salinas.

Gamboa –quien fue secretario particular de De la Madrid en Los Pinos y posteriormente se benefició del respaldo de Salinas, quien lo nombró secretario de Comunicaciones y Transportes– parecía preocupado.

Se alejó aún más para que nadie se le acercara, mientras hacía otra llamada a su amigo y benefactor –"su padre", como confió su jefe de prensa, Héctor Lié–, De la Madrid, y le anunció que iría a visitarlo a su casa, en Francisco Sosa, en el centro de Coyoacán, el caserón conocido como El león rojo.

Mientras, en la plenaria de los priístas –en la que participaron los diputados César Duarte, Adolfo Mota, Marco Antonio Bernal, José Murat y Lorena Martínez, así como los senadores Fernando Castro Trenti, Carlos Jiménez Macías, Carlos Lozano de la Torre y Francisco Arroyo Vieyra–, un exaltado Jiménez Macías aseveraba que las declaraciones del ex presidente –un hombre afectado en su salud, afirmó– forman parte de la "andanada y la campaña mediática instrumentada por el go-

bierno de Felipe Calderón" para afectar electoralmente al PRI.

Se afirmó en el encuentro que la administración calderonista se ha aprovechado de una concatenación de hechos –la publicación de *Derecho de réplica*, de Carlos Ahumada; el reciente libro del ex candidato presidencial Roberto Madrazo, que calificaron de "pésimo texto", y la entrevista realizada por Aristegui– para levantar una "cortina de humo" sobre "los grandes problemas que afectan al país".

Fieles a su pragmatismo y a su tesitura, algunos de los presentes en la reunión primero alegaron no conocer el contenido de la conversación De la Madrid-Aristegui, pero después la em-

El ex titular del Ejecutivo (1982-1988) acusó de corrupción a su sucesor, Carlos Salinas. La imagen fue captada durante la entrevista con Carmen Aristegui ■ Foto Ricardo Trabulsi

prendieron contra ella, a la que calificaron de "sedicente periodista de izquierda".

Luego se sugirió que el indicado para pedir a De la Madrid desdecirse, dada su enorme cercanía, era Gamboa Patrón.

Uno de los participantes en la plenaria aseguró que al iniciar había irritación y preocupación. "Estamos a siete semanas de las elecciones para diputados federales. Discutimos qué era lo que más convenía en este momento al partido. Se decidió que ni el diputado Gamboa ni el senador Beltrones saldrían a ser expuestos a los medios de comunicación, porque desde luego iban a ser los más buscados".

Un senador propuso que se hablara "con la familia de Miguel de la Madrid y que se buscara a Salinas para frenar el asunto, y se nos dijo que no hiciéramos olas, que permaneciéramos en bajo perfil, porque para el PRI hacia fuera iba a ser un tema cerrado".

Diputados y senadores, se informó a *La Jornada*, "estupefactos, no daban crédito a los ataques. Del enojo, de la irritación, se pasó a la calma... No es momento de abrir más fuegos, se dijo, es claro que algunos medios de comunicación se han aliado con el gobierno panista para atacar al PRI. Hay que estar unidos, cerrar filas y hacer frente a los embates, que sí se han empezado a costarnos puntos. Ahí se dijo que los ataques del presidente del PAN sí han mellado (la intención de votar por) el PRI."

Entre los legisladores "empezó a cobrar fuerza y a tomar forma lo que más tarde se difundiría: 'la salud del ex presidente (De la

Madrid) está menguada'. No sabemos si es la mejor defensa, pero es lo que nos queda", referían.

Afuera, Gamboa ya preparaba su propia estrategia. No dejaba de hablar por teléfono. Y 15 minutos antes de las 11 ingresó en la reunión, para disculparse con Beltrones porque debía abandonar la sede senatorial. Los presentes aseguraron que entendieron que se dirigía a reunirse con De la Madrid. Y así fue.

El coordinador de los diputados se hizo acompañar a la salida de la casona de Xicoténcatl por José Murat, quien regresó a la plenaria, presidida por Beltrones.

En tanto, Gamboa llamó a su vocero, Lié, quien fue jefe de prensa de De la Madrid en la Secretaría de Programación y Presupuesto, para lo que acompañara a la casa del titular del Ejecutivo entre 1982 y 1988.

Llegaron antes del mediodía a la casa El león rojo. De la Madrid no estaba, porque había asistido a una cita médica. Gamboa y Lié lo esperaron. Una vez que llegó el ex presidente, él y Gamboa se encerraron en el despacho por hora y media.

Cinco horas después, Federico de la Madrid Cordero envió a los medios informativos el comunicado y las órdenes de inserción que se publicaron ayer, donde su padre se desdice.

El impacto de las declaraciones, a pesar del desplegado, fue tal en el PRI, que la presidenta Beatriz Paredes Rangel –quien la víspera calificó el escándalo de "pleito entre particulares"– convocó a una reunión urgente a Gamboa Patrón, en la sede del Comité Ejecutivo Nacional.

CORREO ILUSTRADO   ●LaJornada

Aclaración de Emilio Gamboa Patrón

Me refiero a la información publicada el sábado 16 de mayo en la página 12 de *La Jornada*, en la que se menciona: "Salinas habló con el coordinador de los diputados priístas".

Al respecto, le aclaro que dicha información es totalmente falsa.

Lo que sí fue cierto es que, durante la reunión previa de los legisladores priístas, el pasado, miércoles en el Senado de la República, sólo sostuve comunicación con el ex presidente Miguel de la Madrid, a quien saludé, como siempre lo hago al hablar con él: "¿Cómo está, señor presidente?".

Si alguien fue testigo y escuchó este saludo, interpretándolo de otra manera, no fue más que con mala fe y alejado de la verdad.

Emilio Gamboa Patrón.

>> Carta de Emilio Gamboa a *La Jornada* el 15 de mayo, aclarando uno de los datos contenidos en la nota publicada.

CRÓNICA DE UN LARGO DÍA

Emilio Gamboa y Francisco Rojas.

Nunca antes en los tiempos modernos, un ex mandatario mexicano había sido tan severo para calificar públicamente a su sucesor. Los episodios de Calles y Cárdenas, o los de Echeverría y López Portillo, palidecieron.

Por eso, cuando se conoció la reveladora entrevista de Carmen Aristegui a Miguel de la Madrid, en la que el ex mandatario acusaba a los Salinas de inmorales, corruptos y ligados con el narcotráfico, los focos rojos se encendieron en las cúpulas priistas.

Desde Londres, donde tiene una de sus residencias Carlos Salinas de Gortari, se operó la estrategia para el control de daños.

Un diseño que se implementó pasadas las nueve de la mañana y terminó a las tres de la tarde con la carta en la que Miguel de la Madrid se acepta incompetente para responder cuestionamientos.

El primer enviado a la residencia de

Miguel de la Madrid fue Francisco "Paco" Rojas. Hombre de todas las confianzas presidenciales, el ex director de Pemex llevaba la encomienda desde Londres para atemperar los ánimos y buscar una salida decorosa al espinoso caso.

Es cierto que acudía como embajador salinista, pero tampoco podía despojarse de su cercanía con Beatriz Paredes, la presidenta nacional del PRI que le entregó la Presidencia de la Fundación Colosio.

El papel Rojas era ser el personaje que

aplicara la suficiente presión para gestar una solución convincente y concertada que se implementara con la urgencia que el caso ameritaba.

El otro actor estratégico fue Emilio Gamboa Patrón, actual jefe de la bancada priista en el Congreso y quien fuera su fiel escudero presidencial.

Gamboa sirvió y conoció a De la Madrid. Pero terminó por conocer mejor a Carlos Salinas, a quien le abrió de par en par las puertas de Los Pinos al tiempo que

Ramón Aguirre y Miguel de la Madrid Hurtado.

se las cerraba a su rival, el secretario de Gobernación Manuel Bartlett.

Por eso Gamboa fue uno de los secretarios favoritos de Salinas. Lo hizo su director del Infonavit, después su director del Seguro Social y al final su secretario de Comunicaciones.

La función de Gamboa consistía en reinstalarse como la conciencia crítica de De la Madrid para convencerlo del error

político en el que había incurrido en la entrevista con Carmen Aristegui.

En la residencia delamadrista apareció también Ramón Aguirre, quien fuera el regente del Distrito Federal en los días en que el jefe de Gobierno capitalino todavía era designado por el presidente en turno.

Amigo leal y agradecido del ex presidente De la Madrid, Ramón Aguirre también tuvo sus roces con Carlos Salinas de

Gortari. Sobre todo cuando fue el candidato priista a la gubernatura de Guanajuato.

Sus dos rivales no lo dejaron sentarse. Vicente Fox, por el PAN, y Porfirio Muñoz Ledo, por el PRD, impugnaron la elección. Y ahí se gestó la primera concertacesión.

Se anuló el presunto triunfo de Ramón Aguirre y se dio paso al gobierno provisional de Carlos Medina Plascencia, quien terminaría entregando la estafeta a Vicente Fox. Eran los albores de lo que más tarde se conocería como el PRI-AN.

A las discusiones se sumaron dos personajes más, Enrique y Federico de la Madrid Cordero, los hijos del ex presidente.

De hecho, después de Carlos Salinas, ellos eran los más interesados en resolver el conflicto político.

Habiendo pasado por una diputación plurinominal por el PRI en 2003, Enrique es hoy director de Financiera Rural en el gobierno de Felipe Calderón. Un cargo estratégico si se considera que desde ahí

se hace el reparto de los créditos para el politizado agro mexicano.

Ésta no era la primera vez que Enrique enmendaba la plana a su padre. Lo había hecho antes, cuando en una entrevista concedida al periodista Carlos Loret de Mola, en septiembre de 2005, De la Madrid aceptó la derrota del PRI en la elección del 88. Una primera afrenta contra la legitimidad de Carlos Salinas.

Enrique llamó entonces a Televisa para aclarar a Loret de Mola que su padre se había referido, no a la elección presidencial, sino a la del Distrito Federal. Y desde entonces, sacaba a relucir que a su papá ya le pesaban los años.

El otro hijo presente fue Federico, el más débil políticamente hablando. Algunos recordarían el expediente que se quedó guardado desde los tiempos en que fue presidente del Consejo de Administración de Banco Anáhuac y alguna fracción accionaria terminó ligada a operadores del Cártel de Juárez.

Sin embargo, existe otra razón de igual

FEDERICO DE LA MADRID CORDERO.

ENRIQUE DE LA MADRID CORDERO.

peso y de mayor futuro para la conciliación De la Madrid-Salinas. Y ésa pasa por las presiones de los hijos de ambos, quienes a través de un programa ejecutivo, restablecieron una cercanía afectiva en torno al proyecto de trabajar juntos para un relevo generacional dentro del PRI.

Éste fue el marco de las negociaciones en Coyoacán. Con estos actos y bajo estos

supuestos, no sólo desacreditaron la controvertida entrevista, sino que terminaron de sepultar, políticamente hablando, a Miguel de la Madrid.

De ahora en adelante, cualquier declaración, o incluso algunos legados póstumos, tendrán que pasar por el filtro de ésta, su arrepentida secreta.

» Crónica de *Reporte Índigo* que revela cómo Miguel de la Madrid fue sometido a grandes presiones para declarar inválidos sus dichos.

Y SIN EMBARGO SE MUEVE

MIGUEL DE LA MADRID

México D.F.,
22 de mayo de 2009.

Señora
CARMEN ARISTEGUI
P r e s e n t e .

Señora Aristegui:

Para ponderar el gobierno del Lic. Carlos Salinas de Gortari es necesario tomar en cuenta la importante modernización que promovió en distintas áreas de la vida del país. La promoción de reformas estructurales, el Tratado de Libre Comercio con América del Norte destacan entre otros logros que obtuvo su gobierno.

Considero que usted debería tomar en cuenta estos hechos en su estudio sobre el periodo presidencial del Lic. Carlos Salinas de Gortari.

Agradezco la atención que le preste a la presente comunicación.

>> La periodista piensa que esta pequeña carta entregada a su oficina pudo ser la manera que MMH encontró para decir que, tan se hace cargo de sus dichos, que está en condiciones de enviar un texto en el que agrega temas a lo ya conversado. Una especie de postdata.

DE LA MADRID DIJO LO QUE QUERÍA DECIR

MANUEL BARTLETT DIAZ

Escuché a Carmen Aristegui transmitir una entrevista grabada, con el ex Presidente Miguel de la Madrid, desde luego le presté la mayor atención. El ex Presidente contesta a las preguntas de la entrevistadora con voz ronca, lentamente. Las respuestas me parecían habituales al estilo y lenguaje de de la Madrid, denotaban dificultad respiratoria pero congruencia, escuche varias veces la entrevista completa, la congruencia integral es innegable. La respuesta sobre Salinas de Gortari, su afirmación de arrepentimiento por haberle transmitido la Presidencia de la República fueron secas, cortas, lapidarias. No me sorprendió su arrepentimiento, sabía que era cierto.

La entrevista desató reacciones inmediatas. La normal, ante tan grave descalificación de un ex Presidente a su sucesor, comentarios en prensa y radio que desaparecieron pronto, y la brutal respuesta del señalado. En unas horas, Salinas de Gortari, acusó a la entrevistadora de abuso de un de la Madrid enfermo, opero el silenciamiento de las televisoras y además se dio una movilización de personajes cercanos a Salinas y a de la Madrid, que acudieron a su casa atropelladamente para forzar una carta en la que de la Madrid afirmaba que lo dicho no correspondía a su pensamiento, porque se encontraba en estado de incapacidad. Sin importar el absurdo de que recuperara súbitamente la conciencia para afirmar que no la tenía al expresar su opinión sobre Salinas, la incapacidad de de la Madrid siguió siendo machacada mediáticamente. "No sabía lo que decía", el mismo lo reconocía.

La ferocidad y eficiencia que obligó a de la Madrid a declararse incapaz, la indignidad de quienes se precipitaron a acallar y humillar al ex Presidente, antiguos colaboradores con acceso a su casa, es monstruoso. La capacidad de silenciar en los medios algo que en cualquier parte del mundo sería no un escándalo vulgar de nota roja, sino una revelación política de interés público ineludible, significó una urdimbre tenebrosa. Un silencio inverosímil, solamente posible por intereses de magnitud alarmante. El gobierno no se dio por enterado, el acontecimiento descubrió una situación política grave. La anulación de un hombre de ese nivel fue un crimen político, público, impune. Así lo escribí en mi columna del 21 de mayo del 2009.

MANUEL BARTLETT DIAZ

No solo es monstruoso haber logrado acallar dicha revelación, sino porque su arrepentimiento es real, es verdadero y pretenden anularlo. A mí me lo expresó y lo comento porque es de justicia descalificar la infamia.

Durante una visita que Miguel de la Madrid Hurtado hizo a Puebla, siendo yo Gobernador, para presenciar la develación de su nombre puesto a una biblioteca privada, comimos en Casa Puebla. Surgió en la plática la indignación de MMH porque en respuesta a algunas declaraciones que no gustaron al entonces presidente Ernesto Zedillo, éste reprendió públicamente al ex Presidente porque "es mi empleado". De la Madrid era Presidente del Fondo de Cultura Económica. Miguel de la Madrid me comentó ser el único ex Presidente que podía pasearse por las calles y asistir a lugares públicos, ser reconocido y apreciado públicamente. Lo único que me achacan -me dijo- es haber dejado en la Presidencia a Salinas, pero ¿qué podíamos saber entonces Manuel? Eso era lo único que le achacaban a un Presidente Respetable.

Miguel de la Madrid tenía esa carga moral, quería deslindarse del personaje de un desempeño del que no quería ser responsabilizado, está arrepentido, lo dijo, me lo dijo a mí, se lo dijo a Carmen, MM no dice mentiras, es honesto. Su mente no desvarío, ni imagino una fantasía, señaló cosas concretas. Dijo lo que él sentía, se lo comenté a Carmen Aristegui, Lo comento insisto, porque es inaceptable que se pueda impunemente acallar a un hombre honesto, vilipendiarlo ante la pasividad de tantos y tantas complicidades por intereses evidentes. Fue una plática privada que él hizo pública. Si, lo único que le "achacaron" era haber dejado en la Presidencia a Salinas, o sea le echaron en cara, lo hicieron responsable. Ahora le achacan locura, incoherencia, ¡Cómo se atrevió!. Que nadie se vuelva a atrever.

2

>> Texto de Manuel Bartlett escrito *exprofeso* para el libro *Transición* en donde revela que, mucho tiempo antes, Miguel de la Madrid le confesó su arrepentimiento por haber dejado a Salinas de Gortari en la Presidencia. Tenía esa carga moral.

Conciencia de Miguel de la Madrid

Ricardo Raphael

Pregunta un periodista a la presidenta del Partido Revolucionario Institucional, Beatriz Paredes Rangel, si ella metería las manos al fuego por el ex presidente Carlos Salinas de Gortari. Ella responde: "Yo no meto las manos al fuego ni por migo (sic) misma".

El cuestionamiento resulta relevante y la respuesta lo es aún más. Carlos Salinas es todavía militante activo y destacado del PRI. Consta en varios testimonios que su participación fue crucial durante el proceso de elección a la dirigencia priísta de 2002, cuando Roberto Madrazo y Elba Esther Gordillo compitieron por el control de este partido, justamente contra Beatriz Paredes.

Pruebas hay también de que fue mediador entre el gobierno de Vicente Fox y esa fuerza de la oposición. Y que su red de influencia aún sigue proyectándose sobre los tiempos actuales. De ahí que sea pertinente pedir cuentas a la líder más importante del Revolucionario Institucional sobre el papel que jugó y sigue jugando el ex mandatario dentro de su institución partidaria.

Paredes respondió lavándose las manos por un hecho que evidentemente la trasciende. Pero el asunto no se quedó ahí. La aludida completó la frase advirtiendo que no está dispuesta, siquiera, a meter las manos al fuego en defensa propia.

Esta no es una anécdota menor dentro del conjunto de hechos lastimosos que ocurrieran recientemente. Todo lo contrario, es síntesis —metáfora poderosísima— para comprenderlos. Si algo relaciona las declaraciones de esta líder política con las que Miguel de la Madrid le hiciera en entrevista a Carmen Aristegui, y también con la carta que el ex presidente enviara después para autodescalificarse, es precisamente el tema de la conciencia.

¿Cómo pretender que el individuo sea responsable ante sus semejantes, la ley, las instituciones o el Estado, si éste abdica a serlo, en primera instancia, frente a sí mismo? El conocimiento íntimo, la ciencia a propósito de las decisiones y los actos propios, es la pieza fundacional de nuestra humanidad.

La conciencia individual es la que nos define en la última de las circunstancias; la materia moral que ha de colocarse por encima de cualquier otra a la hora de resguardar la dignidad propia. Tanto Beatriz Paredes como Miguel de la Madrid, cada uno enfrentado a su propio contexto y presiones, optaron por la más triste de las abdicaciones.

El juicio que pesa sobre la personalidad pública de Miguel de la Madrid —poco más de 20 años después de que dejara la Presidencia de la República— está a punto de cerrarse. Hoy se le imputan equívocos, errores y, sobre todo, se le acusa de tibieza. Sin embargo, ninguno de los argumentos usados para hacer su crítica han contravenido la convicción que él tuvo y ha tenido de sí mismo como un hombre básicamente íntegro y honesto.

(He de precisar al lector que la objetividad requerida para escribir lo anterior me es imposible. La cercanía personal que sostengo con Miguel de la Madrid —soy hijo de su hermana— me obliga a hacer explícita la subjetividad que puede producirse de esta afirmación: lo valoro y lo respeto, desde mi más lejana infancia, como un hombre que ha vivido en acuerdo con su ética y moralidad).

Es desde esta perspectiva que no puedo ponderar la entrevista entre el ex presidente y la periodista como producto de una mente carente de discernimiento. Tampoco puedo descalificar, en complicidad con él, "la validez o exactitud" de sus reflexiones. Esa conversación es coincidente con su propio trayecto vital.

En todo caso, habría de reclamársele por el retraso para comunicar públicamente sus sospechas y reflexiones. Y, sobre todo, por signar un documento donde se anula a sí mismo, renunciando en simultáneo a la más preciada de las libertades humanas. Se trató de una mala broma, dolorosa y profundamente injusta para consigo mismo.

En algún lugar esa carta recuerda aquella paradoja que Epiménides dejara en el siglo VI antes de nuestra era: "Todos los griegos son mentirosos. Lo digo yo que soy griego". O dicho en lenguaje del siglo XXI mexicano: "Mis respuestas carecen de validez y exactitud. Lo digo yo, que afirmo lo anterior".

Algo anda muy descompuesto en nuestra sociedad cuando la libertad de conciencia puede ser aniquilada asumiendo que hay otros valores más importantes a tutelar. ¿Cuánta habrá sido la presión sobre De la Madrid? Ahora que la voz se ha diluido a sí misma es probable que nunca lleguemos a saberlo.

» Artículo publicado por Ricardo Raphael de la Madrid, hijo de la hermana de MMH, en *El Universal* respecto a lo revelado por el ex mandatario.

» Cartón de Helioflores publicado
en *El Universal*.

Transición, de Carmen Aristegui y Ricardo Trabulsi,
se terminó de imprimir en Noviembre 2009.
en los talleres de World Color Gráficas Monte Alban S.A. de C.V.
Fracc. Agro Industrial La Cruz.
El Marqués, Querétaro.
México.